CW00662241

LE TRAIN DU NÉGUS

Sur les pas de Rimbaud

DU MÊME AUTEUR

LES MYSTÈRES D'OUVÉA, Éditions Filipacchi, 1988.

Collaboration

Avec Roger Auque : UN OTAGE À BEYROUTH, Éditions Filipacchi, 1988 (Prix Vérité).

PATRICK FORESTIER

LE TRAIN DU NÉGUS

Sur les pas de Rimbaud

BERNARD GRASSET
PARIS

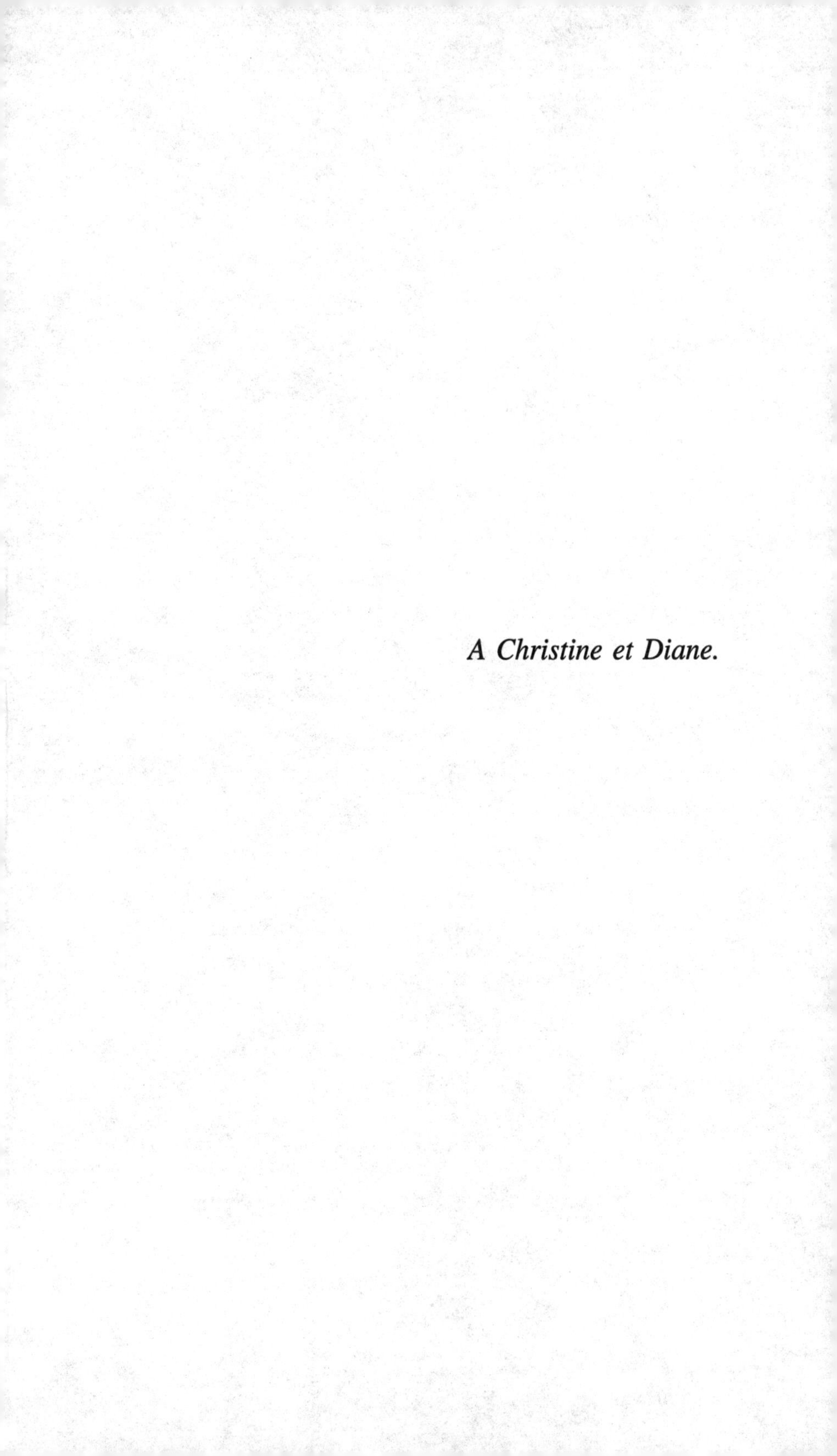

A Christine et Diane.

« Et j'irai loin, bien loin, comme un bohémien,
Par la nature, — heureux comme avec une femme. »

ARTHUR RIMBAUD
Sensations

Prologue

« Prendre le train ? C'est de la folie ! Vous risquez d'être attaqué par les guérilleros ou les pillards. Si vous ne finissez pas au fond d'un ravin. Les locomotives sont à bout de souffle, les wagons en piteux état et la voie ne tient plus qu'à un fil. Les Blancs n'empruntent plus ce train depuis belle lurette. Même les Africains hésitent à monter à bord. Seuls les plus démunis et les contrebandiers osent encore effectuer le trajet. »

Les diplomates sont des gens prudents. Je le savais. Mais celui-ci est visiblement effrayé que je puisse avoir l'idée de me rendre à Djibouti par le train. A son air interloqué, je vois qu'il n'est pas loin de me prendre pour un dangereux original, sinon pour un fou. Pour un peu, il sèmerait le doute dans mon esprit. A l'écouter, Sarajevo, ce n'est rien à côté de ce qui m'attend.

A Addis-Abeba, évoquer le chemin de fer djibouto-éthiopien provoque inévitablement un sourire moqueur, si ce n'est une réaction d'effroi. Pourtant son tracé ne s'étire pas comme le Transsibérien sur des milliers de kilomètres. La ligne à voie unique en compte à peine 782. 782 petits kilomètres qui dévalent cependant à travers plaines, montagnes et déserts depuis le cœur de l'Éthiopie à 2 348 mètres d'altitude jusqu'aux rives de la mer Rouge.

Ce n'était pas la première fois que je venais dans la Corne de l'Afrique et en Éthiopie. A chaque voyage, j'avais entendu parler de ce chemin de fer construit par des pionniers. Il existe beaucoup de trains pittoresques de par le monde. Mais celui-ci traverse, dans la plus grande partie de son parcours, un pays secret et longtemps inaccessible. Pendant des siècles, l'Éthiopie est demeurée une contrée quasiment inconnue. Peu d'étrangers avaient réussi à gagner ses hauts plateaux où vivaient des populations primitives mais qui possédaient une religion et une dynastie. J'avais lu *L'Afrique fantôme* de Michel Leiris. Pendant deux ans, l'écrivain avait tenu le journal de la mission Dakar-Djibouti. Au Sénégal, en Haute-Volta, en Oubangui-Chari, au Soudan, l'expédition dirigée par Marcel Griaule s'était heurtée à une multitude de difficultés. Les tracasseries rencontrées en Afrique-Occidentale et Équatoriale française et au Soudan anglo-égyptien n'étaient rien à côté de celles infligées en Éthiopie aux malheureux explorateurs. Ici, le colonisateur n'avait pas pris pied et le roi des rois régnait sur un empire grand comme deux fois la France. Les rapports avec le Blanc étaient différents puisque celui-ci était un invité et non pas un envahisseur. Cette relation n'a pas changé. En Éthiopie, parce qu'il n'y a jamais eu ni vainqueur ni vaincu, j'avais remarqué cette fierté naturelle, dénuée d'ostentation, de ces hommes avec qui le dialogue est difficile, mais jamais perturbé par les réminiscences d'un passé commun. L'Éthiopien, secret par nature, ne montre pas de susceptibilité mal placée face à un étranger. Jamais colonisé, il demeure fier de son histoire. Par peur des maléfices, les Égyptiens ne s'aventuraient pas après la deuxième cataracte du Nil. Les

Arabes, eux, appelaient l'Éthiopie Barr Adjam, la « terre inconnue ». Les rares voyageurs qui s'y risquèrent au siècle dernier mirent des mois pour arriver jusqu'au négus. Quand l'expédition ne se faisait pas massacrer en cours de route. Il a fallu le chemin de fer pour que l'Éthiopie lève un coin de son voile. L'emprunter, c'était retourner sur les traces d'Arthur Rimbaud. A l'époque, le train n'existait pas. Mais pendant onze années, le poète devenu marchand explora les régions de son futur tracé. Il en mourut à Marseille, rongé par la maladie. C'était aussi retrouver les impressions abyssines d'Henry de Monfreid. Il est toujours idiot, dira-t-on, de marcher dans les pas d'aventuriers aussi prolixes, même si Rimbaud n'a pas écrit sur l'Éthiopie, mis à part des correspondances personnelles, une lettre au *Bosphore égyptien* d'Alexandrie et un rapport sur l'Ogadine pour la Société de géographie de Paris.

Tel n'était pas mon but. Malgré l'existence du train, l'Éthiopie s'est repliée sur elle-même pendant vingt ans. Ce n'était pas une forteresse assiégée comme l'Albanie du temps d'Henver Hodja. Mais le régime de Mengistu Haïlé Mariam n'acceptait guère que des étrangers traversent le pays s'ils n'étaient pas russes ou cubains. En deux décennies, l'Éthiopie a régressé. Le chemin de fer aussi. Exsangue, il met plus de temps à rejoindre Djibouti que lors de sa création. Les populations qu'il rencontre n'ont, malheureusement, pas évolué depuis qu'Arthur Rimbaud parcourait le pays à dos de mulet. Prendre le train, c'était remonter le temps. Comment les gens allaient-ils apprécier la présence d'un *farendj* (un Franc) tout au long du parcours ? Il me tardait de le savoir. Mon diplomate ne pouvait se douter que je n'avais qu'une hâte : monter dans la première voiture, non pas pour réaliser un exploit, mais, tout simplement, pour m'évader et satisfaire ma curiosité. Que m'importaient les risques, que j'estimais au demeurant mineurs. Je dois dire qu'ils m'excitaient plutôt qu'ils ne me rebutaient. J'étais heureux de partir sans but précis. J'avais parcouru trop de kilomètres à lutter contre le temps pour ne pas savourer ceux que j'allais égrener à mon rythme.

J'ai toujours observé avec envie ces musulmans capables, pendant des heures, de rouler un à un, entre leurs doigts, les grains de leur chapelet. Au Proche-Orient, il m'a toujours semblé que les hommes qui entamaient une discussion en sortant de leur poche leur objet de piété étaient plus sages et plus convaincants que les autres. Leurs mots étaient plus justes, leur argumentation plus forte. Comme si chaque petite boule qu'ils faisaient glisser dans la paume de leur main leur donnait le temps de mieux apprécier les événements. En subissant le rythme lent et chaotique du train pour traverser ces « terres hostiles d'Éthiopie », j'allais percevoir des subtilités qui m'auraient échappé autrement. Je quittais les oripeaux du journaliste pour ne conserver que l'essentiel : le temps de la compréhension et je hélai le premier taxi qui passait à ma portée. Il me déposa dans un bruit de ferraille en bas de Churchill, la plus longue avenue de la capitale.

CHAPITRE PREMIER

Face à la gare, la statue d'un lion domine la place. Gravés sur son socle, quelques mots en amharique et cette phrase : « Le lion vainqueur de la tribu de Juda ». Pour les voyageurs qui débarquent et qui ne le sauraient pas, l'Éthiopie n'est pas un pays africain comme les autres. Durant trois mille ans, les empereurs chrétiens éthiopiens descendirent du roi Salomon et de la reine de Saba, c'est du moins ce que dit la légende. Pendant trente-six ans, ce lion en bronze s'élevait Piazza del Cinque Cento à Rome. Lorsque les troupes italiennes entrèrent dans Addis-Abeba, le 5 mai 1936, leur premier geste fut de déboulonner la statue pour l'expédier vers la Péninsule. Mussolini croyait prendre ainsi sa revanche sur Ménélik qui, en 1896, avait échappé, à la tête de ses guerriers, au premier corps expéditionnaire italien. Mais comment un simple *duce* croyait-il pouvoir rivaliser avec un empereur descendant d'une dynastie millénaire ? Bien des années plus tard, en 1972, l'Italie restituait le lion à Haïlé Sélassié, pour le quarante-deuxième anniversaire de son couronnement. Depuis 1991, la révolution marxiste et Mengistu ont été chassés du pouvoir par les maquisards du Tigré. Un inconnu, Meles Zenawi, gouverne aujourd'hui le pays. Mais le lion, emblème de l'empire chrétien, est resté face au terminus du chemin de fer que Ménélik n'eut pas le bonheur de voir achevé avant sa mort.

La place de la gare n'a guère changé depuis sa construction. Un cordon rouge, signe d'autorité, empêche toutefois les gens de pénétrer dans le bâtiment, en dehors des heures de départ des deux trains quotidiens. Les autocars délabrés et les minibus surchargés sont priés de se tenir à distance. Quelques policiers, armés de vieilles pétoires, gardent les entrées à l'ombre des arcades du rez-de-chaussée. Le bâtiment, coiffé d'un toit de tuiles rouges, est surélevé en son milieu. Sous une inscription en amharique, on peut lire la traduction française : « Chemin de fer djibouto-éthiopien » sur un bandeau en faïence jaune qui court le long des arêtes du fronton. Une façon comme une autre de rappeler que le chemin de fer a été construit par des Français et que, soixante-sept ans après son inauguration, on parle encore la langue de Voltaire sur la ligne, même si le pays reste anglophone.

Séguédé Berhané, le nouveau directeur général, est un homme jeune, dynamique et, incontestablement, ambitieux. Il a suivi des études et aime le faire savoir. Diplômé de sciences économiques, sa thèse portait à l'école polytechnique de Lausanne sur le transport ferroviaire. Il a même écrit des mémoires sur la dynamique des performances et l'acheminement des marchandises en Éthiopie ! Au ministère des Transports, il dirigeait l'étude de faisabilité sur la ligne Addis-Abeba-Assab, le port érythréen. Un projet qui traîne dans des cartons depuis des décennies et qui ne verra vraisemblablement jamais le jour. C'est dire si le rail, ça le connaît. Tout au moins sur le papier ! Par ailleurs, il nourrit des idées pour améliorer « son chemin de fer ». Tant pis s'il n'a pas le moindre sou en caisse pour acheter la plus petite pièce détachée. Il compte sur l'aide de la France, de la CEE et de la Banque Mondiale qui, il est vrai, prépare depuis longtemps la réhabilitation de cette voie ferrée vitale pour le pays. Mais ce projet est comme l'Arlésienne. Les bailleurs de fonds hésitent à dépenser quelques milliards de dollars tant que « la situation politique », comme l'annoncent les innombrables rapports des experts, ne sera pas stable. Un euphémisme pour désigner les attaques que subit le train dans les régions qu'il traverse. C'est que le nouveau pouvoir tigréen, bien qu'il ait chassé la dictature, ne fait pas l'unanimité. En acceptant l'indépendance de l'Érythrée, Meles Zenawi a donné des idées aux autres peuples qui composent l'empire bâti par Ménélik. « Pourquoi eux et pas nous ? » demandent par exemple les Oromos qui composent 40 % de la population.

Séguédé Berhané, c'est Monsieur Propre. A l'écouter, finis les ministres qui s'approprient des wagons pour transporter les marchandises de leurs amis. Terminé l'argent de la société qui se retrouve dans la poche de quelques individus. M. le directeur général souhaite un changement radical d'état d'esprit. « Après dix-huit ans de communisme, c'est primordial », ajoute-t-il d'un ton convaincu. Le temps où le Parti des travailleurs nommait chefs des militants incapables est révolu. Priorité à la concertation avec le syndicat « démocratiquement élu », aux deux mille six cents cheminots et à la création d'une bonne ambiance de travail. D'ailleurs, le directeur général souhaite donner l'exemple. Il n'occupe pas la maison de fonction à laquelle il droit. Il l'a affectée au repos du personnel. Séguédé Berhané s'occupe de tout jusqu'au moindre détail.

Le directeur général n'est pas homme à se décourager.

Il a fait réparer un poste de commande ceint par des traverses en fer peintes en jaune. Aujourd'hui, le passage à niveau électrique à la sortie de la gare fonctionne. Pour me prouver que ce qu'il annonce est vrai, il m'entraîne dans sa voiture jusqu'à l'endroit controversé. Cela tombe bien, un train arrive. Malheureusement, la barrière reste obstinément levée. Le directeur général interroge le policier, planté devant la cabane qui abrite la machinerie. « L'agent n'est pas là. Il est parti manger », répond celui-ci, tout penaud. L'obstination a parfois du bon. Mais il est midi. L'appel du ventre reste parfois plus urgent qu'une mission, aussi exaltante soit-elle.

Infatigable, Séguédé Berhané me conduit à présent au bout d'une voie de garage, mangée par de hautes herbes, qui aboutit dans un hangar. A l'intérieur, quelques ouvriers s'affairent autour de quatre wagons blancs fraîchement repeints. Le directeur général affiche un large sourire, savourant à l'avance ce qu'il va m'annoncer :

— Je vous présente les wagons de l'empereur. Une fois restaurés, ils pourront accueillir des touristes ! Je pense même faire poser quelques kilomètres de voie dans le parc d'Aouache. Depuis le train, les étrangers pourront découvrir sa faune.

Il y avait le train des maharadjahs en Inde. Il y aura bientôt, si j'en crois le directeur général, celui du négus en Éthiopie ! Je n'ose montrer mon scepticisme. Le projet reste louable, mais l'état général du matériel permet-il une telle entreprise ? D'après les descriptions apocalyptiques qui m'en ont été faites, j'en doute. La visite des wagons impériaux vaut toutefois le coup d'œil. Ils ont été offerts à Haïlé Sélassié en 1955 par Élisabeth II. La reine vouait de l'admiration à ce roi d'apparence fragile, que son père, George VI, avait accueilli à Londres en 1936.

Le négus avait bien essayé de repousser les troupes de

Mussolini. Mais l'armée éthiopienne manquait d'avions, de chars, de canons. Alors plutôt que de se rendre, l'empereur s'était réfugié en Grande-Bretagne pour organiser la lutte contre le fascisme. Vêtu de sa cape noire, ce petit homme vénéré comme un dieu par ses sujets, impressionnait, dit-on, la future reine. Une fois rentré au pays dans les fourgons de l'armée britannique, le négus n'oubliera jamais la couronne qui l'accueillit pendant les années de sang et lui permit de retrouver son trône. Un sentiment partagé par Elisabeth II qui lui rendit visite dans sa capitale et offrit des voitures aménagées tout spécialement pour lui. Sous Mengistu, elles furent évidemment retirées du réseau. Comment, dans un pays en pleine lutte des classes, pouvait-on conserver des wagons impériaux ? Personne n'osa toutefois les détruire. Comme si s'acharner sur les derniers vestiges de l'empire était un sacrilège. Dans la première voiture, des chaises recouvertes de cuir sont soigneusement rangées sous une longue table de conférence ovale réalisée dans du bois exotique. Hors de son palais, le négus pouvait y recevoir ministres et généraux. Un autre wagon est réservé à la salle à manger en bois clair, équipée d'une cuisine pourvue d'une gazinière des années 50 et d'un plan de travail en zinc. Des chambres à coucher, lambrissées également d'essences précieuses et éclairées par des lampes de Gallé, occupent les autres voitures. Des couvre-lits de satin pourpre et vert parent les couches impériales. Vêtu d'un uniforme d'apparat, Sa Majesté aimait y prendre quelque repos avant de descendre à chaque gare importante, distribuer des poignées de thalers d'argent à ses sujets.

Armés de chiffons et de cire, les employés du chemin de fer briquent les boiseries, époussettent tables et fauteuils. Un technicien répare le circuit électrique qui alimente les ventilateurs, les interrupteurs et les sonnettes permettant d'avertir les domestiques et les maîtres d'hôtel censés se trouver aux extrémités du wagon. Le temps presse. En attendant les touristes, le directeur général nourrit en effet un projet à plus court terme : inviter les ambassadeurs occidentaux en poste à Addis-Abeba à venir voyager quelques kilomètres à bord du train du négus. Par commodité, les automobiles à fanions de leurs excellences devront, dans un même temps, suivre le convoi. C'est plus prudent, une panne est si vite arrivée.

Pour ce qui me concerne, je ne tiens évidemment pas à emprunter une rame spéciale, mais un des deux trains ordinaires qui quittent quotidiennement la capitale pour Diré Daoua, la grande gare à mi-chemin entre Addis et Djibouti. La capitale éthiopienne, terminus de la ligne, accueille, elle, le centre administratif et un simple atelier. Quelques ouvriers en bleu de chauffe réparent des ferrailles posées sur des enclumes à l'aide d'un marteau. Devant la braise d'une forge à soufflet, un autre chauffe une pièce avant de la travailler. J'aperçois dans un coin un vieux poste à souder qui semble être le seul outil « moderne » de l'atelier.

— Ici, nous n'avons presque rien. Tout est à Diré Daoua, précise Séguédé Berhané comme pour s'excuser du manque de matériel.

Pour mon voyage, je souhaite un interprète. En brousse, nul ne parle une langue étrangère. Un cheminot qui connaisse bien la ligne serait le mieux.

— Je pense que j'ai l'homme qu'il vous faut. Il s'appelle Séraphin. C'est un retraité qui a bourlingué d'Addis à Djibouti toute sa vie. Vous le trouverez ce soir au Club des cheminots, il sera prévenu.

— Mais comment le reconnaîtrai-je ?

— Demandez simplement Séraphin. Il est très connu. C'est un champion de boules ! Dites-lui de vous amener chez le chef de la police du chemin de fer. Il vient d'arrêter une bande de voleurs qui nous a causé beaucoup d'ennuis !

J'acquiesce avec un sourire en pensant que ce brave homme naïf et entêté n'est pas, en fin de compte, antipathique. Mais il est 13 heures passées et je suis attendu à déjeuner.

Prendre le train ? Carletto éclate franchement de rire. Il en dénouerait presque sa cravate qui étrangle son cou de taureau. Le rire de Carletto est communicatif. Giuseppe, mon invité, pouffe à son tour. Carletto est une figure de la communauté italienne d'Addis-Abeba. Depuis le temps qu'il est derrière la caisse de chez Castelli, il ne compte plus les ministres, les ambassadeurs, les hommes d'affaires et les escrocs qu'il a vus défiler dans son restaurant. Mais, des hurluberlus qui veulent s'enquiquiner à prendre le train alors qu'il y a l'avion, ça, il ne comprend pas ! Après la guerre, Carletto est arrivé à Addis sans un sou en poche. A cette époque, les Italiens n'étaient pas bien vus dans le pays. Non pas par les Éthiopiens, que le *duce* avait essayé de coloniser sans jamais y parvenir, mais par les Anglais qui enfin prenaient pied dans l'empire du roi des rois.

— Les Britanniques voulaient que les deux cent mille Italiens d'Asmara et d'Addis ne soient plus que deux cents, explique Giuseppe, né dans la capitale de l'Érythrée aujourd'hui indépendante.

— Les Éthiopiens ont caché mon père, comme plusieurs centaines de compatriotes, pour qu'ils ne soient pas renvoyés sur des bateaux vers l'Europe. Ici, il n'y a jamais eu de revanche. Le général Graziani a laissé un mauvais souvenir, mais c'était un fou. Entre les beaux discours de Rome et la réalité d'Addis, il y avait tout un monde. Les émigrés étaient là d'abord pour travailler.

Carletto était chauffeur de poids lourds. La route du

port d'Assab, il la connaît par cœur. Sa sœur avait épousé Castelli, patron d'un routier dans la banlieue de Campo Alpha. Pour trois birrs, on y mangeait un menu unique : macédoine, pasta y café. Au moment où le restaurant émigrait près de la place Théodoros, Carletto a abandonné le transport pour les fourneaux. Depuis, Castelli est devenu « le restaurant » d'Addis-Abeba.

Un empereur, un dictateur, plusieurs coups d'État et une révolution se sont succédé, mais Castelli est toujours resté ouvert dans cette petite rue en pente bordée de maisons traditionnelles en bois. Chez Castelli, trois marches séparent deux mondes. Dès qu'on pousse la porte, on quitte l'Afrique pour l'Italie. Les murs sont peints en blanc. Face à la caisse enregistreuse où, assis sur un tabouret, trône Carletto, un banc réfrigéré d'antipasta accueille les convives. Aubergines, fèves, beignets, tomates, mozzarella, les légumes ne manquent pas en Éthiopie pour que le buffet de la trattoria soit approvisionné en produits frais. Au-dessus d'un congélateur bourré de langoustes, gambas, araignées de mer et autres écrevisses qui viennent par avion de je ne sais où, le mur est décoré d'une aquarelle représentant l'arc de triomphe de Tortoua érigé par un César, dont Carletto a oublié le nom.

En Afrique de l'Ouest, les Français ont laissé comme habitude culinaire le pain, souvent excellent. En Éthiopie, les Italiens ont apporté les pâtes. La plus petite gargote de brousse propose l'*injera*, la galette de tef traditionnelle et des spaghettis à la sauce tomate. Mais c'est chez Castelli qu'ils sont certainement les meilleurs de tout le pays.

— Dans le temps, j'ai pris le train pour Aouache et même pour Diré Daoua, si je me souviens bien, raconte Carletto. Ce n'était pas comme aujourd'hui. Chacun avait sa place réservée et l'on voyageait en wagon-salon. La moquette tapissait le sol, et le bois précieux, les parois. Du temps des Français, le train était propre et arrivait à l'heure.

En septembre 1974, éclatait la révolution. Le roi était renversé et l'Éthiopie basculait dans une autre époque.

— Même la Juventus devait céder son terrain de football qui devint la place de la Révolution.

Après le déjeuner arrosé de chianti, Giuseppe m'emmène dans sa vieille Fiat au club italien.

En 1959, un groupe de tifosi de l'équipe de Milan crée son club de football à Addis-Abeba. Les joueurs sont, certes, italiens, mais aussi arméniens et, bien sûr, éthiopiens. Dans le championnat, la Juventus arrive chaque année en bonne place, à la grande joie des Italiens expatriés. Mais, sous Mengistu, le club est chassé de son stade. Le dictateur souhaite qu'Addis, comme Moscou, possède une place Rouge pour que l'armée et les organisations populaires y défilent devant d'immenses tribunes réservées aux apparatchiks.

Aujourd'hui, la Juventus ne possède plus qu'un terrain miniature, mais le bâtiment est toujours là. Le dimanche soir, c'est le rendez-vous traditionnel de la communauté. Accoudés le long d'un immense comptoir, les consommateurs ne sont pas tous des Italiens de pure souche. Au fil des années et des générations qui se sont succédé, plus d'un a succombé aux charmes des Éthiopiennes réputées pour la finesse de leurs traits. Mais ici personne ne considère les métis comme des étrangers. Implantés depuis plusieurs décennies, ces Africains blancs, et latins, se sont intégrés, mieux que les Britanniques du Kenya voisin, dans le pays de leur naissance. Les barmans, habillés d'une tenue blanche impeccable, tirent de la bière pression, servent des camparis et d'excellents expressos à partir d'une machine Silvestri des années 50 carrossée d'aluminium comme les pare-chocs d'une vieille Cadillac. A côté, le doseur et le moulin à café « Faema Uracria » posé sur le comptoir feraient la joie des antiquaires du marché Biron. Une seule image orne le lieu, celle de l'équipe de la Juventus, la vraie, capable de déchaîner la passion à des milliers de kilomètres de la Péninsule. Seul un piano meuble l'immense salle de bal voisine transformée, au gré des jours, en théâtre ou en salle de judo recouverte, pour la circonstance, d'un tatami. Dans ce décor austère, les blasons de Rome, Naples, Palerme, Florence parent les murs blancs. Au club italien d'Addis-Abeba, le temps semble s'être arrêté il y a trois décennies. Rien n'a changé. Le parquet est seulement plus usé, les boiseries davantage patinées et la machine à café tombe parfois en panne, faute de pièces détachées disponibles.

— Elle est comme le train, plaisante Giuseppe. Il existe toujours mais pour combien de temps ? S'il disparaît, ici, on le regrettera. Les Français n'étaient pas les seuls à travailler sur le rail. Les Italiens qui touchent une retraite du chemin de fer franco-éthiopien sont nombreux.

Giuseppe a, cet après-midi, du temps à perdre. Il tient à me ramener à la gare. Dans le haut de la ville, nous suivons un vieil autobus poussif qui peine à chaque montée. La capitale est construite sur des collines plantées d'eucalyptus qui embaument l'atmosphère. Dans les quartiers pauvres, ce bois odorant alimente les feux. A la tombée de la nuit, des nuages blancs et parfumés planent sur Addis-Abeba, « la nouvelle fleur » en amhara. C'est Ménélik qui la baptisa ainsi à la fin du siècle dernier. Il avait abandonné Axoum, l'ancienne capitale de l'empire située dans la province du Tigré, loin des nouvelles routes commerciales qui s'ouvraient vers la côte.

Entoto, édifiée au sommet d'une montagne, devint la nouvelle tanière du lion de Juda. Le palais était construit en bois et la capitale ressemblait à un gros village de toucoules, de tentes et de cabanes malodorantes. Le bois et l'eau manquaient, mais surtout, le site exposait Entoto à toutes les intempéries qui règnent l'hiver dans la province du Choa. Plus bas, le climat est plus doux. La reine Taïtu, son épouse, venait y suivre des cures dans les sources d'eau chaude qui, aujourd'hui, alimentent la piscine en forme de croix de l'hôtel Hilton. L'impératrice aimait l'endroit et le fit apprécier à son époux. « Nouvelle fleur » était née. Avant de se rendre à la gare, Giuseppe tient à boire un café dans l'ancien hôtel Taïtu, le premier palace construit en ville. Henry de Monfreid, paraît-il, y séjournait avant guerre lorsqu'il venait vendre des armes ou acheter des marchandises à Addis. A l'époque, il était l'ami du négus. Jusqu'à ce que l'impétueux aventurier le traite de tous les noms d'oiseau, qu'il fricote avec les Italiens et que leur brouille devienne définitive. L'établissement a vieilli, mais on imagine facilement ce qu'il a pu être du temps de sa splendeur. La rampe d'escalier épaisse et lourde est en bois exotique et, sur les murs lambrissés, de magnifiques scènes africaines signées Scabia éclairent la sombre atmosphère du hall d'entrée. Le parquet du bar est déformé mais la vue sur la ville est magnifique. Je quitte avec regret cet établissement. Je dois préparer mon départ. J'ai hâte de connaître Séraphin, mon traducteur. De lui dépendra, en partie, la réussite du voyage.

Pour rejoindre la gare, Giuseppe traverse Sans-Souci, le quartier des bouna-biet. Ici, une pièce de quatre mètres sur quatre suffit à faire un bistrot. La bière n'y est pas chère et, meublée d'un grabat, la chambre, qui s'ouvre derrière, n'est séparée du comptoir que par un rideau crasseux.

— Dans les années 60, Addis comptait quinze mille bordels. Cinquante mille filles y offraient leurs charmes chaque soir. Avec la misère, le chiffre a dû tripler, lance Giuseppe en maugréant devant une 404 chargée de sept passagers qui se traîne au milieu de la chaussée.

Nous traversons « Nefas Silk » qui peut se traduire par : « Parle avec le vent ». Ce quartier a été le premier à être équipé du téléphone. Un appareil qui, tout au moins à ses débuts, frappa l'imagination des Africains qui ne comprenaient pas par quel sortilège on pouvait communiquer à distance sans crier ni même se voir. L'ouverture du premier cinéma, tenu par un Français, avait provoqué la même surprise. En ville, on l'appelait la « maison du diable ». Il existe toujours, non loin de l'obélisque dédié aux martyrs de la révolution qui furent nombreux car, en Éthiopie comme ailleurs, la révolution a dévoré ses enfants au cours de purges successives.

— Ici c'est « Bekautu » : « Personne ne t'aidera » en français, affirme mon chauffeur.

Avec ses petites maisons et ses huttes, ce périmètre surpeuplé ressemble à un bidonville. Le soir, il ne fait pas bon s'y promener à pied.

Addis-Abeba a attiré, comme un aimant, les miséreux, les affamés, les chômeurs des provinces lointaines qui croient y trouver de quoi survivre. Dans la capitale, les étrangers sont nombreux et l'argent circule. Siège de l'Organisation de l'unité africaine, Addis abrite autant de représentations diplomatiques que Washington. Sans compter les organisations internationales qui y ont développé d'immenses bureaux peuplés d'experts, de chargés de mission, de directeurs, de fonctionnaires. Ils travaillent pour l'aide alimentaire, l'agriculture, l'éducation, la santé ; étudient des projets à propos de l'infrastructure routière, du développement du tourisme, du développement tout court. Estampillés de sigles bizarroïdes, PNUD, PAM, OMS, CEE, CICR, UN, des milliers d'individus de toutes les nations dépensent des millions de dollars dans un système qui ne finit jamais. On les retrouve le soir au bar du Hilton fréquenté par des jeunes filles bien maquillées et peu farouches. Les 4 x 4 et les Mercedes dernier modèle traversent la ville saignée d'avenues aussi larges que des autoroutes. Mengistu pensait qu'elles étaient l'un des signes de réussite du socialisme.

Arrivé place de la Gare, Giuseppe stoppe sa voiture devant un bâtiment ceinturé d'une haie d'arbustes. L'entrée est marquée par un portique qui annonce le Club des cheminots. En cette fin d'après-midi, il y a foule dans la bâtisse aux portes grandes ouvertes. A l'intérieur, deux serveurs s'agitent derrière un bar en Formica. Des panneaux émaillés vantent les mérites du Byrrh et du Ricard, mais les étagères vides n'accueillent plus, depuis belle lurette, d'apéritifs français. Café, soda et bière restent à peu près les seules consommations qu'offre ce foyer fondé par les agents de la SNCF détachés sur le chemin de fer franco-éthiopien de l'époque. Au fond de la salle, un homme annonce des numéros devant un micro nasillard. Le 7, le 21, le 18. Entre chaque chiffre, il fait tourner la sphère du loto où s'entrechoquent les petites boules multicolores. Les clients ont posé leurs cartons sur les tables. D'autres, les plus nombreux, attendent la chance dehors, à l'abri d'une terrasse couverte d'un toit en tôle. Le 4, le 13, le 80 : les haut-parleurs extérieurs répandent la bonne parole dans l'assistance agitée d'un brouhaha permanent. Si les hommes qui sont ici n'étaient pas africains, on pourrait se croire dans un village de Provence. Ne manque que « carton plein », hurlé avec l'accent méridional par un gagnant. A Addis, les cheminots jouent tous les soirs. Les lots ne sont pas des victuailles mais quelques centaines de birrs, la monnaie locale, toujours appelée dollar comme au temps de l'empereur. Agents en activité ou retraités, les joueurs appartiennent à la grande famille du chemin de fer. On reste sur la ligne de père en fils, on se marie même entre enfants de cheminots. Il n'est pas rare non plus que maris et femmes travaillent au CDE. Ils se connaissent tous. Même si un agent a quitté le rail depuis des années, il n'est jamais un inconnu. Ce tracé unique et, en définitive, le nombre peu important d'employés, amènent chacun à se côtoyer un jour ou l'autre.

— Séraphin ?

— Il est là-bas, sur le terrain de boules, me répond tranquillement un ancien dans un français parfait.

Vêtu d'un costume à carreaux gris usé et démodé, Séraphin, les pieds joints et les genoux fléchis, s'apprête à lancer son projectile. Un superbe carreau provoque des approbations sourdes comme il s'en produit l'été au Cagnard à Cavaillon ou sur le terrain municipal de Plan-de-Cuques. Pas peu fier de son coup, mais le triomphe modeste, Séraphin se dirige vers moi, la face éclairée d'un large sourire qui découvre des dents jaunies par le tabac. L'homme, de taille moyenne, a le crâne dégarni, et les cheveux qui lui restent sur les tempes sont devenus gris avec l'âge. En me serrant la main, il ne peut pas se tromper. Je suis le seul Blanc présent dans le Club qui, je suppose, n'en accueille guère.

— Bonjour, je savais que vous alliez venir. Le directeur général m'avait prévenu, annonce-t-il d'une voix grave.

J'explique mon projet. En quelques minutes, Séraphin accepte de me suivre et ne pose aucune condition. Depuis plusieurs années, il n'a pas emprunté le chemin de fer mais il sait tout ce qui s'y passe. Pas un cheminot ne débarque à Addis sans s'arrêter au Club pour rencontrer un cousin ou un ami. Ici, on vit au rythme du train que l'on entend rentrer chaque jour dans la gare voisine.

— J'ai mal au cœur de voir ce qu'il est devenu, dit Séraphin devant ses amis.

Les Français n'ont pas laissé de mauvais souvenirs. Bien au contraire. Tous en parlent avec nostalgie. Les agents de la SNCF étaient, comme eux, des cheminots. Entre hommes du rail, le courant passait. Ils étaient tous fiers de ce chemin de fer. Ils avaient ensemble le respect du travail accompli, la satisfaction de la belle ouvrage. En 1911, la première locomotive entrait dans Addis-Abeba. Mais depuis vingt ans, la révolution en Éthiopie et l'indépendance de Djibouti ont entraîné le départ des derniers Français. A entendre les Éthiopiens, ils sont, depuis, devenus orphelins.

— Je me souviens comme si c'était hier du dernier jour de M. Lebegue. Pourtant, c'était en 1967, raconte Ahmed, toujours vêtu de la veste bleu de chauffe.

Le « vieux » regrette non pas le boss, le patron, mais le professionnel qui partageait la même passion que lui. Les amoureux du rail sont innombrables. Je ne sais pas pourquoi le train suscite toujours autant d'émotion. Les avions, les fusées, les jeux électroniques auraient remplacé les trains miniatures dans le cœur des enfants. Pourtant, dans notre Occident blasé, je vois encore des gosses qui passent des heures à voir rouler un petit train électrique. La passion du train se joue des frontières, des langues et des couleurs de peau. A Oulan-Bator, les petits Mongols, qui s'amusent devant leurs yourtes, regardent avec la même curiosité le Transsibérien que le jeune gardien de vaches du Cantal qui observe, assis sur un talus, l'autorail d'Aurillac. Les cheminots africains d'Addis-Abeba aiment leur chemin de fer autant que leurs collègues français.

Une fois par an, le tournoi de l'Alliance franco-éthiopienne réunit les meilleurs joueurs d'Addis. Jean-Michel Champeau, son directeur, forme une équipe avec des professeurs du lycée français Haïlé-Mariam. Les parties sont acharnées, et régulièrement ce sont les Français qui prennent la piquette. Séraphin, tireur émérite, emporte, comme à l'accoutumée, le coffret de six boules neuves venu de France par la valise diplomatique. Le rêve de Séraphin serait, bien sûr, d'affronter les plus grands au parc Borély à Marseille, Mecque des boulistes, dans les fameux concours annuels du *Provençal* ou de *La Marseillaise*.

La nuit approche et il est temps d'aller rencontrer le chef de la police du chemin de fer. Séraphin est partant. A peine prend-il le temps d'essuyer ses boules avec le chiffon qu'il tient dans une main. Il semble déjà prendre à cœur son métier d'interprète.

Le colonel Kurabatchew Asaminew ne ressemble pas, à proprement parler, à Sherlock Holmes. Je ne sais pas si le célèbre détective a une moustache, mais l'officier, lui, en porte une. Elle n'est pas très bien taillée. Peut-être est-ce dû au fait que ses joues ne semblent pas avoir rencontré la lame d'un rasoir depuis plusieurs jours. Le chef de la police ne porte pas non plus de veste de tweed comme le héros de Conan Doyle, mais un blouson de cuir noir. Si le fin limier d'outre-Manche apparaît perspicace et nanti d'un flegme tout britannique, je doute que le colonel Kurabatchew garde le même calme en toute circonstance. En fait, le policier éthiopien est tout le contraire du détective anglais. Il affiche même une mine carrément patibulaire. Je n'aimerais pas le croiser à minuit au coin de la gare qui, comme la ville, souffre du manque d'éclairage.

Pourtant, l'officier a réussi un beau coup de filet après, selon l'expression consacrée, une longue enquête. Comment en est-il arrivé à ce résultat ? J'ai du mal à comprendre ou plutôt il ne s'embarrasse guère de détails dans ses explications. En huit mois de filature, ses hommes ont arrêté une bande de voleurs qui pillaient le fil en cuivre du téléphone qui court le long de la ligne. En tout, ils ont démonté 47 250 mètres de métal entre Addis et Modjo. Les voleurs travaillaient la nuit. Après avoir arraché le fil, ils transportaient les rouleaux à travers champs jusqu'à la route la plus proche. Là, un complice les attendait avec un camion. Séraphin ouvre de grands yeux. Au cours de sa carrière, il a entendu des histoires peu communes. Mais là, c'est un record. Le téléphone du chemin de fer fonctionne une fois sur deux. Dans ce cas, il n'existait plus du tout. La voie, je le répète, est unique. Les convois qui montent vers Addis et ceux qui descendent vers Djibouti doivent se croiser dans les gares prévues à cet effet. Sinon, c'est la catastrophe.

— Quand le téléphone est coupé, le train attend l'autre ou roule à vue pour ne pas le télescoper, me précise Séraphin.

Le colonel hoche la tête.

— Douze de ces sacripants sont des anciens soldats, dit-il.

Lorsque les maquisards tigréens ont pris Addis, le nouveau pouvoir n'a pas fait de détail. Au lieu de décapiter l'armée en destituant les officiers supérieurs, il a démobilisé toute la troupe, du général au simple soldat. Résultat : des centaines de milliers d'hommes se sont retrouvés sur les routes sans un sou en poche, offrant leur kalachnikov pour une bouchée de pain.

— Les voleurs vendaient le cuivre par kilo au Mercato. Malheureusement, on a retrouvé à peine 2 % du butin, précise Kurabatchew Asaminew.

— Venez, je vais vous montrer.

L'officier, vêtu de kaki, se lève. En sortant de son bureau crasseux, il laisse au clou sa casquette frappée de trois étoiles et de deux palmes. Jusqu'à la frontière djiboutienne distante de 675 kilomètres, il commande à deux cent six policiers.

— Je ne peux être partout, déplore-t-il en nous emmenant devant le poste de police de la gare d'Addis. En fait, une simple bicoque en bordure d'une voie de garage.

A l'intérieur, trois hommes, fusils en bandoulière, devisent autour d'une vieille table en bois noircie par la saleté. A notre entrée, ils se lèvent tous. Un ordre, et deux d'entre eux ouvrent une armoire en fer grise à demi déglinguée. Les policiers en sortent avec peine une douzaine de cartons. Chacun contient des centaines de bagues, bracelets, boucles d'oreilles, colliers en métal jaune. Voilà à quoi sert le fil du téléphone une fois fondu. Immense marché approvisionné par la contrebande et les voleurs en tout genre, le Mercato est une véritable institution à Addis-Abeba. On y trouve de tout. Le gouvernement, quel qu'il soit, a toujours fermé les yeux sur ce qui se trame à l'intérieur. Trop d'intérêts sont en jeu. Trop de gens importants sont impliqués. Fier de sa prise, le colonel ordonne à ses sbires de sortir les rouleaux qui n'ont pas été fondus. J'ignore combien pèsent 50 km de fil de cuivre, mais je suppose que cela doit se chiffrer en tonnes, à voir la difficulté qu'éprouvent les hommes à soulever les rouleaux de métal. Un autre ordre, et les policiers se précipitent vers un vieux wagon de marchandises en bois vermoulu qui semble oublié sur la voie de garage. L'un d'eux s'acharne sur un gros cadenas, ôte la chaîne rouillée qui entoure un gros loquet et pousse la porte qui glisse avec peine. Aveuglés par la lumière, quatre hommes en haillons sortent de ce trou à rat. Les bras le long du corps, têtes baissées, ils fixent le sol souillé par l'huile des machines.

— C'est une partie de la bande. On les garde ici pour

les besoins de l'enquête. Leur interrogatoire terminé, on les remettra à la justice, explique le colonel Kurabatchew.

En attendant, ils cuisent au soleil pendant la journée, grelottent la nuit et moisissent quand il pleut. Je ne sais pas si l'officier y a pensé. Les cellules du poste sont encore en plus mauvais état. Aussi le wagon reste la moins mauvaise des solutions. Faut-il s'insurger ? Montrer de la sensiblerie ? La notion de justice échappe encore en Afrique aux canons occidentaux. Mais le droit, comme nous l'entendons, peut-il s'imposer au sein d'un peuple qui, pour survivre, est en proie à des rapports de force permanents ? Le voleur qui est pris est puni sans nuance. Malheur au vaincu ! D'ailleurs, Séraphin ne semble pas ému outre mesure par ces hommes prisonniers dans un wagon. Depuis des siècles, la souffrance est le lot quotidien de ses compatriotes. Ce ne sont pas quelques voleurs menés à la dure qui vont le bouleverser, alors que des milliers de gens souffrent de la faim à quelques mètres, dans les bidonvilles d'Addis-Abeba. L'Éthiopie est un pays dur, régi par des codes millénaires. Même si les mots « élection » et « démocratie » sont récemment apparus dans le langage, l'empire demeure, et le souvenir du roi des rois n'est pas près d'être effacé.

CHAPITRE II

Je ne voulais pas quitter la capitale sans voir la crypte où repose Ménélik, le « Napoléon éthiopien ». Je donnai vingt-quatre heures à Séraphin pour qu'il prépare son départ. Je comptais en profiter pour flâner et rencontrer les rares Occidentaux installés à Addis depuis longtemps. Je ne souhaitais pas m'embarquer dans ce voyage sans m'imprégner le plus possible de l'histoire du chemin de fer. Addis-Abeba était pour moi un sas de décompression qui me permettait d'abandonner Paris pour entrer dans un autre monde. *Rimbaud en Abyssinie* d'Enid Starkie qui provoqua un tollé chez les rimbaldiens (ce professeur britannique de littérature, sur la foi d'un rapport secret du Foreign Office, affirmait que le poète français était mêlé à la traite des nègres), le récit de voyage de Jean d'Esme, *A travers l'empire de Ménélik*, sont dans mon sac de voyage. Ces vieilles éditions, trouvées chez les bouquinistes, perdent leurs pages tant elles ont été lues et relues depuis les années 30. Elles m'ont enchanté et surtout ont aiguisé ma curiosité. Mais tant d'événements ont bouleversé, depuis, le pays que je craignais de ne retrouver, tout au moins dans la capitale, que les avatars des traditions passées. En pénétrant dans l'enceinte du vieux guébi, je me rends compte qu'il n'en est rien.

Comme à l'époque de l'empereur, le palais reste interdit au public. Vestiges de la prise de la ville par les maquisards tigréens, une demi-douzaine de chars d'assaut de fabrication soviétique, dissimulés sous de vieilles bâches, gardent les entrées principales. Près du mur d'enceinte surmonté d'une grille, on devine sous les frondaisons du parc quelques tentes abritant des soldats en tenue camouflée. A intervalles irréguliers, certains observent le trafic assis sur des piliers, les jambes dans le vide, la kalachnikov posée négligemment sur les genoux. Adolescents vêtus d'un treillis vert, sans grade apparent, ils portent un béret rouge posé au sommet de leur chevelure rasta taillée en boule. Ces jeunes combattants farouches ont tous un corps sec et longiligne. Leur ressemblance avec les Goranes et les Toubous tchadiens est frappante. Peut-être gardent-ils une morphologie semblable parce que les deux ethnies sont originaires de régions arides et surchauffées par le soleil. Dans les rues d'Addis, on les voit patrouiller en file indienne, comme s'ils étaient encore dans le « caillou ». Comme les combattants du Tibesti, ils sont capables de marcher 50 kilomètres dans la journée sans boire ni manger. C'est d'ailleurs à pied qu'ils ont pris Addis, en descendant des montagnes environnantes. La plupart d'entre eux ne parlent pas l'amharique. La population les redoute et les traite volontiers de « woyane », de voleurs. Juché sur un véhicule à roues de transport de troupes, l'un d'eux surveille l'entrée qui mène à l'église Sainte-Marie. Le parc jouxtant le vieux guébi, il était difficile d'en interdire l'accès.

Ménélik, l'empereur qui bâtit l'Ethiopie contemporaine et autorisa la construction du chemin de fer, repose au centre du parc. Ironie de l'histoire, Meles Zenawi, l'ancien révolutionnaire pro-albanais repenti devenu président, habite de l'autre côté de l'enceinte, à quelques pas du tombeau royal. Le nouveau maître de l'Éthiopie n'a pas de sang noble qui coule dans ses veines, mais il est né dans la plus vieille province abyssine, celle qui donna une capitale : Axoum, une civilisation, des négus, une Église, copte, et une langue : le guèze, cousine de l'hébreu et de l'arabe. La ville antique d'Axoum, détruite, pense-t-on, au xe siècle, conserve quelques reliquats de sa splendeur passée. Des obélisques de 20 mètres de hauteur dignes de ceux d'Égypte, portent à leur sommet un croissant et un disque, vestiges d'une religion antérieure au christianisme. Axoum abriterait également l'Arche d'alliance, le coffre précieux où les hébreux gardaient les Tables de la Loi et que Ménélik Ier aurait ramené de Jérusalem. Ses habitants en sont en tout cas persuadés. L'empereur Yoannes IV, dernier monarque issu du Tigré, est vénéré comme un héros depuis qu'il mourut sur le champ de bataille contre les Madhistes. Par la suite, les Tigréens n'ont jamais accepté la domination de l'Éthiopie par les Amharas. Entre les deux ethnies, la rivalité est ancestrale. En prenant le pouvoir à la tête d'une armée de gueux, Meles Zenawi s'est installé dans le palais des empereurs choans. L'ancien étudiant en médecine, privé de diplôme pour cause de guérilla, connaît trop l'histoire de son pays pour ne pas avoir imaginé, au moins une fois, qu'il était le digne successeur des rois du Tigré, écartés trop longtemps du pouvoir central.

Un chemin bordé d'oliviers et de palmiers conduit à l'église de forme octogonale, gardée par deux lions en basalte gris. De part et d'autre de l'escalier principal, Jésus et Marie sont enchâssés dans des niches de pierre. Le Christ est drapé d'une robe fuchsia et doré. La mère de Dieu est parée d'un brocart rubis, qui complète la palette de rouge des bougainvilliers alentour. Dehors, face à l'édifice, des fidèles prient, s'agenouillent et baisent le sol comme le font les musulmans cinq fois par jour en direction de La Mecque. Un vieux à la barbe grise, chamma de coton écru rejeté sur les épaules, porte une croix scarifiée à même son front. Au moment de la grande famine de 1985, j'avais été frappé par ces milliers d'hommes, de femmes et d'enfants qui, alignés dans la poussière des montagnes d'Erythrée pour attendre leur ration de nourriture distribuée par la Croix-Rouge, présentaient un signe identique gravé sur leur visage. Les plus âgés d'entre eux correspondaient à l'idée que l'on peut se faire de Moïse conduisant son peuple à travers le Sinaï. Ils avaient le même regard sombre, habité par la foi ; le même visage « biblique » empli de dignité que seuls les plus humbles affichent avec autant de force. A l'intérieur du sanctuaire, les prêtres célèbrent l'office en guèze. Les fidèles répètent sans comprendre, comme jadis chez nous, lorsque la messe était dite en latin. Au sein d'un peuple en majorité illettré, seuls les enfants de princes et les séminaristes ont la chance de mémoriser les quatre-vingt-deux signes de l'alphabet guèze. Ils apprendront à lire en suivant, livre par livre, épître par épître, la Bible et les Saintes Écritures. Il leur faudra dix années encore pour connaître la syntaxe et les chants liturgiques. Les plus doués, les plus tenaces aussi, seront initiés au « Qenié », l'art de la poésie. Les jeunes diacres changent de maître, apprennent la calligraphie et l'art de la reliure dans les grands monastères. Lettrés et prêtres, ils auront atteint le degré de pureté nécessaire pour pénétrer dans le cœur de l'église.

Pendant l'office, la maison de Dieu est rarement pleine. Et pour cause ! Seuls les enfants baptisés et les vieillards, trop proches de la mort pour pécher, peuvent accéder au premier péristyle qui entoure l'autel. Les femmes restent dehors. Les chrétiens ordinaires doivent se contenter de baiser les portes, d'embrasser le mur extérieur de l'église en implorant pardon. Trop de tentations sont offertes dans la vie quotidienne au commun des mortels. Leurs péchés sont trop nombreux, leurs âmes trop perverses, pour pénétrer dans le cœur sacré du sanctuaire. L'autel, caché aux yeux de tous, est surchargé de riches étoffes pourpres, de velours verts, d'enluminures, d'images saintes, d'icônes. Des anges dorés protègent la Vierge à demi dissimulée sous un voile émeraude. Le « tabot » est caché dans un angle. Il n'y a que les prêtres à pouvoir toucher et montrer aux fidèles, lors des grandes fêtes religieuses, la réplique en bois précieux de l'Arche d'alliance. Autour de l'autel, des tapis usés jusqu'à la trame couvrent le sol du déambulatoire. Des fresques en demi-lune décrivant le couronnement de Ménélik ornent les voûtes. Sur une toile, le ras Makonnen remet les clés de Harar à l'empereur. Une autre décrit la bataille d'Aoua contre les Italiens à côté d'une superbe Vierge à l'enfant. Au beau milieu trône un grand chromo de la reine de Saba.

Mythe ou affabulation ? Les Éthiopiens, en tout cas, croient en elle. Ils n'ont jamais, mis à part quelques intellectuels isolés, remis en cause l'ascendance salomonienne des empereurs, explicitée dans la *Gloire des Rois* au XVe siècle. Grâce au récit de ses marchands, la reine de Saba connaissait la sagesse déjà légendaire du roi Salomon, fils de David, bâtisseur du temple de Jérusalem, chef d'une armée équipée de chars et d'une puissante flotte de bateaux de guerre. Le faste du roi des juifs, son penchant pour la poésie, avaient été colportés jusqu'aux confins de l'Arabie. La reine qui adorait les astres ne pouvait rester insensible aux charmes d'un souverain qui priait un Dieu, celui d'Israël, créateur du soleil et de l'univers. Elle entreprit le voyage, s'installa à Jérusalem pour un long séjour sans toutefois tomber dans les bras de Salomon. La veille de son retour, elle accepta malgré tout son invitation à dîner, à une condition : il ne chercherait pas à la séduire. Le roi accepta mais demanda à son tour que la reine prêtât serment : elle ne devait rien prendre dans le palais qui lui appartienne.

Le festin commença. Les mets les plus raffinés défilèrent sur la table. Les clous de girofle, les noix muscade, le gingembre, le poivre parfumaient les viandes et les poissons. Puis les souverains se séparèrent. Mais dans la nuit chaude d'Orient, la reine de Saba eut soif, très soif. Les épices du banquet produisaient leurs effets. Elle saisit un gobelet empli d'eau posé judicieusement par Salomon à côté de sa couche et le but tout d'un trait. Elle venait de rompre son serment. Il ne lui restait plus qu'à partager son lit avec le roi d'Israël et à s'en retourner en Éthiopie. Neuf mois plus tard, la reine accoucha d'un garçon. Elle l'appela Ménélik. Devenu adulte, ce dernier alla à Jérusalem pour connaître son père. Salomon le sacra sous le nom de David II. La légende voudrait que le roi d'Éthiopie fût retourné dans sa patrie avec les aînés des douze tribus d'Israël qui fondèrent les tribus éthiopiennes du nord.

Au début du IVe siècle, un marchand byzantin débarqua sur la côte érythréenne. Il y éleva les premières églises et le patriarche Athanase d'Alexandrie le consacra évêque. Il fut le premier représentant d'Éthiopie de la future Église orthodoxe monophysite. Malgré les tentatives de pénétration de l'islam, à partir de l'Arabie puis d'Égypte, le pays resta chrétien et ses empereurs régnèrent avec la grâce de Dieu. Parce qu'elle a perpétué le christianisme des origines sur « une île de chrétienté en mer d'islam », certains appelleront l'Éthiopie « l'empire des Nègres blancs ». Je ne pouvais pas découvrir la crypte qui abrite le tombeau de Ménélik, m'enfoncer plus avant dans le pays à bord du train, sans mieux connaître ce passé qui conditionne inconsciemment la vie quotidienne de dizaines de millions d'Éthiopiens.

A peine ai-je pénétré sous le péristyle intérieur qu'un vieux prêtre s'avance en me tendant la main. Les fidèles assis à même le sol qui écoutent la messe ont les yeux tournés vers moi. Je ne perçois aucune animosité dans leur regard, à peine de la surprise. Depuis des années, les Blancs se sont faits rares à Addis-Abeba. Je suis loin de correspondre aux critères de pureté nécessaires à cette intrusion, mais la notion d'hospitalité reste la plus forte. Sans me laisser le temps de prononcer une phrase, le vieil abouna déplace un tapis près de l'entrée. Apparaît une trappe en fer gris que le prêtre soulève avec peine. Je le suis sur les marches abruptes et glissantes d'un escalier taillé à même la pierre. La crypte voûtée, éclairée par une faible lumière jaunâtre, est chaude et humide par manque d'aération. En retirant un tissu pourpre, le prêtre découvre un Christ enchâssé dans un drap d'or sous une vitre. Juste derrière, trois imposants sarcophages de marbre blanc abritent la famille royale. De part et d'autre de Ménélik, reposent la reine Zawouditou, sa fille, et l'impératrice Taïtu, sa femme. Un chromo est posé contre sa tombe. L'image de Ménélik est absente. Doit-on encore imaginer aujourd'hui que son ombre plane sur le pays ?

Quand Ménélik mourut en 1913, malade de la syphilis, son décès demeura secret pendant deux ans, trois mois et dix jours. Sa fille veilla son cadavre caché dans un coin du palais. Lidj-Yassou, son successeur à demi fou, avait interdit qu'on célébrât ses funérailles par crainte de l'émotion populaire. Les extravagances de Lidj-Yassou auraient pu se perpétuer longtemps s'il ne s'était pas converti à l'islam. Ses frasques au palais — il exigeait de coucher avec les épouses des dignitaires —, sa cruauté — il tranchait la gorge de qui bon lui semblait — étaient acceptées du bout des lèvres par les religieux. Ils décidèrent de mettre fin à la démesure du petit-fils de Ménélik, quand celui-ci annonça que l'Éthiopie serait dorénavant un pays musulman !

Sacré empereur en 1930, Haïlé Sélassié a été assassiné lors de la révolution marxiste de 1974. Son cercueil est là, devant mes yeux, coincé dans une niche trop petite. Le drapeau national vert, jaune et rouge dissimule mal la caisse de bois. Quatre simples bougeoirs sont posés dessus. Le dernier négus, roi des rois, lion vainqueur de la tribu de Juda, lumière d'Éthiopie, fils de Salomon et de la reine de Saba est mis à l'écart comme un paria. Il n'a même pas droit à une sépulture. Il reste au fond de cette crypte, à l'abri des regards, en attendant peut-être d'être enterré de nuit. Non pas que le peuple cracherait sur sa dépouille, mais il serait capable, au contraire, de l'accompagner en masse jusqu'à sa dernière demeure. Pendant dix-sept ans, personne ne connaissait le lieu où il reposait. On savait seulement que, le 25 août 1975, le dictateur avait décidé d'assassiner ce prisonnier encombrant.

Que pouvait représenter comme menace un vieillard de 83 ans, usé par le pouvoir et dépassé par les événements ? Rien, sinon qu'il était impératif de tuer une légende vivante. On dit que c'est Mengistu lui-même qui appuya sur le visage du négus un oreiller imbibé d'éther. Il ne fallait surtout pas qu'il soit fusillé. L'exécution aurait pu choquer le peuple, le monde extérieur, et grandir davantage ce personnage déjà mythique. Le juger était hors de question. Pour quels crimes aurait-on pu l'amener, même dans une parodie de procès comme Staline en avait le secret, sur le banc des accusés ? Il fallait suivre l'exemple des bolcheviks. Il fallait tuer le négus, comme les camarades révolutionnaires russes avaient massacré en 1918 le tsar et sa famille. Les révolutionnaires africains, élèves assidus mais maladroits, se devaient d'être à la hauteur. Ils s'imaginaient que tuer le roi suffirait à créer l'homme nouveau. Mais le verbiage révolutionnaire n'a évidemment pas pris dans le terreau éthiopien, déjà riche d'un passé plus glorieux.

A l'intérieur, deux fauteuils monumentaux en bois doré côtoient des encensoirs d'argent massif, des couronnes votives chargées de pierres précieuses et celle, plus grande, de Ménélik est surmontée d'une large croix orthodoxe en or. C'est tout ce qui reste des fastes du palais.

Au moment où je m'apprête à remonter l'escalier, vers le jour et la vie, le vieux prêtre m'entraîne derrière les trois sarcophages. Il pousse une grande toile représentant une scène biblique. Une plaque de marbre apparaît, gravée d'une large palme de bronze et de plusieurs phrases en français.

> A SM L'EMPEREUR MÉNÉLIK II, ROI DES ROIS D'ÉTHIOPIE, UNIFICATEUR DE SON PAYS. LA COMPAGNIE DU CHEMIN DE FER FRANCO-ÉTHIOPIEN DE DJIBOUTI À ADDIS-ABEBA, QU'IL AVAIT CRÉÉE ET AIMÉE, DÉDIE CETTE PALME EN TÉMOIGNAGE D'ÉTERNELLE RECONNAISSANCE.

Je lis la signature enserrée entre deux feuilles de laurier :

> LE PRÉSIDENT DE LA RÉPUBLIQUE FRANÇAISE
> PARIS 1922.

J'avais presque oublié que c'était grâce au train que j'étais venu jusqu'à l'église Sainte-Marie. Alexandre Millerand venait curieusement de me le rappeler.

CHAPITRE III

Pour indiquer l'adresse de l'Alliance française à Addis-Abeba, il faut dire au chauffeur de taxi : « A côté des établissements Paul-Riès ». Sinon, il vous emmène à l'ambassade de France ou au lycée français, soit n'importe où, car il ne veut pas vous décevoir.

Les comptoirs Riès sont presque aussi anciens que la ville elle-même. La plaque bleue qui orne la façade du bâtiment résume mieux que de longues explications pourquoi Riès est autant connu en Éthiopie que dans toute la Corne de l'Afrique. On y lit :

Paul Riès and Sons Ltd
Established (Ethiopia) 1865
Head office : Addis-Abeba
Branches agencies

Asmara	Aden
Assab	Djibouti
Dessie	Berbera
Diré Daoua	Hargeisa
Gimma	Marseille

Autant de lieux, de la Somalie à l'Éthiopie, du Yémen à

Djibouti, qui démontrent que, chez les Riès, on est certes marchands, mais aussi explorateurs. Depuis plus d'un siècle, il y a toujours eu un Riès qui naviguait sur la mer Rouge, traversait les déserts, échappait aux sauvages, négociait avec les Arabes et les Gallas, établissait des comptoirs. Avant le chemin de fer, les Riès et leurs agents montaient des expéditions, trottinaient pendant des semaines à dos de mule pour atteindre les hauts plateaux du Choa. Peu de gens connaissent l'Éthiopie aussi bien qu'eux. Avant le rail, les Riès parcouraient les régions que traverse aujourd'hui le chemin de fer pour vendre des armes, acheter contre des thalers des peaux, de l'encens, du musc et du café. Séraphin connaissait de réputation le doyen des Français vivant en Éthiopie. Il ne l'avait jamais vu, mais je n'avais qu'à prononcer son nom pour qu'il acquiesce de la tête d'un air approbateur. Je me devais, avant de quitter la capitale, de rendre visite à M. Roux, le fondé de pouvoir des comptoirs Riès à Addis-Abeba.

A 77 ans, Pierre-Jacques Roux reste un grand gaillard large d'épaules. Vêtu d'une veste de tweed, d'une chemise oxford et d'une discrète cravate bordeaux ornée de petits chevaux, M. Roux affiche une belle allure britannique. Il parle d'une voix forte, la carcasse calée bien droite contre le dossier de son fauteuil, devant son large et vieux bureau de bois qui date d'avant guerre.

M. Roux n'est pas un colon. Il est devenu un vieil Africain, respecté par les autochtones pour son âge et sa vie passée avec eux. En amhara, il commande deux cafés à son commis.

— Du bon café d'Éthiopie, vous m'en direz des nouvelles, plaisante-t-il.

La vie de M. Roux est, à elle seule, un roman. Tel un ours, l'animal grogne avant de se laisser apprivoiser. Il joue de fausse modestie, mais l'homme est cabotin. Finalement, il se lance et on l'écoute, car le gaillard conte bien, comme ces coureurs des bois, ces broussards, qui le soir au campement racontent de belles histoires devant le feu. M. Roux doit être un emmerdeur-né, une tête de cochon obstinée, pas facile à vivre, mais qui a du cœur. Il ne le montre pas, bien sûr, mais comment un tel personnage aurait-il pu rester en Éthiopie, un pays, au demeurant, hostile sans l'aimer ?

Dans les années 35-36, il avait comme copain à HEC Étienne Riès, dont le père vivait en Afrique. A l'époque, il s'en souciait comme d'une guigne. Le Paris d'avant-guerre offrait pour un jeune homme de 20 ans plus d'attraits que la vie solitaire en brousse. Il ne se doutait pas que l'histoire allait rattraper son insouciance. Les années suivantes, le jeune Roux est, service militaire oblige, sous-lieutenant du 24e régiment de chasseurs de Villefranche. Une mauvaise période pour être dans l'armée. En 40, c'est la débâcle, la honte et la colère. A voir sa vitalité aujourd'hui, on imagine facilement celle qui l'animait il y a cinquante ans. Le jeune homme franchit les Pyrénées, passe en Espagne quelques semaines dans le camp de Miranda, avant de rejoindre Lisbonne, l'Afrique du Nord et Londres.

— Pendant un an, on nous a entraînés au nord du pays, pas loin de l'Écosse.

A la fin de cette période, Roux est parachuté comme agent de liaison dans la zone R2 qui s'étend du lac Léman à Nice.

— J'ai changé maintes fois de nom, raconte-t-il en souriant : je m'appelais De Morney, Sapin, Barbe.

Mais après le Débarquement, Roux ne s'arrête pas en chemin. Il rejoint la première armée de De Lattre au sein du 4e Tirailleurs marocains.

— L'hiver 44, j'étais au garde-à-vous devant ma compagnie à Colmar. Churchill et de Gaulle passaient les troupes en revue. Il faisait – 20°. Je tremblais, non pas de froid, mais parce que j'allais me retrouver en face du

Général. Ils se sont arrêtés devant moi. « Mon général, qui sont ces hommes ? » demande Churchill en désignant mes tabors. « Excellence, ce sont des Marocains ! » « Vous plaisantez, n'est-ce pas ? » « Excellence, sachez que je ne plaisante jamais ! » Il n'y avait que de Gaulle pour répondre ainsi, dit le vieux Roux.

Après la capitulation, le capitaine Roux, blessé deux fois au combat, resta un an en Autriche occupée par les Alliés. Puis, un beau matin, il fut démobilisé. Décoré de la Légion d'honneur, de la médaille de la Résistance, de la Silver Star américaine, de la fameuse DSO, la Distinguish and Service Order britannique (j'en oublie certainement), il rentre à Marseille, sa ville natale.

— J'étais couvert de gloire et d'honneurs, mais chômeur, dit-il dans un éclat de rire en levant les mains au ciel. Et un jour, sur le vieux port, qui je croise par hasard ? Mon vieux copain Étienne Riès ! « Que deviens-tu ? » « Je n'ai pas de boulot », ai-je répondu. « Viens travailler avec nous en Afrique. » C'est comme cela que je me suis retrouvé sur le bateau pour Aden. Depuis, je n'ai plus quitté la maison Riès.

Dans la capitale du Yémen, alors sous-protectorat britannique, Pierre Roux découvre le portrait de Maurice Riès, le fondateur de la dynastie. La même photographie trône aujourd'hui dans son bureau d'Addis-Abeba comme dans toutes les succursales de la société. L'ancêtre porte une barbe blanche. Un grand uniforme serre sa poitrine bardée de décorations. Installé au Yémen, à peine quelques années après les Anglais, Maurice Riès, vice-consul de France à Aden, était devenu une personnalité connue sur toutes les côtes de la mer Rouge. Une fois associé à César Tian, son commerce avec l'Éthiopie prospéra de plus belle. Tian avait employé Rimbaud après que le poète eut connu des déboires lors de sa première expédition d'armes destinées à Ménélik. Installé pour un deuxième séjour à Harar, Rimbaud achetait du musc, des peaux, et du café pour le compte de César Tian, en même temps qu'il vendait des mousquetons avec son associé Savouré. A cette époque, le commerce des armes battait son plein. D'Aden, d'Obock puis de Djibouti, fusils Gras et munitions partaient en caravane à destination du Choa. Les comptoirs installés sur la côte tiraient la majeure partie de leurs bénéfices de ce juteux trafic. La maison Tian-Riès en profitait comme les autres. A tel point que Maurice Riès se mit à son compte. En prenant sa succession, le fils Paul ouvrait de nouveaux comptoirs dans la région.

— Aden était une mine d'or. Djibouti n'était rien à l'époque par rapport à la capitale du Yémen. Les marchandises étaient débarquées à Aden avant d'être réexpédiées vers la Somalie, l'Éthiopie et l'Érythrée, se souvient M. Roux.

A Aden, Pierre Roux apprend vite le métier. Il sait reconnaître les meilleures peaux de mouton, déceler les défauts des peaux de vache, voir la différence entre le « café sec » et le « café mouillé ». Il dort comme les Arabes sur le toit de sa maison (la climatisation n'existait pas à l'époque), il apprend le yéménite, l'amharique, quelques mots de galla, connaît les cheiks, les sultans et les gouverneurs de la région. En 1957, M. Roux prend la direction de l'agence d'Addis-Abeba, la plus importante, celle qui draine jusqu'à elle les richesses de l'empire.

— A l'époque, j'avais une chambre à côté de mon bureau. Je dormais sur place, pour surveiller les marchandises, dit-il en se retournant. A travers la baie vitrée qui donne sur la cour arrière, on domine en effet les hangars de stockage.

— J'ai failli me faire avoir à plusieurs reprises. La première fois, il faut savoir reconnaître un bon musc d'une imitation, quand un type vous demande une petite fortune pour une minuscule boule nauséabonde qu'il conserve dans une boîte de cirage. Jamais je n'ai vu quelque chose qui sentait aussi mauvais et qui valait aussi cher.

Avec l'arrivée des Blancs, les Éthiopiens ont vite compris l'intérêt qu'ils pouvaient tirer de cette sécrétion, que la civette produit dans sa poche anale. Ce petit carnassier, au pelage gris rayé de bandes noires, avait pris une importance considérable dans les années 60. Les Parisiennes, les élégantes de Rome et de New York ne se doutaient pas que leurs parfums favoris étaient concoctés avec cette substance à l'odeur épouvantable, provenant de cette partie du corps que d'ordinaire on évite de nommer en public. Aujourd'hui, grâce aux progrès de la chimie, les fixateurs synthétiques ont remplacé le musc. Il n'y aurait plus, m'a-t-on confié, qu'une marque française qui utilise encore ce produit naturel dans la préparation de ses parfums.

Pour vendre et acheter, M. Roux parcourt le pays. Il fournit des tracteurs au sultan afar Ali Mira, pour ses plantations de coton. Le chef des Danakil entretient une redoutable garde personnelle.

— Ce sont des coupeurs de couilles ! lâche le vieil homme ; les chauffeurs italiens en savent quelque chose. Plus d'un s'est fait émasculer sur la route d'Assab. Mais ces Danakil, je les aime bien. Il faut savoir les prendre. Ayant vécu par le passé avec mes tabors, j'ai l'habitude de ce type d'hommes. Mes Marocains, ce n'était pas non plus des tendres !

Des événements, Pierre Roux en a vécu. Des anecdotes, il pourrait en raconter jusqu'au matin.

— Pendant la terreur rouge, je trouvais des cadavres sur le trottoir en arrivant devant le bureau. On ne savait jamais qui les avait tués. Ce Mengistu, c'était un assassin ! se souvient-il.

— Mais votre vie privée, comment l'avez-vous menée ? Etes-vous marié ?

— J'ai vécu une existence riche, pleine d'expériences. Mais elle m'a coûté un divorce. Avec ma femme, on ne s'entendait pas. Vous savez, j'ai mon tempérament. Il est spécial. J'ai gardé le caractère des Forces françaises libres. Lorsque j'ai envie de dire « merde » à quelqu'un, je le dis. Évidemment, ça ne plaît pas à tout le monde. Dans ma vie, je n'ai obéi qu'à un seul homme. J'ai toujours la photo du chef sur mon bureau, dit-il avec un sourire et en tournant vers moi le cadre contenant le portrait du général de Gaulle en uniforme.

M. Roux s'arrête. Il demande des nouvelles du fils d'un employé qui devait être opéré. A l'hôpital, le chirurgien réclamait de l'argent et M. Roux a mis la main à la poche.

— Je ne pouvais pas laisser ce gosse dans cet état. Pauvre Éthiopie ! Dans quel gouffre s'est-elle enfoncée ? Au fait, où en étions-nous ? Oui, oui, mon caractère de Français libre. Quand le Général est venu à Addis, je n'avais jamais vu une telle effervescence, même pas pour la reine d'Angleterre et le shah d'Iran. J'étais allé l'attendre au milieu de la foule sur la route de l'aéroport. C'était une véritable multitude qui, depuis l'aurore, s'était massée dans la plaine de Bolé. Soudain, au moment où le cortège officiel arrivait, j'ai entendu une rumeur, un bruit sourd qui n'a fait que s'amplifier. La foule s'est retournée. C'étaient les cavaliers gallas, des milliers de cavaliers armés de lances et de poignards, protégés de leur bouclier en peau d'hippopotame. Ils étaient torse nu ou portaient simplement une crinière de lion ou une peau de léopard sur l'épaule. La garde impériale n'a rien pu faire. Elle était débordée. Les Gallas encadraient la Mercedes du Général, chevauchant à son rythme. Ceux qui ne connaissaient pas l'Éthiopie pouvaient être impressionnés par ces guerriers armés de coutelas. Mais c'était leur manière à eux de rendre hommage à un autre grand guerrier, d'honorer un chef courageux. Le Général ne broncha pas. Mais, j'ai su par la suite qu'Yvonne, assise à côté de lui, avait eu très peur, ajoute M. Roux, le sourire en coin.

Puis il poursuit, heureux d'avoir trouvé en moi un auditeur attentif :

— Mais le pire n'était pas arrivé. La mascotte de la garde était un lion ! Mekuria, c'était son nom, ouvrait chaque défilé. Le « noble » (en français) était toujours assis à l'arrière de la première Jeep, conduite par les soldats coiffés d'un casque colonial et sanglés dans un uniforme rouge et kaki. Tandis que la voiture roulait, Mekuria battait de la queue et poussait des rugissements qui découvraient d'énormes crocs. Il n'était pas méchant, car, apprivoisé, il était devenu sage comme un toutou. Cependant, il impressionnait le peuple. Quand le Général est venu visiter la municipalité, il est tombé face à face avec Mekuria en haut des escaliers. Personne ne l'avait prévenu et il n'était pas content.

Pendant sa visite à l'ambassade, il a demandé à me voir lors d'une réunion de la communauté française. Il savait qu'un FFL était là. Il m'appelait : « Mon petit ! Comment ça va, mon petit ? Tu te souviens lorsque je t'ai décoré à Grenoble ? » « Oui, mon général. » Il m'a questionné sur l'Éthiopie, il voulait connaître le pays à travers ceux qui y vivaient. En sortant, il s'est arrêté sur le perron de la résidence. Il n'avait pas ses lunettes et a demandé : « Monsieur l'ambassadeur, quels sont les mots gravés sur la plaque posée contre le mât du drapeau ? » « Mon général, ce sont les noms des trois aviateurs français morts en service pour la libération de l'Éthiopie occupée par les troupes de Mussolini. » « Trois. C'est bien peu pour la cause éthiopienne ! » C'était quand même un sacré bonhomme, le Général ! Mais j'ai assez parlé. Suivez-moi. Je vais vous montrer un spectacle dont je ne me lasse jamais.

M. Roux déploie sa lourde carcasse, pousse sa chaise et d'un pas lent traverse son bureau. Quelques photographies anciennes décorent les murs : celle du garage « Paul Riès and sons » dans l'Aden des années 30, une autre du stand Riès à l'Exposition internationale d'Addis-Abeba en 1951. Dans un cadre doré, une plaque gravée du Rotary-Club mentionne que Pierre-Jacques Roux est « Senior active » depuis vingt-sept ans. Suivent, au-dessous, les quatre commandements du rotarien et une phrase de Winston Churchill. Puis l'homme traverse une salle tout en longueur où travaillent les administratifs. Le boss tape sur l'épaule d'un employé, caresse les cheveux d'une secrétaire, comme un père pourrait le faire avec sa petite fille. M. Roux n'a pas d'enfant mais il a adopté une orpheline lorsqu'elle avait 10 ans.

— Elle s'appelle Muluka, cela veut dire : « pleine de tout ». Je l'aime comme ma fille et elle me le rend bien, souffle-t-il. Elle sera là pour mes vieux jours. Depuis vingt ans, je ne suis pas retourné en France. Je n'ai aucune envie d'y aller. Je finirai ma vie ici. La relève est prête. J'attends Frédéric, le dernier des Riès, qui doit venir me seconder. C'est un bon petit. Je l'ai fait sauter sur mes genoux lorsqu'il était enfant. Il est capable, mais il a des choses à apprendre.

Dans la cour, M. Roux s'inquiète du chargement d'un camion. Les employés répondent, les bras le long du corps, comme des élèves devant leur instituteur. Nous descendons une rampe de béton. Sous un hangar, des dizaines de femmes sont alignées, face à face, formant deux longues rangées. Elles trient un à un les grains de café du sidamo en chantant une lancinante mélopée. Agenouillées, les jupes retroussées, sur de petits tas de café, les plus jeunes me regardent d'un air farouche, presque de défi, avant de pouffer de rire. Les « Carmen » d'Addis semblent avoir le sang aussi chaud que celles de Séville.

Un contremaître, ou plutôt un garde-chiourme, une chicote à la main, remonte l'alignement des femmes courbées sur leur travail.

— C'est un musulman gouragué. Ce sont les Auvergnats de l'Éthiopie. Je suis obligé de mettre un surveillant pour les séparer. Elles se battent pour des histoires de femmes. Et dans ce cas, il vaut mieux ne pas être au milieu. Pourtant les chrétiennes sont d'un côté et les musulmanes de l'autre. Mais ça ne fait rien, elles se chicanent quand même, explique M. Roux, qui demande encore après son camion qui a pris du retard. Vingt-cinq tonnes de café partent chaque jour vers le port d'Assab.

— Vu l'état du train, j'expédiais jusqu'à présent tous mes produits par la route. Mais avec l'indépendance de l'Érythrée, je ne sais pas si je ne vais pas revenir au chemin de fer. Il y a des risques. Le chargement peut être pillé ou verser dans un ravin. On ne sait jamais quand la marchandise va arriver à Djibouti. Mais au moins, je diversifierai les voies d'acheminement de mon café jusqu'à la mer Rouge. Depuis qu'Assab n'est plus éthiopien, je crains que les Danakil posent des problèmes. Je les connais, ces gaillards. Ils ne sont pas faciles. Le port est sur leur territoire et ils ne se sentent pas érythréens. Les ordres d'Asmara, la nouvelle capitale, ils n'en ont rien à faire. D'ici qu'ils coupent la route pour se faire entendre... Au moins, le train me rappellera ma jeunesse. C'est toute une aventure, mais le trajet vaut le déplacement.

— J'en suis heureux, je le prends demain matin.

M. Roux marque un silence et, avec une pointe de regret dans la voix, ajoute seulement :

— Vous avez de la chance.

CHAPITRE IV

5 h 30 du matin sur le quai de la gare. Je ne peux pas manquer le rendez-vous avec Séraphin. Au terminus d'Addis-Abeba, il n'existe qu'un seul quai. Devant le bâtiment, une foule attend les passagers qui vont arriver. Des policiers armés de bâtons tâchent de faire le tri entre les uns qui veulent pénétrer sans billet, les autres qui ont payé leur place et les coolies qui tentent de franchir le barrage pour aider au déchargement des marchandises de contrebande. Je suis le seul Blanc qui se fraie un passage à travers la multitude et les paquets. Les policiers n'osent pas me demander mon billet que d'ailleurs je possède au fond de ma poche. Avec mon titre de voyage, j'ai même obtenu de la direction une belle lettre écrite en amharique, stipulant que tout agent du chemin de fer a le devoir de me porter assistance en cas de besoin. Une précaution qui pourrait m'être utile. Rien n'indique qu'il soit interdit aux Occidentaux d'emprunter le train. Mais c'est fortement déconseillé. Officiellement, la frontière avec Djibouti est fermée aux étrangers. C'était valable du temps de Mengistu. Personne n'a pu me dire si cet arrêté est toujours en vigueur. Par expé-

rience, je sais qu'il n'y a pas besoin de texte au fin fond de la brousse pour qu'un fonctionnaire, même à demi nu, vous apprenne qu'il est interdit d'aller plus loin.

Pourquoi ? C'est comme ça ! Lui-même ne sait pas. Vous pouvez passer si vous êtes muni d'un papier signé de l'autorité compétente. Sans cela, vous êtes condamné à rebrousser chemin jusqu'à la capitale distante de plusieurs centaines de kilomètres.

Séraphin est déjà sur le quai, vêtu de son inimitable costume à carreaux, laissant apparaître une chemise claire au long col en pointe qui couvre le revers de sa veste. Je le connais peu, mais je sais déjà qu'il est sympathique et qu'on peut compter sur lui. Il m'attend devant l'autorail à moteur diesel sorti des ateliers français d'Alsthom Atlantique en 1974.

— Nous aurons du retard. Le train de Diré Daoua n'est pas encore arrivé. Il est en panne, annonce-t-il avec fatalisme.

Les passagers sont descendus sur le quai. Les hommes des premières sont vêtus à l'occidentale. Les femmes sont habillées de voiles de couleurs vives.

Devant la cabine de la motrice, le chauffeur et le mécanicien attendent, eux aussi, sur le quai. Personne ne s'impatiente. Les passagers trouvent le retard normal. Au bout d'une heure, le chef de gare apporte des nouvelles fraîches. Le train qui devait arriver est tombé en panne... de carburant au kilomètre 464, à 10 kilomètres d'ici ! La compagnie a dépêché une automobile de service chargée d'un bidon. Mais trouver la voiture, effectuer le trajet, transférer avec une pompe à main le gasoil dans le réservoir nécessitent un certain temps... Et puis, comment une locomotive peut-elle tomber en panne sèche ?

— Les moteurs sont vieux, mal réglés et consomment davantage que ce qu'annonce le constructeur. Dans la descente, il faut compter environ cinq litres au kilomètre. Dans la montée à peu près une quinzaine. Pour venir d'Aouache, le plein devrait suffire. Mais à la fin du parcours, lorsque dans les courbes le réservoir est penché, le gasoil qui reste n'arrive pas au moteur. Il stagne au fond comme du marc de café. Le tube de la pompe, trop court, n'aspire plus le liquide et c'est la panne, explique consciencieusement Tassou Tesema, le chef conducteur, d'un air navré.

Les épaules couvertes d'une veste en cuir, deux moustachus, la mine renfrognée, fument une cigarette à l'écart. Ils n'ont pas l'air très heureux du retard, mais ne manifestent pas leur courroux. Contre qui le pourraient-ils ?

Tassou Tesema a 38 ans. Son boulot, c'est d'amener le train jusqu'à Aouache. Ce n'est que lorsqu'il manque du personnel qu'il va jusqu'à Diré Daoua. Mais il n'y tient pas.

— Après Aouache, on risque sa vie. Chaque fois que je dois m'y rendre, je ne le dis pas à mes enfants. Sinon, ils sont très inquiets. Pourtant, je ne leur parle pas du danger. Mais ils entendent les nouvelles.

Si Tassou est affecté au trajet le moins risqué, il a quand même subi une attaque l'année dernière. C'était juste après Nazareth. Il était 23 h 15.

— La cabine était éteinte. Soudain j'ai vu une grande flamme. « As-tu allumé le plafonnier ? » ai-je demandé à mon aide. « Non », m'a-t-il répondu. En fait, la roquette est passée juste devant la machine, sans la toucher. On était dans une courbe, mais j'ai pas utilisé le frein. J'ai laissé filer. Tant pis si la vitesse était trop élevée. Je n'ai pas eu de chance car d'habitude la région est plutôt calme. Quelques semaines avant, j'avais été pris entre le feu de deux factions rivales à Assabot. Les gens se tiraient dessus de part et d'autre du train. J'ai réussi à démarrer et j'ai filé dare-dare.

— Mais Assabot, c'est après Aouache. Ce n'est pas votre trajet habituel ?

— J'avais dit que je ne voulais pas dépasser Aouache. Mais à la direction, ils m'ont dit : « Tu es content de toucher ta prime de déplacement quand il y a la paix. Il faut que ce soit pareil quand il y a la guerre. » Sinon c'est quinze jours de mise à pied avec suspension de salaire ! Pour ne plus aller sur la ligne, des conducteurs ont demandé leur mutation, soi-disant pour raison de santé. Moi, j'aime conduire un train. Mais dans ces conditions, je ne m'y risquerai plus longtemps.

Selachi Kajela, l'aide, approuve en hochant la tête. Il a été six ans électricien et deux ans aide-conducteur. En attendant le départ, il potasse un volume de 1966 sur *La Technologie du matériel moteur*. Il veut passer l'examen de conducteur pour gagner un peu plus, malgré les risques.

— Et puis, la situation va peut-être s'améliorer, dit-il en levant les yeux au ciel.

Le quai s'anime, ce qui met fin à la discussion. A l'autre bout, le chef de gare vient d'annoncer la bonne nouvelle. Le train arrive. La motrice entre en gare lentement. La tête penchée aux fenêtres, les passagers affichent une mine réjouie et saluent de la main. Ils sont partis depuis peut-être deux jours, sinon trois ou quatre, et le temps a dû leur paraître long. Je monte dans la cabine. Séraphin, lui, s'engouffre à l'arrière avec mon bagage.

Tassou appuie plusieurs fois sur la manette du klaxon. Le chef de gare apporte un bulletin, rose, de croisement et un autre, blanc, stipulant que la voie est libre. Un dernier coup de klaxon et l'autorail s'ébranle lentement. Sur le cahier de traction à colonnes rouges, l'aide note soigneusement : 8 h 50 en face de 6 h 10, l'heure initialement prévue pour le départ de notre train. J'en profite pour regarder à quel moment on devrait arriver à Aouache : 16 h 20 ! Je demande pourquoi l'administration s'obstine à prévoir les horaires à la minute près, alors que le train est toujours en retard.

— A cause du règlement, répond Selachi, très sérieusement.

Derrière la paroi de tôle, le moteur patine en prenant de la puissance. A chaque accélération, le bruit est infernal. Le conducteur n'a guère de manœuvres à effectuer pour piloter sa machine. Il régule sa vitesse en tournant de la main gauche l'accélérateur, un petit volant noir et cranté. En abaissant une manette située à sa droite, il actionne le frein. Chaque pression provoque un chuintement agaçant qui augmente encore le raffut dans la cabine. Mis à part le Téloc, le compteur, qui affiche la vitesse et les kilomètres parcourus, les autres cadrans sont endommagés ou absents. Aucune importance. Tassou conduit sa machine au bruit et à l'œil.

Le cheminot tourne sans cesse son volant au point mort en klaxonnant sans interruption, tant la voie est encombrée de monde. Nous traversons des bidonvilles, des maisons en pisé au toit de tôle ondulée construites carrément au pied du ballast. Les gens, les vaches, les troupeaux de chèvres et les poules sont si nombreux que je me demande si nous ne sommes pas dans la rue d'un village. Malgré les herbes qui cachent les traverses, nous nous trouvons pourtant bien sur une voie de chemin de fer. Tous les cent mètres, j'ai l'estomac qui se serre, lorsque nous arrivons sur un groupe d'enfants qui s'égaillent au dernier moment de chaque côté de la motrice. Nous dépassons le passage à niveau, si cher au directeur général. Je ne peux m'empêcher d'esquisser un sourire : la barrière est toujours aussi obstinément levée vers le ciel. Pire, sur la route, il n'y a pas l'agent censé agiter un drapeau rouge pour arrêter la circulation. Les panneaux indiquent au bord de la voie : 50 km/h maximum. Je jette un œil sur le Téloc de la cabine. Il affiche 40 km/h. J'ai pourtant l'impression qu'on roule à plus de 100 tant j'ai du mal à tenir sur mon siège. La cabine est projetée, dans des crissements de ferraille, de gauche à droite, de droite à gauche, en un roulis incessant. J'en attraperais presque le mal de mer. Je sens, lorsque je tente de me mettre debout, mes jambes se dérober, comme si je flottais sur une coquille de noix ballottée par une forte houle.

— Les rails sont des trente kilos, mais ils manquent de ballast pour les soutenir, me crie, en devinant mon étonnement, le conducteur qui a choisi de mettre sa caisse à outils sous ses pieds pour mieux se caler sur son fauteuil.

Les rails en France ne pèsent plus trente kilos au mètre depuis belle lurette. En Éthiopie, c'est un luxe : la voie métrique est encore équipée de rails de vingt kilos qui datent du début du siècle. Dans les deux cas, la surface de roulement est si faible, face à la largeur d'essieu des machines diesel, que le train ne roule pas, mais joue au funambule sur les rails.

Nous franchissons un autre passage à niveau. Des files de camions poussifs, des charrettes tirées par des bœufs et des voitures déglinguées attendent le signal d'un préposé planté au milieu de la chaussée. La circulation apparaît plus dense. La banlieue industrielle d'Addis-Abeba comprend une fonderie, des usines métallurgiques, des filatures, une cimenterie.

— Je ralentis, il y a vraiment trop de monde, dit Tassou en tournant son volant de commande.

Des troupeaux de moutons succèdent aux troupeaux de chèvres. Ils montent vers les abattoirs de la capitale. Et comme la voie la plus courte reste la meilleure, les bergers empruntent celle du chemin de fer. Tassou klaxonne sans arrêt. Des moutons courent devant nous, manquant de passer sous le chasse-pierres avant d'obliquer à angle droit sur le côté. Parfois, les animaux n'ont même pas la possibilité de dégager, tant les étals des petits commerçants sont collés contre la voie. Soudain, je ferme les yeux. La machine, plus large que l'écartement des rails va dévorer, c'est sûr, les menuisiers qui découpent d'immenses planches le long de la voie. Les clients, plus nombreux encore, s'agitent comme des insectes autour de ce marché au bois qui semble attirer les bricoleurs de toute la région. Des madriers, longs comme des troncs d'arbre, continuent à passer de main en main d'un côté à l'autre des rails, alors que nous arrivons toute sirène hurlante. Miracle ! Au moment où nous sommes sur eux, le chemin est devenu libre comme par magie. Plus loin c'est un marché aux grains qui longe le chemin de fer entre les bidonvilles. Nouveau miracle ! Notre monstre de fer n'écrase personne.

— C'est la démocratie ! Tout le monde fait ce qu'il veut, lâche le conducteur les yeux rivés vers l'avant à travers le pare-brise fêlé en plusieurs endroits.

Dans les virages, malgré notre vitesse ridiculement faible, j'ai encore plus de mal à rester assis. Le ballast, affaissé par manque d'entretien, et les amortisseurs fatigués de la motrice conjuguent leurs efforts pour accentuer le roulis. Il faut absolument que j'attrape le pied marin, sinon, je ne suis pas au bout de mes peines jusqu'aux rives de la mer Rouge.

Tassou, de la main droite, appuie longuement sur la manette pour que le meuglement sourd du klaxon retentisse en continu. Il connaît « son monde ». Une Toyota qui avait ralenti à notre approche sur un chemin de traverse, accélère brusquement pour nous passer sous le nez. Tassou anticipe les réactions de ses compatriotes au volant. J'étais persuadé que le véhicule allait s'arrêter. Il pensait le contraire et avait raison.

Il n'y a pas une demi-heure que nous sommes partis qu'un agent brandit un drapeau rouge sur la voie. La motrice s'arrête devant une cahute où attendent plusieurs hommes et deux femmes chargés de couffins. C'est une équipe d'ouvriers s'occupant de l'entretien de la voie qui, plutôt que d'aller à la prochaine station pour prendre le train, le stoppent devant chez eux pour monter dedans avec leur famille. Ils nous saluent de la main, en passant à notre hauteur, et s'engouffrent tous dans une voiture.

— Ce n'est pas réglementaire, mais que faire ? De toute manière, il fallait s'arrêter à cause du drapeau rouge, dit Tassou en haussant les épaules d'impuissance.

A Calliti, nous nous arrêtons à peine une minute. Un surveillant accourt nous donner la feuille de voie libre et un télégramme stipulant que nous ne devons pas marquer d'arrêt jusqu'à Debre Zeit. L'autorail est un express. Il doit maintenir sa réputation. Peu de passagers descendent sur le quai. En revanche, ceux qui montent sont nombreux et toujours aussi chargés de paquets.

Un coup de klaxon et nous repartons lentement. Nous franchissons l'aiguillage à 20 km/h par crainte de dérailler. Un petit berger court à côté de nous afin d'éloigner ses agneaux affolés qui cherchent à nous dépasser. Sa peine sera de courte durée car le train s'immobilise sans raison. Le chauffeur crie par la fenêtre. Ce sont des passagers qui viennent de déconnecter le tuyau du frein à vide entre deux voitures, pour permettre à des comparses qui attendaient au bord de la voie de monter à bord. La pression sur le manomètre remonte à cinquante. Ils ont rebranché le tuyau. Nous pouvons redémarrer. En bon agent du chemin de fer, Selachi note l'incident sur sa feuille de route.

Le quai d'Akaki regorge de monde, mais nous passons sans nous arrêter, au grand dam des gens qui, voulant monter, crient et gesticulent.

— Ils prendront le train suivant. On est complet. Le télégramme disait que nous ne marquons plus d'arrêt jusqu'à Debre Zeit, rappelle Selachi.

— Mais que deviennent ceux qui pensaient descendre avant ?

Je n'obtiens pas de réponse. Il faut être éthiopien pour comprendre qu'un voyage en chemin de fer comporte des impondérables admis par tous.

En traction, le moteur diesel ronfle derrière, dans un bruit sourd et oppressant. Pour mettre le volant en butée, il manque une poignée sur le pupitre de commande de la cabine. Tassou utilise une clé plate pour effectuer la manœuvre.

On attaque le plateau du Choa à 50 km/h, une vitesse « enivrante » au milieu des champs de tef moissonnés qui s'étendent à perte de vue. Les nuages qui défilent sous le soleil transforment le jaune étincelant des chaumes en brun lugubre. Des paysans, armés de fourches, élèvent des meules de paille. Une paire de bœufs, sous leur joug de bois, tournent inlassablement sur une aire jonchée d'épis, pour séparer le grain de l'ivraie. Les terres fertiles du Choa, arrosées par les pluies, restent le grenier de l'Éthiopie. S'il n'y avait ces épineux, larges comme de gros champignons, qui poussent le long de la voie, on pourrait se croire dans la Beauce après les moissons. Au loin, des volcans gris et pelés dressent vers le ciel pur azur leurs cimes aiguës. Ils abritaient dans des souterrains l'un des plus gros dépôts de munitions du pays qui a sauté il y a quelques mois. Accident ou sabotage des nostalgiques de l'ancien régime ? Les autorités n'ont pas précisé la cause des puissantes déflagrations qui ont soufflé des vitres jusqu'à Addis-Abeba.

La voie s'apprête à couper la route dépourvue de passage à niveau. Nous ralentissons pour nous arrêter devant la carcasse d'un camion disloqué il y a deux jours. Le gros Fiat vert n'a plus de museau. Le moteur et la cabine ont été littéralement sectionnés par la motrice, comme une simple feuille d'aluminium. Restent seulement l'arrière et la remorque chargée de dix-neuf tonnes de sel. L'aide-camionneur est allongé sur une couchette dans ce qui reste de l'habitacle, miraculeusement sauvé du désastre.

— Comment est-ce arrivé ? crie Tassou.

— On croyait passer. Mais une fois sur les rails, le chauffeur a paniqué. Il a voulu reculer. Le train était sur nous. On a eu juste le temps de sauter, raconte l'aide appuyé sur un coude, dans sa cabane de tôle froissée.

— Et le chauffeur, où est-il ?

— Il est parti à Addis. Il a l'épaule cassée. Moi, je garde la marchandise en attendant qu'on vienne la charger sur un autre camion.

Tassou fait avancer la machine au pas. La carcasse, traînée sur une vingtaine de mètres, laisse juste le passage à l'autorail. Notre chauffeur bougonne en pilotant, la tête passée par la fenêtre pour voir si on n'accroche pas.

— Ils ne savent pas faire attention. Ils croient que c'est au train de s'arrêter. Cette motrice a déjà été immobilisée à l'atelier pendant des semaines à cause d'un accident contre un camion. Leur imprudence nous coûte cher.

Avant d'entrer dans Doukam, nous traversons une autre fois la route. Le village est composé de petites maisons blanchies à la chaux, ombragées de bougainvilliers mauves. Devant des cabanes en bois peint en bleu, des paysans vendent des gerbes de paille amoncelées sur des sacs en toile de jute. D'autres proposent des petits tas de bois coupés, qu'ils ont transportés sur le dos pendant des kilomètres, depuis la montagne jusqu'à la « ville ». Près d'une maison aux portes couleur sang de bœuf, de drôles d'articles brillent au soleil. Ce sont des douilles d'obus de canon en cuivre, grandes et petites, qui sont à vendre.

— Elles servent de tonneaux pour la bière, explique Selachi.

La gare de Doukam n'existe que sur le papier. Elle est constituée en tout et pour tout d'une petite bicoque en torchis ridiculement étroite. Il n'y a personne sur le quai long comme la moitié d'un wagon. De toute manière, on ne se serait pas arrêté. Devant la ligne droite qui fuit à perte de vue au milieu de l'immense plateau, Tassou se sent des ailes. Il pousse sa machine à 60. Les klong-klong qui rythmaient jusqu'ici le voyage, se sont rapprochés avec la vitesse. Ils correspondent à notre passage sur les mauvaises soudures des rails de 25 kilos qui nous porteront désormais jusqu'à Aouache. A la douce chaleur qui envahit la cabine, je comprends que nous perdons lentement de l'altitude. Le froid qui régnait à Addis-Abeba a disparu, bien que nous soyons encore à 1 900 mètres au-dessus du niveau de la mer. La prairie que nous traversons est un véritable décor de western. L'herbe jaunie court presque jusqu'aux pieds des lointaines montagnes devenues mauves à cette heure. En guise de bisons et d'Indiens, nous croisons en 20 kilomètres un seul troupeau de buffles gris et noir armés de longues cornes majestueuses, poussés par trois gardiens oromo, grands et minces. Torse nu, ils portent leur chamma roulé sur l'épaule et marchent en plantant à chaque pas leur bâton à terre. Ce ne sont pas de simples pasteurs, mais des guerriers fiers et braves qui ne jettent même pas un coup d'œil vers nous à notre passage. Ici, commence le pays oromo, ce peuple rebelle qui occupe la moitié de l'empire. Depuis que Ménélik a conquis au siècle dernier les « pays des alentours », les provinces voisines du Choa, les Oromos n'ont jamais totalement courbé l'échine. Pour bien marquer la prédominance des empereurs choans sur la région, Haïlé Sélassié baptisa les deux grandes villes oromos Debre Zeit (le Mont des Oliviers) et Nazareth (la ville du Christ). Avec des noms pareils, aucun doute n'était plus permis : l'Oromia, le pays oromo, était bien désormais une province de la nouvelle Sion.

Je profite de l'arrêt à Debre Zeit pour abandonner mes amis conducteurs et rejoindre Séraphin, qui m'a gardé une place à côté de lui. A peine assis, une jeune femme m'offre des graines grillées de doura multicolores pour me souhaiter la bienvenue. Selon Séraphin, c'est certainement une Adharé, une fille de Harar, la cité mythique où habita Rimbaud. L'inconnue a le teint mat, les pommettes saillantes. Son nez droit et fin partage équitablement un visage bien fait, agréable à regarder. Ses yeux de jais brillent dans la pénombre du wagon. Ils sont rehaussés d'une ligne de khôl qui souligne des sourcils épilés. Des boucles d'oreilles en forme de papillons mettent sa nuque, déjà dégagée, en relief. Les ongles de ses mains sont vernis en bleu turquoise et ceux des pieds en rouge. Ils dépassent de ses chaussures dorées. C'est tout ce que je peux voir de sa personne. Le reste, je le devine sous une tunique azurée et un châle vert d'eau, brodé de motifs dorés, qui recouvre sa chevelure comme une capuche. Elle semble plutôt petite, mince. Ses voiles épousent l'arrondi de ses cuisses et plus haut révèlent une poitrine menue et ferme. De temps à autre, elle me lance un regard furtif, sous ses paupières à demi closes. Elle insiste, confortant l'idée que les Éthiopiennes sont belles et portées sur l'amour. La fille est certainement musulmane. La matrone bien en chair, assise à côté d'elle, doit être sa mère ou sa tante. Mais l'incongruité d'un Blanc dans un train éveille la curiosité de la jeune femme qui, en arrivant chez elle, pourra dire à ses sœurs et à ses amis, la drôle de rencontre qu'elle a faite la veille. Elle racontera, je suppose, qu'elle a même offert des graines de doura à un *farendj* blond (ce n'est pas réellement mon cas, mais ici, tous ceux qui ne sont pas bruns sont blonds), qui l'a remerciée d'un sourire.

A Addis, on m'a raconté des histoires plutôt drôles à propos des Occidentaux et des Éthiopiennes. Les hommes les mieux armés de certitudes tombent, paraît-il, comme les autres, sous leurs charmes. Surtout les intellectuels qui débarquent, le cerveau bourré de références littéraires, dans la capitale. Ce sont les premiers qui répondent à l'appel mystérieux de la femme africaine. Plus d'une épouse européenne, voyant son mari devenu fou, est retournée avec enfants et bagages dans son pays d'origine.

Tel diplomate, comme envoûté par les femmes noires, était connu pour abandonner son bureau à toute heure de la journée pour rejoindre la couche de ses innombrables maîtresses. Tel agrégé, coopérant dans l'enseignement, intelligent, beau parleur, sûr de lui, n'était plus reconnaissable après un an de séjour en Éthiopie. On l'a même surpris avec une élève de terminale au fond d'une classe vide. Est-ce le climat (pourtant à Addis il fait rarement très chaud), l'altitude, le dépaysement ? Le naturel, la douceur et la violence conjuguées, la soumission des Éthiopiennes, élancées, aux visages non pas épais comme ceux des Bantous de l'Afrique occidentale, mais aussi délicats que ceux des plus belles Européennes, avaient eu raison de lui.

— Il y a moins d'hypocrisie, disait-il, dans les relations entre les hommes et les femmes qu'en Occident.

Il se sentait libéré. Il n'était pas beau, m'a-t-on raconté, franchement laid même, mais il s'était transformé en don Juan.

Le poids de la religion n'entrave pas la liberté de

mœurs qui prévaut dans le pays. Paradoxalement, les couples se marient à l'église, quand ils ont atteint un âge mûr L'union libre est très répandue et l'on change fréquemment de partenaire. On passe seulement devant le prêtre lorsqu'on est sûr de ne plus être tenté par la chair. Paradoxalement, la majorité des couples vit hors des sacrements.

Ma réflexion est stoppée net par des éclats de voix au moment où l'autorail démarre. Les deux hommes aux vestes de cuir, que j'avais remarqués sur le quai au départ, ont attrapé un inconnu par la manche à travers la vitre baissée de leur fenêtre. L'homme pris se débat, mais les autres tiennent bon. Nous roulons plus vite, mais il veut sauter, au risque de se casser une jambe sur une traverse. Le wagon est en effervescence. Des gens se sont levés. L'un d'eux ouvre la portière. Il saisit le type pendu à l'extérieur par les cheveux, puis parvient à attraper un bras, une jambe. Finalement, à plusieurs, ils réussissent à le hisser dedans. Les deux costauds, vêtus de cuir, lui distribuent quelques bonnes torgnoles bien appuyées. Les autres en profitent pour lui donner des coups de pied. Le malheureux ne se défend pas. Il encaisse sans rien dire. A peine tente-t-il de se protéger le visage de ses deux mains sous les insultes des passagers.

— C'est un voleur. Il a essayé de prendre la montre et les valises des deux messieurs quand le train partait, me dit Séraphin.

— Est-ce sûr ? Comment aurait-il pu y arriver de l'extérieur ?

— Ils sont très forts, ce sont des spécialistes, renchérit Séraphin en agitant sa main droite. En glissant un bras à travers les barreaux de la fenêtre, ils tirent les sacs qui sont sur le porte-bagages. Ils sont très souples. Après, fuiiit ! ils détalent comme des gazelles et vous ne les voyez plus. Mais celui-là n'a pas eu de chance. Il a voulu voler des policiers !

C'était donc ça ! Les deux qui, ce matin à Addis, ronchonnaient dans leur coin, sont des inspecteurs en civil qui se rendent à Nazareth. Voilà pourquoi ils se sont obstinés à tenir le voleur, même si celui-ci n'avait rien pu leur dérober. Ils l'emmènent maintenant, en le tenant par le collet, au fond de la voiture. Le voleur est repoussé brutalement contre la paroi. Assis en tailleur sur le sol, il garde les yeux baissés. La correction est terminée. Le temps de l'enquête est venu.

Je n'avais pas remarqué à Addis que l'un des deux sbires avait une joue rouge et boursouflée, comme s'il portait les traces d'une ancienne brûlure. C'est lui qui pose les questions.

— Comment t'appelles-tu ?

— Hassan Daniel.

— Que fait ton père ?

— Il est cultivateur.

— Et toi ?

— Moi je suis écolier. Voilà ma carte d'identité.

— C'est faux, rétorque le policier défiguré, on te connaît, on t'a déjà arrêté à Diré Daoua, ajoute-t-il en lui donnant une claque.

— Et ce blue-jean, tu l'as volé aussi ? Tu l'as volé hein ?

— Je l'ai acheté pour les fêtes de Pâques.

Le jeune homme n'a pas le temps de finir sa phrase. Il reçoit une autre taloche.

— Tu mens. Le pantalon, tu l'as volé.

— Le nom que tu dis n'est pas le tien.

— Ces voleurs changent de nom pour brouiller les pistes. Ils sont terribles, me souffle Séraphin tout excité par l'interrogatoire qui se déroule derrière nous.

Puis lentement la tension retombe. Les embardées du

train, la chaleur, la fatigue, entraînent la somnolence de tout le monde. Même les policiers ignorent maintenant le voleur qui se risque à regarder autour de lui de temps en temps. Un cheminot s'allonge par terre, la tête appuyée sur son sac. C'est un conducteur qui va prendre son service à Aouache.

— Vous n'allez jamais à Diré Daoua ?

— Je ne suis pas fou. C'est trop dangereux, me répond-il avant de se retourner, le visage contre la cloison pour dormir.

De l'autre côté du couloir, un passager a mis une serviette éponge marron sur sa tête pour se protéger de la chaleur. Elle retombe sur ses épaules, lui donnant l'apparence d'un cheik arabe. Il n'en a pas pour autant quitté sa veste qui recouvre une chemise au col douteux qui pend sur son pantalon. Derrière nous, une mère de famille s'est assoupie avec ses deux enfants dans les bras. A chaque à-coup du train, sa tête cogne contre la vitre. Mais elle ne bronche pas. Soudain, un choc suivi d'un bruit suspect réveille notre attention. Séraphin se penche à la fenêtre.

— C'est un âne. La motrice lui a coupé la tête et deux pattes. Il est mort ! dit-il avant de se rasseoir.

Je croyais que les miracles existaient sur la voie. Apparemment, les ânes ne sont pas concernés. Nous perdons toujours de l'altitude et il fait de plus en plus chaud. Après le froid d'Addis-Abeba, je trouve cependant la température supportable. J'ai les jambes lourdes. Levé depuis 4 heures du matin, je n'arrive pas à trouver le sommeil. Sous le plastique bleu de mon siège, je sens une bosse qui rend ma position inconfortable. Je me console en me disant que je ne suis pas le seul. Il manque les accoudoirs à la banquette de mes voisins, des ressorts apparaissent sur celle de devant ; d'autres, lacérées, dégorgent de la mousse jaunâtre. Le porte-bagages, composé de cinq tubes chromés qui courent de chaque côté du compartiment, est à moitié défoncé. Ce qui n'a pas empêché chaque voyageur de le bourrer de paquets gonflés, de valises éculées et de sacs en plastique emplis de je ne sais quelle marchandise. Je me dis que, lors d'une secousse plus forte qu'une autre, je risque de recevoir un colis sur la tête. Dès qu'un passager pénètre dans les toilettes, une odeur pestilentielle se répand dans le wagon. « Pour ne pas attraper le sida, mettez un préservatif », est-il écrit sur la porte en amharique. A Addis, ce slogan revient comme un leitmotiv. On l'entend à la radio, on le voit à la télévision et inscrit en lettres capitales sur des panneaux d'affichage. Heureusement, les gens ont baissé les vitres. Un souffle d'air parvient parfois à l'intérieur. Il est amené par un petit vent car s'il fallait compter sur la vitesse...

Nous laissons Debre Zeit, son lac et ses « arbres à térébenthine », me précise Séraphin. Je suppose qu'il veut parler du térébinthe, un genre de pistachier dont la résine permet de fabriquer les vernis. Dans le passé, le Ras Hôtel, peint en turquoise, qui surplombe le lac était renommé. Il offre le même point de vue que l'ancien palais du négus (un parmi tant d'autres) tout proche, transformé aujourd'hui en hôpital. Une fois par an, les Oromos effectuent un pèlerinage jusqu'à Debre Zeit pour adorer l'eau du lac. Des banderoles du régime précédent demeurent encore en place : « Avec le président Mengistu, en avant, tous unis. » Personne ne s'est donné la peine de les enlever. De toute manière, elles ne dérangent pas. Jamais personne ne les a lues.

— Le socialisme s'est dégringolé, me dit Séraphin en riant de toutes ses dents.

Malgré la propagande, le marxisme n'a pas réussi à éradiquer les traditions ancestrales. Bishoftu, le nom oromo de Debre Zeit, est connu pour abriter de fameux sorciers. Un chercheur du CNRS d'Addis me l'a expliqué, Séraphin confirme.

— Comment savez-vous cela, monsieur Patrick ? Le zar, c'est très mauvais. Moi, je n'y crois pas. Je crois en Dieu. Mais des tas de gens vont voir les sorciers. Un esprit les rend malades et ils doivent chercher à se réconcilier avec lui au lieu de le chasser. C'est un pacte avec le diable ! Les possédés de Debre Zeit affirment qu'ils sont châtiés par un esprit parce que celui-ci n'a pas trouvé ce qu'il cherchait en eux. C'est terrible, je vous dis. Il existe des esprits particulièrement méchants qui font mourir les personnes, explique Séraphin en roulant de gros yeux.

« Il y a même des prêtres malades qui rejoignent les possédés. Ils renient la religion, ils sont mis au ban de la société. Le *qällecha* (la possession) c'est terrible je vous dis. Il faut chasser l'esprit dangereux et se concilier un esprit protecteur. Mais ça ne marche pas à tous les coups. Parfois, vous égorgez un mouton. Vous vous attendez à avoir chassé le mauvais esprit et vous avez en fait repoussé le bon. C'est encore plus terrible ! Le mauvais esprit ne vous quitte plus. C'est que les dieux invoqués par les possédés mettent des masques. En fait, c'est Satan qui est derrière.

— Mais, dis-moi, Séraphin, c'est très compliqué, le zar ! Il faut être initié. Les gens y croient-ils vraiment ?

— Il y en a plus que vous croyez. Même ceux qui vont à l'église participent à des cérémonies secrètes. Les possédés entrent en transe, sacrifient des bêtes pour nourrir les esprits des ancêtres, espérant se faire pardonner de les avoir négligés. Ils se barbouillent le visage de sang, se coiffent avec l'intestin et l'estomac de l'animal. Si les esprits pardonnent, celui qui a perdu la vue, celui qui est paralysé, celui qui souffre d'une plaie sanguinolente sera guéri. Mieux, il sera protégé.

Séraphin est intarissable. Il raconte la magie, il jongle avec les esprits, il explique les rituels d'une voix sourde. Il aime se faire peur en parlant de ces histoires lugubres. Les possédés atteints de folie, d'écrouelles énormes et douloureuses, de dermatoses purulentes, trouvent à Debre Zeit les grands prêtres de l'au-delà. Ils vivent à l'écart, entourés d'une véritable Cour des Miracles, composée de disciples. Des professionnels de la transe sont payés par les malades car ils ont la réputation de capter les esprits. Au cours de leur initiation, les possédés de Debre Zeit se prosternent devant un plateau à café en regardant les grains. Le guérisseur devine, traduit l'oracle des dieux, définit le rituel du sacrifice.

Le malade, bien souvent, a commencé par voir un médecin. Celui-là n'a pas trouvé le remède. Le mal empire. De même que des milliers de Français s'en remettent aux bons soins des guérisseurs ou des radiesthésistes, les Éthiopiens espèrent en leurs sorciers. Sauf qu'à Debre Zeit, la guérison ne se limite pas à des impositions de mains accompagnées de quelques tisanes. Ici, le surnaturel est mis à contribution. On reste persuadé que le mal est provoqué par le Malin, le diable, les mauvais génies, les ancêtres mécontents. A travers eux, le sorcier procède à la *kallicha.* Lorsqu'un différend oppose deux hommes, les esprits donnent la justice. L'acte est garanti par le dieu. Un esprit esclave apporte alors la maladie sur le fautif.

Ce sont les femmes qui souffrent le plus de l'influence des génies du zar. Elles sont plus réceptives à l'initiation des sorciers. Au rythme des tambourins tendus de peau de chèvre, des battements de mains et des you-you, la possédée danse pendant des heures d'une manière de plus en plus désordonnée avant de s'écrouler dans un état second. Le sorcier se penche sur elle, l'interroge : elle répond, mais c'est le zar qui parle. Son corps n'est plus qu'une enveloppe vide. Un esprit a remplacé son âme. La danse reprend, saccadée et sauvage. Une hystérie générale gagne l'assemblée. La possédée suit le rythme, à quatre pattes. Elle a déchiré ses vêtements, ses cheveux en bataille dissimulent son visage grimaçant : elle est devenue un animal couvert de poussière et de sueur. Pour chasser le mauvais esprit, le sorcier souffle sur la malade, la masse avec du beurre, du lait. Elle ingurgite un bol de sang de mouton. La possédée gémit, aboie comme un chien, terrorisant les autres femmes qui la menacent avec des cailloux et des bâtons.

— On raconte que les esprits viendraient du désert d'Arabie. Des djinns auraient traversé la mer Rouge pour se réfugier en Éthiopie, raconte Séraphin. D'autres affirment que les femmes possédées descendent d'Ève. Parce qu'elle aurait été écartée de la vie terrestre, Ève serait jalouse des humains, et leur ferait payer son malheur.

J'écoute, médusé. Séraphin ne croit pas au zar, mais il en connaît un bout. En fait, il est terrorisé par le diable et les mauvais esprits. Les bons, il serait prêt à les accepter. Il croit pourtant en Dieu. Il est catholique et a été baptisé. Mais, dans son enfance, il a été marqué, au village, par de drôles de cérémonies qui se déroulaient les soirs de pleine lune. Il se moque bien que le zar ait donné un art magnifique. La dépouille de l'animal sacrifié, censée représenter la peau du malade, est découpée en longues bandes, puis rasée et tannée. Le rouleau protecteur mesure en général la taille du possédé. Ces talismans sont confectionnés par des clercs de l'Église, les lettrés qui pratiquent leur magie dans le secret ; une tradition millénaire.

Selon la légende, Kaleb, le roi d'Axoum qui régna au ve siècle, fit don à ses trois premiers fils du royaume de la nuit. Leurs pouvoirs maléfiques étaient immenses : ils pouvaient provoquer la folie, la fièvre, les rhumatismes, torturer les victimes par d'affreux maux de ventre ou les couvrir de ganglions gorgés de pus. A son quatrième fils, le roi offrit de régner sur les humains. Depuis, les Éthiopiens sont persuadés que les zars sont semblables aux hommes et se dissimulent dans leur chair.

Pour contrer ces mauvais esprits, les clercs de l'Église dessinent sur les rouleaux de peau des dessins abstraits, des figures géométriques où apparaissent des yeux inquiétants. En Éthiopie, l'œil, c'est la beauté. Puissant, il peut donner aussi la mort. Lorsque le possédé regarde son talisman, il est à son tour observé. Les lignes, les couleurs, les prières sont censées fasciner puis entraîner la fuite du zar qui repose, lové comme un serpent, dans le cerveau du malade. Entre les visages à peine ébauchés et les traits bruts du talisman sont insérées des prières qui rendent l'objet efficace. Ces rouleaux peints à la main n'en sont pas moins de véritables œuvres d'art.

Au fur et à mesure que nous avançons, la chaleur se fait plus forte. Une grosse femme, assise par terre à cause du manque de place, transpire à grosses gouttes. Son administration l'a mutée à Diré Daoua. Elle n'est pas très contente. Deux ans au minimum dans ce trou perdu ne l'enchantent guère. D'ethnie Amhara, elle préférerait vivre dans la fraîcheur d'Addis plutôt que dans une ville construite aux portes du désert de l'Ogaden.

— Là-bas, c'est la brousse. Mais si j'ai de la chance, j'y trouverai un mari, confie-t-elle en poussant un soupir qui soulève son énorme poitrine.

Là comme ailleurs, trouver une moitié sera difficile pour elle. Elle ne représente pas en effet le canon de la beauté éthiopienne. Elle demande à Séraphin qui je suis. Mon compagnon se lance dans une explication confuse. Je ne sais pas si elle comprend tout à fait. Écrire un livre reste pour elle une abstraction. Pourquoi un étranger viendrait-il de si loin pour relater la vie du chemin de fer ? Il n'y a rien à en dire. Que peut-on raconter sur ce train pouilleux et déglingué ? D'après ce que me traduit Séraphin, je pense plutôt qu'elle imagine que j'écris un rapport, en vue de sa réparation. Après tout, n'est-ce pas la France qui l'a construit ? Dans sa tête, c'est évidemment elle qui va le remettre en état. Logique, non !

Plutôt que de me lancer dans des explications compliquées, je préfère détourner mon regard vers l'extérieur.

Près de la voie, un paysan achève un sillon. Sa charrue en bois est tirée par deux buffles. La pointe du soc, en fer, ne s'enfonce guère dans la terre sèche. L'homme a beau peser dessus, il griffe la surface du sol plutôt qu'il ne retourne des mottes. Je n'aperçois aucun village sur ce plateau qui s'étire sans fin. Il n'en existe pas. Les paysans se regroupent par famille en s'abritant dans trois ou quatre huttes aux murs de torchis, couvertes d'un toit de chaume pointu. Des bouses de vache séchées au soleil sont empilées comme des galettes devant chaque cahute. Elles serviront de combustible pendant la saison des pluies.

Malka Djile. Ce n'est pas une gare mais une halte. Personne ne descend mais des paysans montent dans les compartiments des sacs de 50 kilos de tef, cette sorte de millet qui, cuit en crêpes, reste l'aliment de base de l'Éthiopien. Devant nous, un groupe d'ouvriers a soulevé des rails pour les déposer sur le ballast. Ils sont des centaines échelonnés sur le parcours, à surveiller et à entretenir la voie. Ils dorment par équipes dans des cabanes prévues à cet effet. Ils poussent un lorry, un petit wagonnet plat chargé de pelles et de pioches, pour enlever les mauvaises herbes et remettre quelques pelletées de cailloux de-ci de-là. En fait, ils sont livrés à eux-mêmes. Sans matériel, sans ballast, ils ne font pas grand-chose.

Jusqu'à Modjo, le rail déroule toujours ses deux

rubans à travers un immense plateau cultivé. Peu à peu, des passagers se sont glissés dans la voiture. Les portes sont obstruées par des voyageurs et des sacs de grains. D'autres personnes se tiennent debout au milieu du couloir, cramponnées au porte-bagages pour ne pas tomber à chaque va-et-vient latéral. Assis à côté de moi, Séraphin ne dit rien. Il garde les yeux ouverts mais il est absent, perdu dans ses pensées. A 65 ans, peut-être se remémore-t-il les étapes de sa vie, liées en grande partie à celles du chemin de fer. Avant de travailler pour la compagnie, Séraphin a pas mal bourlingué. Il se souvient à peine de ses parents oromos. Ils habitaient un village dans le Bali. Puis un jour, des soldats italiens sont venus. Il y a eu des coups de feu. Des cases brûlaient, la population fuyait dans la forêt. Dans l'affolement général, il a perdu ses parents. Il ne les a jamais revus. Ils ont probablement été tués ou bien se sont-ils enfuis ailleurs. Dans les années 30, l'Éthiopie profonde était moyenâgeuse, encore plus qu'aujourd'hui. Les enfants mouraient facilement de toutes sortes de maladies. Ceux qui survivaient étaient les plus forts. Perdre un enfant n'avait rien d'exceptionnel. La famine, les épidémies ravageaient parfois des régions entières. La guerre aussi. L'orphelin, noir comme le péché, fut recueilli par les sœurs de la Nativité. A 15 ans, il fut placé chez les capucins et baptisé Séraphin, du nom de ce saint italien du XVIe siècle qui vécut dans l'abnégation et pratiqua la charité à l'égard des indigents.

— L'évêque s'appelait monseigneur Leone Ossola. Chez les capucins, j'ai appris le latin, à lire et à écrire l'italien. Ils voyaient en moi un futur prêtre. J'étais doué pour les langues et j'aimais les livres.

A Harar, les échos de la guerre qui ravage l'Europe, le monde, arrivent atténués. L'armée du *duce* occupe le pays pendant cinq ans. Puis, les Anglais débarquent et les Français, les prêtres surtout, qui avaient fui devant les fascistes, reviennent en Éthiopie. Séraphin a grandi. Il est prêt pour le séminaire. Ce sera à Djibouti. Il continue ses études à côté de la cathédrale. Il porte la soutane, apprend la philosophie et la théologie sous les auspices de monseigneur Hauffmann, l'évêque alsacien du territoire français des Afars et des Issas. Mais Séraphin, même séminariste, a conservé son caractère. On le traite d'« Abyssin », une insulte dans la bouche des musulmans. « Habeschyn Habechi », en arabe, signifie peuple mélangé, ramassis de peuple, qui ignore sa généalogie. Dans ces cas-là, Séraphin réplique à coups de poing...

— Les Issas m'insultaient. En me traitant d'Abyssin, ils cherchaient à me diminuer. Je ne me suis pas laissé faire, raconte-t-il en élevant la voix.

Séraphin est de bonne foi, mais il est puni. On le nomme instituteur à Ali Sabieh, auprès du père Jean-Baptiste. En plein désert, Séraphin s'ennuie. Le cœur n'y est plus. Alors, il jette aux orties soutane et séminaire. Il ne sera pas prêtre. Comme il a de l'instruction, il travaille quelque temps dans l'administration de la société des Salines. Parfois, il est envoyé en mission en Éthiopie, à Diré Daoua. Le pays lui manque. Il parle parfaitement le français, il est totalement à son aise à Djibouti, mais l'Éthiopie reste au fond de son cœur. C'est une constante chez les Éthiopiens. Rares sont ceux qui fuient à l'étranger. Ils aiment trop leur pays pour le quitter.

— A Diré Daoua, j'ai su que j'avais un oncle qui était conducteur au chemin de fer. Je suis venu à Addis pour le voir. Je voulais moi aussi travailler pour la compagnie. Alors j'ai passé le concours d'entrée.

Il se souvient des épreuves comme si c'était hier. Ce n'est pourtant pas le cas. Le 30 décembre 1953, Séraphin écoute, ainsi que d'autres postulants, assis devant un bureau, la dictée énoncée par l'inspecteur Lefaou, un

Breton, chargé de surveiller les épreuves. Les candidats au poste de cheminot planchent ensuite sur une rédaction. Sujet : « Décrivez la ville d'Addis-Abeba aujourd'hui ». Séraphin, fort en texte, s'en tire bien : il obtient un 9 sur 10. Vient ensuite l'épreuve de calcul. Les grosses têtes du chemin de fer ne pouvaient pas faire moins que d'énoncer le problème suivant : « Un train *A* part d'Addis à telle heure, à telle vitesse. Un autre train *B* est, lui, parti de Djibouti à tel moment, à une vitesse de tant. A quelle heure vont-ils se rencontrer ? » Séraphin passe brillamment cette épreuve qui d'ordinaire élimine la grande majorité des candidats africains. A la compagnie du chemin de fer franco-éthiopien de Djibouti à Addis-Abeba, on tient beaucoup à cet exercice. La voie est unique entre les deux capitales et, lorsque plusieurs trains se suivent, il y a intérêt à savoir à quelle heure et dans quelle gare ils vont pouvoir se croiser. Le candidat cheminot qui a compris ce problème a tout compris du fonctionnement du chemin de fer.

Parce qu'il sait écrire, Séraphin est d'abord téléphoniste. On peut compter sur lui pour noter correctement les messages. Quand un chef de gare annonce dans le combiné : le 3358 a quitté Assabot à 11 h 02, il ne faut pas se tromper. Sinon, à la gare suivante, il risque d'y avoir au mieux du retard, au pire, un tamponnement. Séraphin garde toujours dans sa mémoire le même principe de base, celui énoncé dans son épreuve de calcul le jour de l'examen. Au fil des ans, Séraphin devient commis, puis secrétaire. Il sait taper à la machine et connaît même le morse. A l'époque, le chemin de fer compte beaucoup sur ce moyen de transmission fiable. Le téléphone, lui, joue souvent des tours.

— Sur la ligne, j'ai assuré tous les postes : aiguilleur, chef de train, receveur. Je suis même devenu cadre échelle 1, explique Séraphin qui est maintenant complètement sorti de sa torpeur.

Le train du négus

« En 1964, j'ai accompagné le négus d'Addis à Diré Daoua. La motrice était une SLM suisse et le conducteur était M. Aubry, chef mécanicien. Ce convoi comprenait cinq wagons : deux impériaux et trois pour la garde, les ministres, le cabinet de Sa Majesté. La nourriture avait été apportée du palais et réchauffée dans le train. Mais l'empereur mangeait très peu. Il était très croyant et jeûnait souvent. Après la sieste, il aimait boire du thé agrémenté de deux ou trois cuillerées de miel. Il était très rusé, très habile. Il savait tout. Je me souviens qu'après Debre Zeit, il avait fait arrêter le convoi dans un village. Il faisait distribuer des pains aux gens qui lui baisaient les pieds. Ce jour-là, il avait dit à une paysanne qui était venue avec sa famille : "Donne-moi ta fille, je l'emmène avec moi au palais." La femme avait refusé : "Majesté, je n'ai qu'une fille, je vous en supplie, laissez-la-moi. Jusqu'à ma mort, elle va me soutenir ; quand je ne pourrai plus marcher, elle me nourrira." »

L'empereur avait répondu : « C'est bien, je te la laisse. Tu aimes ta fille. Tu la protèges. Continue. L'Éthiopie a besoin de ses enfants. » Et il avait donné un billet de cent birrs à la mère. Il y a trente ans, c'était une grosse somme.

— Du temps de l'empereur, on vivait mieux, ajoute Séraphin après un silence.

Dans le compartiment, les passagers s'agitent. Ceux qui dorment à même le sol se réveillent. Les autres grimpent sur les banquettes pour prendre leurs bagages. Nous rentrons dans Nazareth, la capitale oromo.

CHAPITRE V

Nazareth est une ville importante. La gare, pourtant, ne paie pas de mine. Le bâtiment étroit et haut a dû être blanc. Aujourd'hui, le crépi gris tombe par plaques et les murs sont poussiéreux. Mais la station, fait rare pour être signalé, comprend plusieurs voies de garage et de triage. A partir de Nazareth, une autre ligne devait desservir la province voisine du Sidamo, riche en café. Ce projet n'a jamais vu le jour. Le sucre du Wonji, les papayes et les citrons des champs alentour sont apportés jusqu'au chemin de fer par camions.

Non loin de Nazareth, le lac de Koka bordé d'une oasis de palmiers attirait autrefois les touristes. On venait depuis Addis observer dans l'Aouache un troupeau d'hippopotames et de beaux crocodiles qui se prélassaient au soleil sur des bancs de sable blanc. A Sodéré, on peut voir les mêmes animaux sympathiques. Les Éthiopiens s'y rendent, m'a-t-on raconté, non pas pour l'amour qu'ils portent à ces braves petites bêtes, mais pour profiter, en galante compagnie, des sources d'eau chaude, minérale et bouillonnante, qui alimentent deux belles piscines. Sodéré, équipé de discrets bungalows bâtis sous des acacias, attirait le week-end les Éthiopiens argentés qui désiraient passer un bon moment avec leur maîtresse. Ils ne risquaient pas d'y être dérangés, si ce n'est par les disputes des babouins et les cris des aigles pêcheurs.

Séraphin sourit d'un air entendu lorsque j'évoque la réputation de Sodéré. Je regrette de ne pouvoir aller constater par moi-même les délices et les raffinements de cette station thermale voisine que l'on m'a tant vantée à Addis. J'en aurai le temps car, après un petit tour sur le quai, Séraphin revient, la mine déconfite.

— Nous sommes bloqués. Il faut attendre un train de marchandises qui a du retard, dit-il.

La logique implacable de cette maudite voie unique va encore nous retarder davantage. Encore heureux que les cheminots de Nazareth aient été prévenus, sinon nous nous serions retrouvés, peut-être en fin de courbe, face à face avec un convoi roulant en sens inverse. Plutôt que d'attendre sur le quai, je demande à Séraphin de tenter de savoir le temps approximatif dont nous disposons avant de repartir. Je voudrais en profiter pour voir Nazareth et rendre visite à Mgr Person, l'évêque catholique du diocèse.

— On peut y aller. De toute manière, les conducteurs nous attendront s'il le faut, dit Séraphin.

C'est dans une vieille guimbarde que nous remontons la large avenue à deux voies, ombragée de magnifiques flamboyants. Dans les jardins, les bougainvilliers et les frangipaniers dégagent des parfums subtils. La ville semble respirer, à première vue, une douceur de vivre sur laquelle il ne faut cependant pas se tromper. Nazareth est considérée par les Oromos comme leur capitale. Le drapeau noir, rouge et blanc de l'Oromia, la nation oromo, flotte ostensiblement sur tous les poteaux électriques. Les couleurs éthiopiennes, elles, ne sont que rarement présentes. Des manifestants indépendantistes perturbent parfois la quiétude de la cité que les guérilleros tigréens, aujourd'hui au pouvoir, surveillent étroitement.

Derrière les murs de la mission, les bruits de la ville sont absents. Un serviteur me conduit jusqu'à l'évêque, sous une véranda ouverte sur un jardin fleuri. Le religieux sort lentement de sa chambre monacale. Il marche péniblement, ponctuant chaque pas d'un souffle court. Sous sa robe de bure marron, Mgr Person est impressionnant. Il doit mesurer près de 2 mètres de haut, et, à 87 ans, il n'a plus que la peau et les os. Son visage émacié ressemble à celui d'une momie. Seul son regard exprime encore de la vivacité. Je ne sais pas comment était Matthieu de Basci, le fondateur italien de l'ordre des Frères mineurs capucins, mais je l'imagine à l'image de Mgr Person. Quatre siècles plus tard, le Français porte encore la même robe de bure à capuchon. Vu la simplicité dans laquelle il vit, l'évêque est dans la droite ligne de saint François d'Assise. D'abord missionnaire au Kerala, en Inde, le père Person est venu en Éthiopie il y a quarante ans. Son diocèse est aussi grand que la moitié de la France. Il en connaît tous les sentiers par cœur pour l'avoir davantage parcouru à dos de mulet qu'en voiture. Mais ce n'est pas à cause du relief et du climat que l'évêque a rencontré le plus de difficultés, mais avec l'Église d'Éthiopie.

Les prêtres de l'Église orthodoxe n'ont jamais vu d'un bon œil ces missionnaires occidentaux, qui se mêlaient aux plus humbles en parlant de surcroît l'oromo. Le clergé éthiopien, riche propriétaire terrien qui parle le guèze à l'église et l'amharique au-dehors, n'aimait pas beaucoup que les Gallas, le nom péjoratif donné aux Oromos, découvrent qu'il existe des hommes de Dieu aussi pauvres qu'eux.

Depuis le début de leur migration au sud au XVIe siècle, les pasteurs oromos ont poussé leurs troupeaux dans une grande partie de l'Éthiopie. Les Abyssins du Choa ont parfois voulu les contenir ; devant leur nombre, les Amharas n'eurent d'autre solution que de les assimiler. En devenant sédentaires, les Oromos adoptèrent lentement, au cours des siècles, les us et coutumes des populations auxquelles ils s'étaient mêlés. Souvent en guerre entre eux, les Oromos dispersés, intégrés à la société amhara, n'en gardent pas moins un dénominateur commun : la langue. Après la conquête de Ménélik, accompagnée d'une amharisation et d'une christianisation progressives, les revendications territoriales semblaient être tombées dans l'oubli avec les années.

C'est dans ces régions que les capucins reçurent le meilleur accueil. Les Oromos préféraient les missionnaires étrangers aux prêtres orthodoxes amharas. De toute manière, les missions n'avaient pas le choix. Il était hors de question qu'ils s'implantent en pays amhara, et plus particulièrement dans le Choa, le cœur de l'empire.

Au XVIIe siècle, les jésuites avaient bien essayé. Ils réussirent à convertir une partie du clergé et l'empereur Sousneyos qui reconnaissait, au grand dam de l'Église d'Éthiopie, le primat de Rome. En se soumettant à Rome, l'Éthiopie ne perdait-elle pas son indépendance ? La Compagnie de Jésus ne pourra rien contre cet argument. Sous la pression, Sousneyos devait abdiquer et son successeur appuya de nouveau son pouvoir sur l'Église nationale. Quant aux jésuites, ils furent expulsés. Quelques-uns y laissèrent leur vie, pendus haut et court avec le cordon de leur soutane. L'empereur et le clergé éthiopien ne concédaient qu'un seul territoire aux missionnaires : celui des sauvages, des Gallas.

Au début du siècle, Martial de Salviac, un capucin, probablement illuminé, voit dans les Gallas une parenté avec les Gaulois ! Ce capucin farfelu estime que les Gallas descendent d'Éthiopiens qui, après avoir été au service de l'empereur, donnèrent naissance à un nouveau peuple. « Après tout le mot "galla" n'est-il pas une déformation de "gaulois" ou gallois ? » affirme ce missionnaire qui va même jusqu'à comparer le légendaire caractère belliqueux des Gaulois avec celui, querelleur, des Gallas. Il ne manquait plus qu'à découvrir un Vercingétorix galla pour que la comparaison soit parfaite.

L'évêque Person n'est pas homme à se laisser aller à des suppositions fantasques. Quarante ans d'enseignement et d'évangélisation à travers les montagnes l'ont épuisé. Il est trop fatigué pour raconter sa vie. Il laisse au visiteur le soin de la deviner. Aujourd'hui, les missionnaires catholiques ne sont plus qu'une poignée. Certains ont eu une fin tragique comme le père Sortaix, d'Évreux, poignardé par un lépreux qu'il avait guéri. L'évêque, lui, ira bientôt en France. A son âge, il ne sait pas s'il reviendra dans son pays d'adoption. Des pères éthiopiens ont pris la relève. A la mission, reste le frère Hilaire, un Alsacien têtu et solitaire. Le visage carré, à moitié dissimulé par un collier de barbe, il répare des tables d'écolier à coups de marteau. Frère Hilaire n'aime pas être dérangé et le fait savoir en grognant.

— Frère Hilaire a toujours eu son caractère, me souffle Monseigneur.

Je prends congé. Ici, le temps semble s'être arrêté, mais à la gare le train ne nous attendra peut-être pas.

Le quai est couvert de monde et la rame est toujours là. Les deux conducteurs ont quitté la motrice. Ils discutent à l'ombre d'un appentis avec d'autres cheminots. Yemane Berhé est parmi eux. Je l'avais croisé à la gare d'Addis ; il est chef de section voie et bâtiment, mais surtout vice-président du syndicat. Il attend lui aussi que la voie soit libre.

— J'accompagne le train payeur, me dit-il.

— Le train payeur ?

Devant mon air étonné, il ajoute en riant avec ses camarades :

— Oui, le train payeur. Comme dans le Far West. Venez, je vais vous montrer.

Nous enjambons les voies jusqu'à un drôle de convoi. Derrière une vieille BB graisseuse est attelé un long wagon de passagers, suivi d'un autre de marchandises et d'un troisième plateau chargé de rails. La première voiture témoigne de ce que fut le train au temps du négus. La peinture cloque sur les lattes de bois mais le sigle de cuivre du chemin de fer franco-éthiopien est encore en place. A l'époque, seuls les passagers de première qui avaient payé un supplément pouvaient monter dans ce type de voiture. Des compartiments, équipés de banquettes de cuir, sont pourvus de ventilateurs et de persiennes de bois aux fenêtres. D'autres, plus larges, font office de salon. En appuyant sur une manette, chaque fauteuil de cuir brun peut s'avancer pour former un lit à l'image de ceux que l'on retrouve en classe de première dans les avions long-courriers. Marqueterie, portemanteau, lampe en cuivre, tout ici rappelle un salon anglais du XIXe siècle. Dans l'un d'eux, le trésorier est assis devant plusieurs piles de billets de banque soigneusement rangés. Dans le couloir, les agents attendent leur tour pour toucher leur salaire. Ils repartent avec une maigre liasse et leur bulletin de paie rédigé en français. Depuis 1911, le système n'a pas changé. Les ouvriers qui travaillent sur la voie touchent leur mince revenu en liquide grâce au train payeur. Ils ont droit également à vingt-six kilos de graines de doura par mois. Ceux qui sont en poste après Nazareth en reçoivent le double. A cause du climat plus chaud, de la sécheresse et de l'éloignement des villages qui compliquent l'approvisionnement.

Le train payeur remplit plusieurs missions à chaque voyage. Sur le wagon-plateau, des ouvriers dorment, la tête couverte d'un chiffon, en attendant le départ. Ils sont chargés de déposer le long de la voie des rails « baraudés » de 12 mètres et de ramasser ceux qui sont chanfreinés par l'usure.

— Ces rails datent de 1910, mais, à la compagnie, on ne réforme rien. On les change simplement de côté pour conserver l'espacement d'un mètre. Certains sont si vieux, et la bande de roulement si étroite, que le train déraille car l'écartement a augmenté au fil des années, explique Yemane, l'air navré.

Depuis vingt et un ans agent de la compagnie, il a vu la ligne se dégrader progressivement.

— La corruption sous Mengistu a aggravé le manque de matériel. On nommait les responsables non pas pour leur compétence mais parce qu'ils étaient au Parti.

— Le nouveau pouvoir ne nomme-t-il pas également des compatriotes aux postes de responsabilité ? N'êtes-vous pas tigréen vous-même ?

— Oui, mais j'ai été élu par les ouvriers et non pas, comme pour mes prédécesseurs, par le Parti. Avant la révolution, les cheminots étaient les employés les mieux payés du pays. Aujourd'hui, c'est le contraire. Personne n'a été augmenté depuis des années, alors que certains s'en mettaient plein les poches. La corruption commençait par le haut de la hiérarchie. Même les médecins du chemin de fer arrondissaient leurs revenus en demandant aux agents de payer les médicaments qui sont gratuits pour eux et leur famille.

A l'extrémité de la voiture-salon, ce sont des femmes et des enfants qui attendent leur tour. Le train payeur ne distribue pas que de l'argent, mais aussi des soins. Habillée d'une blouse blanche, Amaratche Guematchou reçoit un à un les femmes et les marmots des trimards de la ligne.

— Pendant la révolution, on ne voulait pas qu'elle

accompagne le train payeur. Avec elle, les médicaments ne sont pas revendus sur le marché, me murmure le syndicaliste.

L'infirmière ausculte chaque gamin dépenaillé avec un stéthoscope. Elle distribue de l'ampicilline, de la nivaquine. Elle désinfecte de vilaines plaies, perce des abcès gorgés de pus. Mais surtout, elle conseille les femmes enceintes et tente de convaincre les mères de renoncer aux traditions qui tuent ou mutilent leurs enfants. Chaque famille repart avec plusieurs fascicules illustrés de dessins et de photos. « Il y a des coutumes dont on doit se débarrasser, peut-on lire dessus. Elles provoquent des mutilations et des traumatismes psychologiques, en particulier chez les filles. Le mariage en bas âge reste majoritaire même si on observe une légère diminution. Une fille trop jeune n'est pas mûre psychologiquement et physiquement pour le mariage. Elle n'est pas prête pour le rapport sexuel ni pour tenir une maison. » On peut lire sur les imprimés que, chez les filles trop jeunes, l'accouchement provoque des fistules et le déchirement du vagin.

Suivent des conseils de prévention pour la grossesse :

• Ne pas donner des infusions de feuilles pour évacuer le ténia si l'on ne connaît pas les doses précises.

• Masser le ventre de la femme enceinte avec du beurre est une mauvaise habitude. Cela peut provoquer un accouchement prématuré, une fausse couche ou des saignements abondants.

• Lorsqu'on a coupé le cordon ombilical, on ne doit pas secouer la mère pour évacuer le placenta ; et s'il ne s'évacue pas, il est inutile de planter dans la gorge de la mère des aiguilles en fer chauffées à blanc ! précise encore le fascicule que l'infirmière me traduit à voix haute devant un cercle de femmes qui me scrutent du regard sans comprendre.

Pour que ces malheureuses profitent de la leçon, Amaratche répète également en amharique. Les femmes ne semblent pas choquées par ma présence. Peut-être imaginent-elles que je suis médecin ?

Pour ces mères de famille qui vivent en brousse, les choses de la vie sont publiques. Les pratiques énoncées par l'infirmière sont connues de tous. Sans éléments de comparaison, ces femmes éthiopiennes illettrées pensent certainement que toutes les femmes du monde mettent au monde leur nouveau-né de la même manière, en se faisant secouer comme un prunier, afin que le bébé sorte plus vite !

— Interdire à la femme enceinte de manger du yaourt et des légumes, c'est mauvais. Si l'on vous dit que ces aliments se colleront sur le bébé dans le ventre, c'est faux, dit l'infirmière.

N'osant pas attaquer de front les sorciers et les vieilles matrones, Amaratche préfère rester dans le vague.

— C'est comme couper le cordon ombilical avec un couteau et enduire la mère et le nombril du nourrisson de boue, de beurre ou de bouse de vache. C'est aussi néfaste, car il risque une infection, ajoute la femme de l'art avec le sérieux que lui confèrent la blouse blanche et les lunettes qui prouvent qu'elle sait lire.

En brousse personne ne porte de lunettes. Si ce n'est le chef de district qui vient de temps en temps lire un avis, en général avant les élections.

— Obliger la mère à accoucher toute seule dans une case et la garder ensuite quinze jours dans une pièce noire ne peut qu'engendrer des accidents. Cessez de pratiquer cette coutume ! enchaîne l'infirmière qui continue sa litanie d'horreurs et de supplices.

Mme Guematchou brandit maintenant un autre dépliant. Les patientes regardent la première page, le regard vide, sans expression aucune. Elle montre pourtant la photographie d'un enfant qui, à la place de la bouche, porte une plaie béante et infectée qui lui dévore le bas du visage.

— Voyez ce que provoque l'arrachement des dents de lait, annonce l'infirmière. Vous croyez qu'ainsi votre enfant n'aura plus de vomissements, de diarrhées, qu'il sera plus fort pour devenir un chef ! C'est faux ! Ces maux proviennent en fait de la saleté, du manque d'hygiène.

» Couper et gratter avec un simple couteau les amygdales d'un enfant provoque des infections et la mort, poursuit l'infirmière. Enlever les cils avec un rasoir pour qu'ils soient plus fournis peut diminuer la vue. Dire du beurre, de la viande et du lait que ce sont des aliments pour les adultes est une erreur — ne pas donner de plat de résistance et laisser manger seuls, à part, sans les surveiller sous prétexte de bien les élever ses enfants est une mauvaise habitude. C'est comme le lait de la mère, il est meilleur pour l'enfant que celui de la vache. Il contient davantage de protéines. Aussi, la mère qui allaite doit manger plus et travailler moins, répète l'infirmière en regardant dans les yeux les deux hommes qui passent la tête à travers la porte ouverte du compartiment salon. Ne punissez pas non plus trop gravement vos enfants. Ne les battez pas, ajoute-t-elle en s'adressant aux pères de famille présents.

Les bougres en prennent pour leur compte. Mais ils demeurent silencieux et leur visage impassible ne traduit pas la moindre émotion. En fait, j'ai bien l'impression qu'ils se moquent éperdument de ce que peut raconter Amaratche. Malgré la chaleur, l'infirmière continue à prodiguer ses conseils. Jamais elle n'a eu un auditoire aussi important et elle en profite.

— Il existe en Éthiopie des feuilles et des racines dont on ne connaît pas les effets et surtout les dosages, dit-elle. N'en donnez pas aux enfants même si le marabout vous l'a conseillé. Lors de la circoncision de votre fils, allez dans une clinique plutôt que chez lui. Les marabouts utilisent les mêmes instruments pour tous et ne les désinfectent pas. Ils font ce travail à la chaîne. Ils se moquent de savoir si l'enfant est ensuite infecté. Ils veulent seulement prendre votre argent. Si vous avez besoin d'une injection, n'allez pas chez eux, ils ne changent jamais l'aiguille de la seringue. C'est très dangereux car aujourd'hui une maladie cause beaucoup de morts. Le sida se transmet par le sang et par les rapports sexuels. Si vous ne voulez pas être contaminés, mettez des préservatifs ; mais le plus simple, c'est qu'une femme couche avec un seul homme et vice versa. N'oubliez pas qu'en Éthiopie, des milliers de gens souffrent du sida.

L'annonce du fléau ne provoque pas de réaction dans l'assemblée. Je me demande toutefois où ces pauvres gens pourraient trouver des préservatifs et surtout avec quel argent ils pourraient en acheter. De toute manière, un train de marchandises hebdomadaire chargé de capotes dites anglaises ne suffirait pas à répondre à la demande. Difficile de changer les coutumes et les mentalités d'un pays où les hommes et les femmes pratiquent une sexualité libre. Avec la misère, le phénomène s'est amplifié. Les filles se prostituent dans les villes pour une poignée de birrs. A Addis-Abeba, les belles de nuit hantent les trottoirs et les bounabiets en regorgent. Dans la capitale, le sida n'est pas un mot inconnu. Mais dans les villages de brousse, la sensibilisation n'en est qu'à ses débuts. Plus grave est encore le poids des traditions.

L'infirmière demande à tous de sortir. Elle souhaite ausculter une adolescente courbée par la douleur qui se tient le bas-ventre.

— L'infibulation reste le plus grand malheur des femmes, me souffle-t-elle, l'air gêné en fermant la porte du compartiment du train payeur devenu, pour quelques minutes, le refuge de la souffrance et de la détresse.

Mis à part pour les musulmans, minoritaires en Éthiopie, la religion n'est pour rien dans cette coutume pratiquée de toute manière avant l'avènement de l'islam. Si dans les religions juive et musulmane, la circoncision masculine est le signe de l'adhésion de l'homme à Dieu, le Coran et les Saintes Écritures ne mentionnent pas la circoncision féminine. Depuis des siècles, les femmes sont mutilées. Ce sont les mères, elles-mêmes circoncises, qui amènent leurs filles à la matrone. Chez les chrétiens d'Éthiopie, aucun texte ne le commande. Mais le sexe d'une femme ne doit pas comporter les attributs du « péché ». Sinon comment trouverait-elle un époux ?

La clitoridectomie permet, prétendument, d'apaiser la soif sexuelle de la femme avant le mariage. Elle lui interdit également le plaisir solitaire. L'infibulation, elle, reste la preuve de la virginité de la jeune mariée.

Docteur Bob, le médecin anglais d'une organisation internationale que j'avais rencontré à Addis, m'avait tracé un tableau à peine croyable des supplices endurés par les femmes. Le sujet le passionnait. Il aimait si fort les Éthiopiennes qu'il ne concevait plus le sexe faible qu'à travers la couleur noire. Il profitait de chaque conquête, et elles étaient nombreuses, pour étudier de très près le sexe de ses partenaires.

— On pratique l'excision féminine depuis l'époque des pharaons, me raconta-t-il. La plus simple consiste en l'ablation du prépuce du clitoris. Pour cicatriser la plaie, les sorciers l'enduisent de poudre et de crèmes traditionnelles qui favorisent, en fait, l'infection. Une septicémie, qui, sans antibiotiques appropriés, est mortelle dans la majorité des cas car les scalpels et autres rasoirs utilisés pendant l'opération sont rarement stérilisés.

Sur sa lancée, Bob avait décidé de ne m'épargner aucun détail. Ce qui m'étonnait chez un Britannique habituellement si discret à propos de ces choses-là. Mais Bob était un cas. A la cinquantaine passée, il n'en était pas à sa première mission dans le tiers-monde. Au Viêt-nam et au Cambodge, il avait découvert que les beautés exotiques valaient bien celle des Anglaises à la peau laiteuse.

— La fille magnifique que tu vas croiser à coup sûr pendant ton voyage aura peut-être subi, quand elle était gamine, l'outrage ultime. Elle sera un mutant, un castrat, sans forme ni poils entre les cuisses. Après la circoncision pharaonique, son clitoris, ses petites lèvres auront disparu. On lui aura suturé la vulve avec des épines d'acacia ou, si elle a eu de la chance, avec du fil à coudre. Dans ce cas-là, une ouverture, minime, pour l'évacuation de l'urine et du flux menstruel est prévue. Afin que la suture réussisse, la fillette aura passé quinze jours les jambes liées avec une corde, un petit morceau de bois dans le vagin pour que l'occlusion ne soit pas complète. Imagine la douleur, le traumatisme psychologique ressentis par elle lors de l'intervention réalisée sans anesthésie. Parfois la matrone loupe son coup ou utilise des instruments trop gros pour les organes génitaux de l'enfant. Avec le temps, les tissus deviennent fibreux, des kystes et des abcès apparaissent. L'utérus et les trompes s'infectent. Son vagin, devenu trop étroit, ne permet plus une bonne évacuation du sang menstruel qui reste dans l'utérus. La femme connaît des règles extrêmement douloureuses. Le sorcier du coin tente bien de la calmer. Mais ses massages et ses décoctions de plantes ne font pas grand effet. En définitive, elle devient stérile et son mari la rejette car elle représente moins de valeur qu'une bête de somme.

— Mais, dans ces conditions, comment se déroule le mariage ? demandai-je, troublé par ce tableau apocalyptique.

— La fille qui se marie a parfois tout juste 13 ou 14 ans. Après ses premières règles, elle est considérée comme une femme, racontait Bob. Durant la nuit de noces, l'élargissement du vagin devient nécessaire. On m'a signalé des cas où le mari a agrandi l'ouverture au couteau ! D'autres, moins brutaux, achètent auprès d'un colporteur une pommade. Celle qui vient d'Égypte est très renommée.

Malgré cet artifice, les rapports sexuels restent douloureux pour la jeune mariée.

— Lors de l'accouchement, cela doit être pire ?

— Chez la femme, les tissus du vagin sont normalement souples et extensibles. Ils permettent sans dommage l'accouchement. Mais l'excision et l'infibulation ont rendu les tissus fibreux et rigides. L'ouverture est devenue trop étroite pour permettre le passage du bébé. Il faut donc défaire ce qui a été fait. On incise à nouveau au risque de provoquer une nouvelle hémorragie ou une infection. Il ne faut cependant pas dramatiser. Chez les familles un tant soit peu éduquées, l'excision et l'infibulation ne se pratiquent guère. La mère se contente d'une simple circoncision pour sa fille. Contrairement à ce qu'on raconte, elle peut jouir.

En regardant ces femmes qui attendent au pied du wagon, je pense aux paroles de Bob. Celle qui attend appuyée contre le marchepied est digne d'être mannequin ! Quel secret cache-t-elle sous sa robe bleue ?

C'est le meuglement de la motrice qui m'oblige à quitter le train payeur. Séraphin, jusqu'ici témoin silencieux de mon introspection dans le huis clos d'un wagon-salon décrépit, me demande de rejoindre au plus vite le quai de la gare. Le convoi de marchandises que nous devions croiser à Nazareth est finalement tombé en panne à Aouache.

— La voie est libre ! me dit-il, l'air pressé, comme si nous étions en retard pour prendre un TGV.

CHAPITRE VI

A peine sommes-nous sortis de Nazareth, la pente s'accentue et la chaleur augmente. Nous perdons à nouveau de l'altitude en traversant une brousse d'herbes jaunes. Les montagnes arrondies, pelées et ravinées, deviennent sombres, presque noires. L'une d'elles ressemble à un terril ou plutôt à un flan au chocolat tout juste sorti de son moule cannelé. Il tombe ici moins d'eau qu'à Addis, mais les orages éclatent avec une violence inouïe. La pluie emporte terre, cailloux et arbustes sur son passage. Dans les courbes, le train ralentit car l'érosion a ôté la déclinaison obligatoire à toute voie ferrée. Les torrents naturels qui dévalent la pente ont carrément nettoyé le ballast à plusieurs endroits. Si le train survient à trop grande vitesse, la force centrifuge risque de l'emporter tout droit. La voie n'est plus qu'une ligne brisée qui accentue le roulis des voitures. En arrivant sur un petit pont enjambant un radier, le train ralentit pour franchir l'ouvrage au pas.

— Les piliers sont fissurés. Au cours d'un orage, les rails sont partis dans l'oued, lâche Selachi, l'aide-conducteur, tout en regardant vers l'arrière par la fenêtre ouverte.

A la halte de Nazareth des clandestins sont montés. Pour le plaisir et souvent par défi, ces jeunes voyagent accrochés aux portières des voitures. L'aide regarde ces grappes humaines pendues de chaque côté de l'autorail en haussant les épaules. Il ne peut rien faire contre eux. Même s'il les faisait déguerpir au prochain arrêt, ils reprendraient leur place sitôt le train reparti. Le paysage devient plus aride. Nous frôlons des buissons verts, des bosquets d'épineux et des arbustes nains porteurs de baies jaunes. Lorsque la voie approche la route goudronnée, j'aperçois des enfants accroupis sur le bas-côté qui attendent un hypothétique client pour vendre des fagots et des cylindres en écorce tressée remplis de charbon de bois. Nous enjambons régulièrement des failles qui se poursuivent sur des kilomètres de part et d'autre de la voie. Elles sont parfois si étroites qu'elles semblent avoir été taillées d'un coup d'une immense hache tenue par un géant. Le train passe au-dessus en roulant sur deux longerons de fer. Sur les fractures larges d'un ou deux mètres, je n'arrive pas à voir le fond. Les secousses tectoniques qui se sont succédé dans la région depuis des millénaires ont fendu l'écorce terrestre en maints endroits. Depuis Debre Zeit, nous sommes sur la même ligne de fracture de la fameuse vallée du Rift où fut découverte Lucy, ce squelette d'australopithèque qui permit de savoir à quoi nous ressemblions il y a trois millions d'années. La vallée de l'Omo et le lac Turkana sont à plus de 700 kilomètres, mais la cassure du Rift remonte jusqu'ici avec sa succession de dépressions transformées en lacs. Les deux conducteurs, eux, se moquent de savoir si Lucy est leur aïeule ou pas.

— Je suis moitié-moitié. Ma mère est amhara, mon père oromo et ma femme est érythréenne. Soulever le problème des nationalités, ce n'est pas bon, affirme l'aide en parlant du nouveau découpage des régions selon les ethnies que le pouvoir central a mis en place.

— C'est pour cela que conduire après Aouache, c'est dangereux, lâche le conducteur qui visiblement, ne tient pas à dépasser cette gare.

Au-dehors, la brousse a changé de couleur et de nature. L'herbe a pratiquement disparu, les épineux aussi. La roche a remplacé la flore. La pente devient raide et Tassou freine continuellement. Soudain, un paysage grandiose s'offre à nous à la sortie d'une longue courbe. Les eaux du lac de Baseka, couleur de jais, s'étalent devant une plaine de roches noires qui s'achève au pied du mont Fantale, un volcan assoupi depuis peu. Dans la dernière ligne droite qui nous y conduit, nous ralentissons encore. La voie est pratiquement au niveau de l'eau qui monte chaque année un peu plus. Un muret de pierre soutient le ballast qui émerge à peine du liquide comme les extrémités des poteaux téléphoniques. Nous traversons plusieurs petits ponts rouillés qui émettent un bruit suspect à chaque passage de boogies. Comme beaucoup de lacs de la vallée du Rift, celui de Metahara recèle une forte proportion de potasse, carbonate et autres sels minéraux qui ne favorisent guère la conservation des métaux. Depuis quatre-vingts ans, les poutrelles et les longerons qui soutiennent la voie baignent dans une eau corrosive. Je doute fort que beaucoup aient été remplacés ou même revêtus d'une peinture protectrice. En près d'un siècle, le poids des locomotives a augmenté, celui des wagons aussi, mais la voie « sous-marine » de Baseka tient toujours.

La berge semble avoir été chamboulée par un cataclysme. Comme si une immense charrue tellurique avait labouré les entrailles de la terre. Au siècle dernier, le volcan a recouvert la plaine de ses scories. Des fleuves incandescents de lave ont dévalé ses pentes, semant d'énormes blocs au hasard de leurs méandres. Accroupis sur une grosse pierre plate, des hommes lavent leur linge avant de l'étendre sur les rochers. Plus loin, ce sont des chauffeurs qui nettoient leur camion garé près de la rive. La route qui court le long des rails est surélevée par rapport à la voie ferrée. Entre les deux, une demi-douzaine de gamins jouent à s'éclabousser dans une marmite de géant creusée dans le basalte. Je ne vois toutefois personne se baigner à partir de la berge.

— Il y a des poissons et des crocodiles, me dit simplement Selachi, occupé à gribouiller ses papiers de route.

Des martins-pêcheurs s'envolent à notre arrivée. Je n'aurai pas la chance de voir les oies sauvages et les marabouts qui peuplent également le lac.

Notre halte à Metahara, tout proche, dure à peine deux minutes. Nous avons pris un retard considérable et les conducteurs ne tiennent pas à traîner en route. La gare est constituée en tout et pour tout d'une seule bicoque. Son importance vient d'une plantation de canne, et d'une usine de sucre, distante d'une dizaine de kilomètres et raccordée à la station par une bretelle. Des convois de mélasse sont expédiés à un rythme plus ou moins régulier à Djibouti, comme en témoignent les wagons-citernes en piteux état alignés sur une voie de garage.

La rivière Aouache, qui coule un peu plus loin, irrigue des plantations de coton créées par une société israélienne. Sous prétexte qu'ils avaient été conseillers militaires dans l'armée impériale, Mengistu avait expulsé les Israéliens d'Éthiopie. Dans quel état sont aujourd'hui les plantations ? Je doute qu'elles atteignent une production digne de ce nom.

Nous sommes mardi, jour de la foire aux bestiaux de Metahara. A proximité de la gare, une douzaine de baudets attendent d'être chargés de marchandises avant de partir en caravane vers je ne sais quel hameau. Ils tressaillent au son du klaxon, mais ne bougent pas, exténués par le chemin qu'ils viennent de parcourir. Quant aux zébus, ils s'affolent à notre passage. Ceux qui se baignent dans une mare en sortent précipitamment. Les autres, attachés à un arbre, se cabrent contre le tronc. Ils s'étranglent avec la corde qui serre leurs têtes aux yeux exorbités par la peur. Deux jeunes bouviers accourent vers eux pour tenter de les calmer. Cent mètres plus loin, nous frôlons l'angle de la petite bâtisse percée de quatre minuscules fenêtres où loge l'équipe préposée à l'entretien de la voie. Heureusement pour eux les trains sont rares. Sinon comment pourraient-ils trouver le sommeil dans une masure construite aussi près du rail ? J'ai cru un instant que nous allions emporter la moitié de la maison. A tel point que l'aide se penche à la fenêtre pour voir si un clandestin pendu à une portière n'embrasse pas l'angle du bâtiment.

Pendant que nous prenons, si j'ose dire, de la vitesse, Selachi passe derrière pour vérifier le niveau d'huile et la température du moteur. Bien que nous soyons à 950 mètres d'altitude, la chaleur dans la cuvette de Metahara dépasse les 40° . Pour ventiler l'énorme diesel, Selachi laisse ouverte la porte qui sépare la cabine du compartiment moteur. Il estime qu'un courant d'air, à mon avis peu probable, favorisera une baisse de la température de la machine. Résultat : le bruit déjà infernal devient indescriptible, l'odeur du gasoil me donne la nausée et nous continuons de suer, cette fois-ci à grosses gouttes. A peine avons-nous quitté Metahara que nous pénétrons dans le parc d'Aouache. Une savane de graminées vert pâle, ponctuée de taches jaunes aux endroits plus secs, s'étend à perte de vue. Quelques arbres nains dispensent de rares zones d'ombre sur cette terre plate jusqu'aux montagnes lointaines. Un troupeau d'oryx aux longues cornes droites continue de brouter à notre passage. Quelques-uns lèvent la tête, mais ne s'enfuient pas pour autant. Ils savent apparemment que le train ne constitue pas un danger.

Au loin, brillent les toits de tôle d'Aouache. Tassou ralentit la motrice. Une nuée de gosses accourent à notre rencontre en criant. Certains s'accrochent aux portes de la cabine, d'autres se pendent aux fenêtres des voitures. Nous rentrons au pas en gare d'Aouache. Tassou et Selachi prennent leurs musettes. Pour eux, c'est fini. Ils n'iront pas plus loin. Ils vont dormir ici et demain conduire un autre train à Addis-Abeba.

« Bonne chance, faites attention à vous », me disent-ils en me serrant la main.

Je descends à mon tour. J'ai du mal à accéder à la voiture de Séraphin. Des passagers montent leurs valises sans attendre que les autres descendent. Des clandestins déchargent des sacs de grains en bousculant des marchands d'eau. Des hommes cuisent des galettes d'injira sur de petits foyers qui brûlent à même le ciment. Des enfants vendent des cigarettes de contrebande venant de Djibouti, d'autres offrent des papayes à la peau jaune orangé. Des soldats déguenillés, kalachnikov sur l'épaule, arpentent le quai en se mêlant aux disputes qui ne manquent pas d'éclater. Deux femmes prêtes à se crêper les cheveux pour un obscur litige finissent par en venir aux mains. Un Tigréen aux cheveux taillés en boule tente de les séparer et s'énerve à son tour. En trois minutes, cinquante personnes s'en mêlent en vociférant. Séraphin me fait signe en levant le bras. Nous nous éclipsons avant que je sois obligé de me lancer dans de longues explications pour justifier ma présence dans le train. Je tiens à passer deux ou trois jours à sillonner la région d'Aouache à partir de chez Kiki, la patronne du fameux buffet de la gare.

CHAPITRE VII

Les histoires d'amour façonnent parfois les destins. C'est le cas de Kiki, un petit bout de femme (elle doit mesurer tout au plus 1,55 m), gérante du buffet de la gare d'Aouache. A près de 70 ans, elle garde sa chevelure rousse encadrant son visage, éclairé par deux yeux aussi bleus que la mer Égée.

La vie de Kiki se confond avec celle du chemin de fer. Son arrière-grand-père, son père, travaillaient déjà dans la compagnie. L'aïeul avait quitté l'île de Samos pour venir tenter l'aventure en Abyssinie, comme beaucoup de Grecs à l'époque. Sa mère, née à Djibouti, également fille de cheminot, avait épousé le chef de district Dimitri Kyrjias en 1928 à Diré Daoua. Quand le jeune négus Haïlé Sélassié fuit les Italiens en 1936, Dimitri est à bord du train qui l'emmène jusqu'à la côte française des Somalis. Une fois la paix revenue, l'agent Dimitri Kyrjias reprend son travail. Il tient le buffet de la gare d'Aïcha, une halte plantée à 38 km de la frontière. Kiki est la fille du gérant. En plein désert, son existence est rythmée par le sifflet des locomotives à vapeur qui s'approvisionnent au château d'eau. Kiki connaît tous les chauffeurs de la ligne. Certains sont grecs et, avec eux, la fille de Dimitri est plus à l'aise. Dans la cabine, elle est fascinée par le foyer. Elle regarde les cadrans de pression de niveau d'eau, les manomètres des réservoirs d'air, le compteur, les régulateurs de mise en route. Elle touche le volant de changement de marche et les tuyaux qui courent partout, impressionnants et mystérieux.

Dans l'immensité caillouteuse habitée par les guerriers somalis, Kiki la rousse est comme Manon des sources, belle et sauvage. Elle observe les caravanes qui arrivent au puits d'Aïcha. Elle s'approche des dromadaires qui baraquent lentement sur les ordres de leurs maîtres. Elle assiste au déchargement du bois sec, des sacs de sel et des armatures nécessaires à l'installation du campement.

Kiki fête bientôt ses 18 ans sous le soleil d'Afrique. Elle est belle, vive et affiche du caractère comme souvent les jeunes filles de son âge. Les Kyrjias ne sont pas les seuls Européens à vivre dans le village. Yannis Assimacopoulos, un jeune Grec bâti comme un pilier de rugby y habite aussi. Il occupe le poste de téléphoniste de la gare d'Aïcha. Entre les deux, sur fond de désert et de locomotives à vapeur, naît une histoire d'amour.

Mais Yannis a sept ans de plus que Kiki et Dimitri trouve que sa fille est bien trop jeune pour se marier. Il est même carrément contre cette union. Lorsqu'on s'appelle Dimitri Kyrjias, qu'on est grec, né en Afrique, et qu'on vit depuis des décennies au milieu des sauvages, on ne s'embarrasse pas de civilités pour montrer son désaccord et l'on ne badine avec l'honneur de la famille. Pour Yannis, le géant de 25 ans, ce refus est un drame.

A Aïcha, Kiki pleure dans son coin et son prétendant évite Dimitri. Chacun reste sur ses positions jusqu'au jour où Yannis enlève la belle demoiselle et l'emmène à Diré Daoua. En 1945, cela se faisait encore, tout au moins si j'en crois l'histoire de Kiki, chez les Grecs d'Éthiopie.

Quand il s'aperçoit de la disparition de sa fille, Dimitri devient comme fou. Il veut tuer Yannis. Un tel affront ne peut se laver que dans le sang. Il va être la risée de toute la ligne. De Djibouti à Addis-Abeba, on ne va plus parler que de cet enlèvement rocambolesque. Le père bafoué imagine déjà les joueurs de boules du club de Diré Daoua se gausser de lui en buvant des anisettes.

Heureusement, les histoires d'amour ne finissent pas toutes mal. Ce sont les vieux des deux familles qui, pendant un mois, négocient une issue honorable à cette affaire. Les premiers jours, Dimitri n'en démord pas. Il veut récupérer sa fille et Yannis, bien entendu, s'y oppose. Les oncles effectuent la navette entre les deux gares. Ils raisonnent le père.

— Après tout, Kiki n'est plus une gamine, elle est bientôt majeure. Accepte ce mariage avec un cheminot grec de surcroît, tu pourras ainsi continuer à voir ta fille. Si elle épousait un étranger ou même un Grec de passage, elle quitterait l'Éthiopie pour l'Europe..., répètent les anciens.

Devant ces arguments Dimitri fléchit puis finit par céder. Le mariage sera finalement célébré par le pope dans l'église grecque de Diré Daoua.

Yannis est un bon gendre et Dimitri ne regrettera pas cette union. Il retournera en Grèce en 1975, parce qu'il ne reconnaissait plus son pays d'adoption, taché de sang par la révolution. En 1983, il mourut chez lui, dans l'île de Samos, retraité du chemin de fer franco-éthiopien.

Quant à Kiki, elle connut des bonheurs avec la naissance d'un fils et d'une fille pendant les deux années qui suivirent son mariage, et un malheur, l'accident de son mari. Dans toute son histoire, le chemin de fer ne connut, fait rare en Afrique, qu'une grande grève, celle de 1948. Depuis, ce mot semble banni du vocabulaire. Sous le négus, il n'était franchement pas apprécié. Avec Mengistu, il aurait pu devenir d'actualité. Le tout-puissant Parti des travailleurs parlait beaucoup de la condition ouvrière mais mettait facilement en prison ceux qui émettaient la moindre protestation. Puisque les travailleurs étaient au pouvoir, les protestataires ne pouvaient être que des contre-révolutionnaires. Nul besoin, donc, de grève dans un régime socialiste, ce moyen d'action étant réservé aux pays capitalistes.

Mais, en 1948, les cheminots éthiopiens s'étaient mis en grève dans une société aux capitaux largement français et personne n'avait été fusillé.

Yannis avait été envoyé, sécurité oblige, réparer le fil du téléphone coupé par les grévistes. Au pied du poteau, il était attendu par plusieurs énergumènes. Après la bagarre, le Grec resta sur le carreau et dut être hospitalisé trois mois à Djibouti. Puis il fut envoyé quatre mois chez le professeur Moratti à Harar, ville d'estivage de l'armée française et des cheminots. Ce colosse de 1,98 m et de 110 kilos n'en pesait plus que 60. Kiki pensait que c'était la fin, que le mauvais sort allait emporter son mari.

Il n'en fut rien. Un an après, Yannis était sur pied mais ne pouvait plus travailler au chemin de fer. Mis à la retraite anticipée, la compagnie lui donna, en contrepartie, la gérance du buffet de la gare d'Aouache. Depuis 1949, Kiki ne l'a jamais quitté.

Je la retrouve en cuisine, devant deux foyers alimentés par des bûches. Une immense marmite, remplie d'eau en ébullition réservée aux spaghettis, dégage des volutes de vapeur. A côté, un aide africain réchauffe une sauce bolognaise dans une vieille casserole. Un autre plonge dans une poêle huileuse un steak qui ne m'apparaît pas très tendre.

Séraphin ne me démentira pas. Mes spaghettis, en revanche, à peine un peu trop gras sont *al dente* et finalement délicieux. C'est tout ce que propose le menu du buffet de la gare dont la cuisine a périclité en même temps que les murs, la peinture et le mobilier.

Une haie d'arbustes doublée d'un muret de pierre sépare

les voies de la véranda qui longe un côté du buffet. Une dizaine de chaises et de tables en plastique blanc attendent les clients sur la terrasse abritée par une toiture en bois. Les murs sont blanchis à la chaux, une bande de peinture verte faisant office de plinthe. Le décor se limite à des posters montrant des femmes oromos aux petits seins pointus. Deux d'entre eux représentent une jeune Afar au sourire éclatant et une Éthiopienne à l'allure fine. Au milieu de la terrasse, le tronc d'un vieux ficus est également passé à la chaux et des bidons de récupération peints en vert transformés en pots de fleurs entourent le pied de l'arbre. Le sol est recouvert de carreaux en ciment gris. Au-dessus de la porte, une pendule électrique Brillet est arrêtée à 5 h 30. Pour les trains qui arrivent régulièrement avec plusieurs heures et parfois une bonne journée de retard, l'heure, il est vrai, n'est pas vraiment indispensable. Dans le bar, quelques fauteuils défoncés sont censés faire patienter les voyageurs. Le comptoir en zinc et en Formica qui date des années 50 a beaucoup vieilli. Des étagères à moitié vides présentent quelques bouteilles de bière, de soda et de vin éthiopien liquoreux. C'est tout ce qui reste du royaume de Kiki, quarante-cinq ans après qu'elle eut pris avec son mari la gérance du buffet de la gare d'Aouache.

L'établissement a pourtant connu son heure de gloire. Il fut un temps où les ambassadeurs en poste à Addis n'hésitaient pas à effectuer le trajet en voiture pour venir chez Kiki déguster un civet de phacochère ou une cuisse d'antilope tués par son époux. Les passagers n'étaient pas en reste. L'arrêt prévu au buffet d'Aouache était renommé. Certains, ceux qui avaient un bon coup de fourchette, en avaient l'eau à la bouche rien que d'y penser. Un bon steak de buffle accompagné de pommes de terre rissolées et de haricots verts du jardin, arrosé d'une bouteille de vin français en attendant les crêpes au sucre, les choux à la crème, le café assuraient une bonne sieste dans la voiture-salon jusqu'à la capitale.

— Le téléphoniste recevait par télégramme depuis Addis le nombre de voyageurs qui souhaitaient déjeuner à Aouache. Le détail du menu leur était communiqué. Ils choisissaient leurs plats. On tenait même compte de ceux qui suivaient un régime sans sel. Ils payaient leur repas dans le train et recevaient en échange un ticket. Le télégraphiste traversait ensuite les voies pour me dire le choix et le nombre de clients. Quand ils arrivaient, tout était prêt, raconte Kiki avec un trémolo dans la voix.

— C'était le bon temps. On faisait trois cents repas par jour. La cuisine tournait en permanence avec quarante personnes. J'avais un jardinier qui cultivait les légumes et un boulanger qui faisait le pain. La compagnie nous octroyait un quota de trois mille kilos de fret par mois pour la bière, le coca, le vin et la farine qui venaient d'Addis, ou de Djibouti.

Pendant l'arrêt-déjeuner d'Aouache, les voitures sont, à l'époque, nettoyées de fond en comble. Le sol est balayé, les vitres lavées et essuyées, les toilettes récurées par des femmes armées de seaux et de balais-brosses. En première et seconde classe, ce qu'on appellerait aujourd'hui une hôtesse, habillée d'une jupe bleue et d'un chemisier blanc, apportait pendant le trajet des boissons fraîches aux passagers qui le désiraient. Les voyageurs de troisième classe devaient se contenter d'un garçon vêtu d'une veste bleu de chauffe.

— C'était le bon temps ! répète Kiki. Les trains partaient et arrivaient à l'heure. Chacun avait sa place et lorsque les voitures étaient pleines, personne ne montait. Les clandestins n'existaient pas. De toute manière, la police n'aurait pas laissé faire. Six buffets alimentaient les passagers sur toute la ligne. A Addis, Modjo, Aouache, Afden, Diré Daoua et Aïcha, les voyageurs savaient qu'ils pouvaient compter sur un repas convenable. Celui d'Aouache était le plus réputé. C'est vrai, je n'exagère pas, dit-elle très sérieuse. Lorsque nous avons pris le buffet en gérance, il n'y avait pas d'électricité ni d'eau courante. On s'éclairait avec une lampe Pétromax. A 6 heures du soir, on était au lit pour se réveiller aux premiers rayons du soleil. Des gardes en armes protégeaient le bâtiment car il arrivait parfois que les Afars viennent attaquer les Oromos. La nuit, on entendait les coups de feu. Dans ces cas-là, il valait mieux ne pas sortir. Les Afars ne sont pas des gens faciles. La limite de leurs pâturages se trouve à Aouache. Ils avaient la gâchette facile.

A cheval sur Djibouti, l'Érythrée et l'Éthiopie, le territoire afar s'étend à l'est du chemin de fer, de la côte de la mer Rouge jusqu'au canyon de la rivière Aouache. Au siècle dernier, les premiers voyageurs occidentaux qui pénétrèrent à l'intérieur des terres ne revinrent pas tous vivants de cette aventure. En avril 1886, l'expédition Barral fut entièrement anéantie par les Danakil, l'autre nom des Afars. De la femme du commerçant français, on ne retrouva qu'une dent en or au milieu de cadavres dévorés par les fauves. Le métal précieux n'intéressait pas les Danakil. Ils préféraient s'approprier les testicules de leurs victimes qui, à leurs yeux, ont beaucoup plus de valeur. A cette époque, les étrangers qui traversaient leur territoire se munissaient toujours d'une dose de cyanure, préférant mourir plutôt que subir la castration de leur vivant. Pour être un homme et choisir une femme pour se marier, il faut, pour le Dankali, avoir assassiné au moins un ennemi sur le champ de bataille. Même si le meurtre s'effectue pendant le sommeil de la victime, l'honneur du brave n'est pas entaché. Les Danakil sont raffinés. Ils montent en breloques les « bijoux de famille » des malheureux qui ont succombé sous leurs coups de poignard. En ce temps-là, les guerriers danakil avaient une autre spécialité : le trafic d'esclaves. Ils capturaient les chrétiens éthiopiens et les emmenaient jusqu'à la côte. Ceux-ci étaient ensuite engraissés quelque temps afin de reprendre le poids qu'ils avaient perdu pendant le trajet. Ils étaient enfin vendus aux négriers qui les transféraient en Arabie Saoudite et en Turquie. Le tarif pour les filles était plus élevé pour les services qu'elles pouvaient rendre sous les tentes des Bédouins et dans les palais de Constantinople. Pendant l'occupation italienne, il était interdit de vendre un cheval à un Dankali pour éviter les rezzous. Peuples nomades dénudés, les Afar vivent cependant suivant un code coutumier ancestral qui régit la vie et le patrimoine. L'eau, les pâturages, le droit aux chemins de passage, sont transmis oralement de génération en génération. Chaque arpent de sable, chaque caillou a un propriétaire même si le désert semble, pour le néophyte, n'appartenir à personne. Les Danakil, eux, savent. Malheur à celui qui tente de s'approprier le bien d'autrui. Avec les pasteurs oromos, les frictions sont fréquentes autour d'Aouache. Les deux ethnies revendiquent des terres limitrophes et, pour quelques brins d'herbe, le sang coule depuis des siècles.

Kiki ne s'immisce jamais dans ces vendettas. Elle achète des chèvres sur le marché. Son mari, lui, agrémente les menus en chassant avec sa vieille Land Rover. Dimitri l'accompagne parfois. A 12 ans, le gamin est déjà un as de la 22 long rifle, du calibre 12 et de la Winchester. Dimitri porte le nom de son grand-père. Il garde les mêmes cheveux roux, et les taches de rousseur de sa mère. En cette fin d'après-midi, je le retrouve un verre de bière à la main, assis sous la véranda.

Le Grec est devenu guide de chasse professionnel. Mais ses meilleurs souvenirs, c'est avec son père qu'il les a accumulés. Dimitri a appris à vivre en brousse, au milieu des fauves, des hippopotames, des buffles et des antilopes. C'est son père qui lui a appris à relever des traces, à anticiper le comportement des bêtes sauvages, à reconnaître un mâle d'une femelle. Et quand l'empereur venait chasser, c'est Yannis qui lui servait de guide.

— Mon père m'emmenait dans son vieux 4 x 4. Avec nous, il n'y avait pas de garde du corps, l'empereur était seul, raconte Dimitri. Il était très doux. Lorsque, sur la route, on tombait sur un mariage, il distribuait des pièces d'or. Il aimait les animaux et ne tirait que les trophées. S'il ne trouvait pas un bel oryx, ou un grand koudou, il préférait rentrer bredouille. Il aimait si fort les bêtes qu'il a voulu créer un parc sur les rives de l'Aouache. Mon père y avait amené des autruches et Sa Majesté en était ravie.

A chaque voyage du négus, Aouache devient la capitale de l'empire. La famille Assimacopoulos l'attend sur le quai, aussi raide que les dignitaires locaux. A peine le roi des rois a-t-il descendu la dernière marche de la voiture impériale que Spiridula, la sœur de Dimitri, s'avance, intimidée, sur le tapis rouge pour lui remettre un bouquet de fleurs. Drapé dans sa capeline noire, l'empereur se penche avec un sourire aux lèvres pour embrasser la petite fille habillée d'une robe blanche à dentelles. Sa Majesté vint parfois accompagnée d'hôtes illustres. Avec Tito, le safari avait duré quatre jours. Le Yougoslave, on le sait, était un bon fusil. Chez lui, il aimait poser à côté de la dépouille d'un ours qu'il avait abattu. D'ici, il avait pu rapporter les clichés d'un lion d'Éthiopie, les plus beaux, les plus féroces, dit-on, de toute l'Afrique.

Dans ces moments-là, Kiki était aux cent coups. Lorsque l'empereur était annoncé, il fallait repeindre les murs, enlever la mauvaise herbe du jardin et laver toutes les pièces à grande eau. On ne chassait pas, bien entendu, les pintades et l'oryx, quasiment apprivoisés, qui avaient pris l'habitude de venir se nourrir devant le buffet. Des gardes surveillaient la porcherie jour et nuit. Des léopards avaient déjà attaqué les cochons à plusieurs reprises. Il ne fallait pas que, pendant la visite d'Haïlé Sélassié, ces satanés félins recommencent. Ce n'était pas tant pour les porcs, bien que leur disparition eût grevé lourdement les revenus de la famille, mais surtout pour éviter un raffut nocturne qui aurait importuné le repos de Sa Majesté. Le grognement de ces pauvres animaux se transformait en cris d'hystérie à chaque fois qu'ils sentaient la présence des léopards autour de leur enclos. Kiki ne tenait pas à perdre la face. Que les cochons sales et puants réveillent l'empereur était impensable.

— L'empereur appréciait la cuisine grecque. Je lui préparais des dolma, des kefta, de l'agneau rôti. Personne ne me surveillait en cuisine et l'aide de camp ne goûtait pas les plats. Chez nous, Sa Majesté était en confiance, affirme Kiki.

» Au moment où Mengistu a pris le pouvoir, les militaires d'Aouache ont voulu détruire ma maison. Les révolutionnaires ont renvoyé les Grecs, les Italiens, les Français. "On est capable de faire aussi bien qu'eux", clamaient-ils. Notre cas était plus délicat. L'empereur nous avait donné la nationalité éthiopienne. J'avais donc les mêmes droits que les Éthiopiens, mais ils voulaient que je parte, raconte Kiki, qui s'agite sur sa chaise en vivant à nouveau les épreuves du passé.

» J'étais dans mon droit. J'étais chez moi et je ne voulais pas quitter ma maison et le buffet. Ils m'ont mis derrière les barreaux. A Aouache tout le monde a été choqué. Kiki en prison ! Pensez donc, c'était pas possible. Les pauvres, les vieux, les prêtres, tous ceux que j'avais aidés sont allés plaider ma cause chez les militaires. Au bout de trois jours, ils m'ont libérée. Lorsque Mengistu descendait à Aouache, il habitait le camp voisin. C'est moi qui préparais son repas et celui de son entourage. Une camionnette venait chercher les plats. J'ai demandé à l'un de ses officiers de lui transmettre une lettre expliquant mes malheurs. La réponse n'a pas traîné. C'était réglé dans la journée. A partir du moment où je payais mon loyer, on devait me laisser tranquille.

Dimitri pouvait continuer à chasser. Au début de la révolution les affaires ne vont pas très fort. Le temps où les légionnaires français de Djibouti venaient s'offrir un safari était révolu. Puis, peu à peu, les clients sont revenus : les mordus, qui n'hésitent pas à payer le prix fort pour trouver le trophée qui manque à leur collection. Pour ces chasseurs-là, vivre à la dure n'a rien de rebutant. Seule la passion les anime et l'Éthiopie, longtemps fermée aux étrangers, reste un territoire de chasse magnifique. Des guides natifs de l'endroit, qui parlent amhara, arabe et qui connaissent aussi bien le pays, il n'y en a pas beaucoup hormis Dimitri. A chaque safari, le Grec embauche un jeune paysan du coin. C'est bien vu par les villageois et la présence d'un autochtone évite de commettre un impair qui peut coûter cher.

En 1985, pourtant, Dimitri manque de passer de vie à trépas. A 70 kilomètres d'Aouache, sur la route d'Assab, il cherche un endroit propice pour faire tirer un phacochère à un client américain. Soudain, des coups de feu éclatent derrière les arbustes. Une balle a traversé la tôle avant de fracasser les deux pieds de Dimitri. Le guide riposte mais les chiftas, les bandits, s'étaient déjà évaporés dans la nature. Heureusement, le client, fortement impressionné, s'en est tiré indemne. Le jeune Afar qui les accompagne n'avait pas prévu ce coup du sort. Rapatrié dans un hôpital d'Athènes, le Grec reste sans marcher pendant un an. Depuis, il a repris sa vie de broussard. Sa réputation est telle que, parfois, le gouvernement l'appelle pour débarrasser une région d'un lion mangeur d'hommes.

— Lorsqu'un fauve a goûté à la chair humaine, il ne peut plus s'en passer. Il la trouve salée, c'est la viande qu'il va préférer à celle des autres animaux. Alors il continue d'attaquer les gens, explique-t-il d'une voix grave.

» Le léopard est dangereux parce que plus petit, il saute plus facilement à la gorge. Il est rare cependant qu'il franchisse les épineux disposés en cercle, la nuit, autour des troupeaux de chèvres ou devant l'entrée d'une case. Le lion mangeur d'hommes, lui, s'en moque. Il peut entrer dans une hutte et emporter de préférence une femme ou un enfant, une prise moins grosse et moins lourde. Deux coups de patte et c'est fini. Il prend sa victime dans la gueule et disparaît dans la nuit en la traînant par terre. Il y a quelques mois, j ai été appelé par les autorités de Gamogofa, pour abattre un lion qui avait dévoré trente-sept personnes. Avec la population qui augmente sans cesse, les lions n'ont plus assez de place pour chasser. Devant les pâturages et les cultures, qui s'étendent de plus en plus, le territoire des fauves s'amenuise. Ils se rabattent sur le bétail. Les paysans tentent de les chasser, mais, le plus souvent, ils ne parviennent qu'à les blesser. Alors les lions attaquent les hommes. Rien n'est plus dangereux qu'un lion blessé. Il devient plus agressif encore et parce qu'il est diminué, tend une embuscade à l'homme, une proie facile. Le lion a de la mémoire. Il voudra se venger de celui qui est la cause de son mal. Une fois arrivé dans le Gamogofa, j'ai pisté le mangeur d'hommes. J'ai trouvé la famille et je les ai tous tués. Ils étaient six, explique simplement le Grec.

Dimitri ressemble à tous les broussards, rugueux, taciturne, secret parfois. Il cause peu mais utilise les mots qu'il faut, sans détour. Chez lui, pas de grands gestes ni de ton grandiloquent. Il parle d'une voix monocorde, comme s'il racontait le temps qu'il a fait hier. La vie de brousse s'est pourtant transformée en quarante ans. Elle est devenue aujourd'hui plus dangereuse. Non pas que les animaux aient changé leur comportement, ce sont les hommes qui ont modifié le leur.

— Du temps de l'empereur, les Africains étaient armés, continue Dimitri. Ils possédaient de vieux fusils Gras ou Mauser et seulement trois ou quatre cartouches pour se défendre. Avec le temps et l'humidité, elles devenaient trop vieilles et personne ne savait si, en appuyant sur la détente, une détonation se produirait. Depuis l'effondrement du régime de Mengistu, des dizaines de milliers de soldats ont été radiés de l'armée. Ils ont vendu leurs armes pour manger. Dans la panique générale qui a suivi le départ des marxistes, les civils sont entrés dans les bases et les camps militaires. Ils ont pillé les dépôts de munitions. Depuis, le moindre berger possède une kalachnikov, un chargeur de trente balles et trois cents en réserve dans son balluchon. Ce n'est pas pour chasser. Les Oromos et les Afars ne mangent pas de gibier. Mais ils se vantent d'être de grands chasseurs. En revanche, ils se volent du bétail et les différends ne se règlent plus à l'aide de vieilles pétoires, mais avec des armes de guerre. Lorsqu'ils tirent sur le train à coups de bazooka, je me demande si ce n'est pas tout simplement pour se faire plaisir, affirme-t-il en levant les yeux au ciel.

Dimitri a terminé sa bière. Il doit partir à Addis, pour aller chercher un client américain demain matin à l'aéroport. Il embrasse sa mère et monte dans son 4 x 4. La route est gourdonnée jusqu'à la capitale, il y arrivera tard dans la nuit.

— Faites attention à vous, me dit-il en démarrant ; après Aouache, le coin n'est pas sûr.

Kiki le regarde partir, rêveuse, pendant quelques instants. Puis elle tourne les talons, entre dans le bar pour engueuler les serveurs qui n'ont pas débarrassé les bouteilles des voyageurs repartis précipitamment. L'arrêt d'Aouache a duré à peine vingt minutes. Les conducteurs ne voulaient pas se laisser surprendre par l'obscurité sur le trajet dangereux.

— Comment voulez-vous que le buffet travaille dans ces conditions ? grommelle Kiki. Les attaques ont toujours lieu la nuit. Si le train arrive trop tard d'Addis, alors il attend l'aube pour poursuivre son chemin. Mais souvent, il ne marque qu'un court arrêt. D'une façon ou d'une autre, cette situation n'arrange pas mes affaires. La nuit, la maison est fermée et, le jour, les clients n'ont pas le temps de venir manger. En plus, ils veulent que j'abandonne le buffet, que je leur laisse pour rien ! C'est hors de question.

Si Kiki est en pétard, c'est que la nouvelle administration désire qu'elle passe la main. Un contentieux qui dure en fait depuis douze ans. Jusqu'ici la gérante a tenu bon, mais aujourd'hui la pression devient trop forte.

— Vous comprenez, monsieur, ce buffet c'est moi qui ai empêché qu'il ne tombe en ruine. Pensez donc, la bâtisse date de 1904 et, sous ce climat, tout disparaît si on n'entretient pas. J'ai dû changer les poutres de la cuisine à cause des termites. J'ai construit la véranda avec des rails en guise de chevrons. Je peux le prouver, j'ai les factures, dit-elle en me prenant comme témoin.

» Qui va me payer les lavabos, les WC, la peinture, les plafonds, l'installation de l'eau courante et de l'électricité ? Je veux bien partir au bout de quarante-cinq ans de bons et loyaux services, mais il faut qu'on me rembourse ce que j'ai dépensé pour cette maison. Vous qui travaillez sur le chemin de fer, parlez-en au directeur, et à l'ambassade de France !

Voilà que je passe du statut de voyageur à celui d'émissaire.

— Mais, madame, que peut faire l'ambassadeur de France dans cette affaire ? Je serais bien étonné qu'il provoque une crise diplomatique à cause du buffet de la gare d'Aouache.

— Je sais bien, je ne suis pas française. Mais le chemin de fer, lui, a été français. Mon grand-père, côté maternel, reçoit toujours une pension du chemin de fer franco-éthiopien. Dans mon contrat, c'est spécifié, les litiges doivent se régler devant un tribunal français.

— Mais votre contrat date, vous me l'avez dit, de 1949. Depuis, Djibouti est devenu indépendant. L'Éthiopie a connu une révolution et, pour compliquer l'affaire, vous avez un passeport éthiopien, ai-je le malheur d'ajouter, espérant couper court à la discussion.

— Je ne me laisserai pas f... dehors comme une malpropre. J'irai voir le président à Addis s'il le faut. Je lui expliquerai. On me reproche de ne pas payer assez de loyer, mais le prix des repas est dérisoire, les gens n'ont pas d'argent. On me dit que le buffet tombe en ruine. Mais pourquoi j'irais investir dedans alors que je peux être mise à la porte à tout moment ? On a menacé mes boys pour qu'ils n'arrosent plus mes tomates. Avec le vent chaud, les légumes sont devenus secs. Mais ils ne m'auront pas à l'usure. Si je m'en vais, le buffet fermera. C'est sûr. C'est pas un Amhara qui pourra le tenir au milieu des Afars, lance Kiki dans un cri de désespoir, sans se rendre compte que « son » buffet est à bout de souffle, comme le train, la voie, et les cheminots.

Kiki reste le témoignage vivant d'une époque révolue. Son combat est poignant mais semble perdu d'avance.

— Ce soir, vous dormirez dans la chambre de l'empereur, me dit-elle.

Au bout de la véranda, trois marches conduisent au perron d'une petite maison divisée en deux. La porte de gauche ouvre sur une chambre pourvue de deux grands lits. Deux lampes aux abat-jour en tissu dispensent une lumière jaunâtre sur les tables de nuit et un vieux club au cuir râpé. Une coiffeuse sans miroir est le seul meuble de cette pièce qui, je le suppose, devait tout de même ressembler à autre chose il y a trente ans. Je vois mal en effet Sa Majesté, qui n'avait pas la réputation d'être modeste, dormir dans une chambre aux murs décrépis et au mobilier usé et bancal. Une baignoire sur pied occupe le fond de la salle de bains. Autour de la bonde, la rouille a attaqué l'émail. Un simple filet d'eau sort du pommeau déglingué. De toute manière la tuyauterie n'a pas d'importance. L'eau courante ne fonctionne apparemment plus.

Quelqu'un frappe à la porte. Je découvre, en ouvrant, un boy dont le visage est fendu d'un large sourire et qui porte un seau d'eau dans chaque main. Je dois me verser le premier sur la tête, explique-t-il, si je veux prendre une douche, et vider le second dans les toilettes, si je souhaite qu'elles restent propres. Vu l'état des W.C, je demande un troisième récipient pour laver la cuvette souillée et fêlée en plusieurs endroits. Malgré la saleté des sanitaires et la colonie de cafards gros comme des pièces de 5 francs qui hante les lieux, je trouve la salle de bains accueillante.

Dehors, la nuit est tombée et la pluie crépite sur les toits en tôle. Épuisé, je m'endors.

CHAPITRE VIII

Ce matin, la pluie a cessé mais le ciel bas est toujours couvert de nuages gris. Kiki est déjà levée. Au ton de sa voix, je devine qu'elle houspille les Africains qui commencent la journée un peu trop lentement à son goût. Les garçons ont perdu l'habitude d'avoir des clients qui logent au buffet et le café se fait attendre. Ils balayent chacun dans leur coin. D'autres coupent de l'herbe dans le jardin. Le breuvage brûlant arrive enfin et Kiki avec. Elle m'a trouvé une voiture, une vieille Land Rover à long châssis qui doit avoir fait plusieurs tours de compteur. Le chauffeur astique pourtant la carrosserie avec un chiffon comme si le véhicule était sorti hier de l'usine. Tout ce qui roule et possède un moteur en Afrique est toujours bichonné avec amour et respect. Les automobiles sont chères, rares et précieuses. Celui qui en possède une en prend grand soin. Tout au moins en apparence. Si l'enveloppe reste toujours impeccable, la mécanique l'est moins. Les compétences manquent parfois.

Mais c'est surtout l'argent qui fait défaut. Mettre de l'huile, changer des pièces est très onéreux. Alors on bricole, avec du vieux on fait du neuf. Du fil de fer remplace une tringle et un morceau de chambre à air un joint. Mais ça roule, tant bien que mal. Sur ce continent, une voiture n'est jamais morte. Sous le capot, plus rien ou presque ne sera d'origine, mais, grâce au génie africain du bricolage, l'automobile roulera encore et toujours avec des pneus trois fois rechapés.

Ma Land Rover, elle, affiche une bonne mine. La carrosserie, repeinte en blanc, ne semble pas avoir été attaquée par la rouille, et les sièges ne sont pas défoncés. C'est plutôt bon signe. Guébaei, le chauffeur, est quasiment au garde-à-vous devant le capot. C'est un Amhara d'une cinquantaine d'années, grand et timide. Il me montre avec empressement les deux roues de secours et le cric enfermé à l'arrière. Une dizaine de jerrycans sont alignés sur la galerie. Les stations d'essence étant plutôt rares, si ce n'est carrément absentes dans la région, je préfère prendre mes précautions, le huit-cylindres qui équipe ce véhicule ayant la réputation de consommer beaucoup. Séraphin est ravi. Mis à part en train, il a parcouru son pays plutôt à pied qu'en voiture. Assis à l'arrière, il est comme un prince dans son inimitable costume à carreaux.

Guébaei conduit lentement. Il ne pousse pas les vitesses pour économiser la voiture. Si nous ne roulions pas en plaine, je suis sûr qu'il couperait le moteur à la moindre descente comme je l'ai vu faire dans plusieurs taxis d'Addis-Abeba. Guébaei n'est pas propriétaire de la voiture. Elle appartient à un riche commerçant du coin qui la loue quand l'occasion se présente. Mais le chauffeur est responsable de cet objet roulant tant convoité. Malheur à lui s'il arrive un accident. Il devra payer. Le boss ne s'inquiète pas de la santé des passagers, en l'occurrence Séraphin et moi, mais essentiellement de son tas de ferraille. Perdre l'unique voiture qu'il possède entraînerait un gros manque à gagner.

Aouache ne compte qu'une seule rue goudronnée : la route principale qui oblique ensuite vers le port d'Assab. Les autres artères sont en terre battue, aujourd'hui inondées par la pluie. La ville ne doit son existence qu'au chemin de fer. Au début du siècle, Aouache n'était qu'un village parmi tant d'autres, construit de huttes et de cabanes. La tôle a remplacé l'argile et certains quartiers ressemblent à un bidonville. Le seul bâtiment en ciment qui s'élève entre des échafaudages de bois est une mosquée probablement financée par l'Arabie Saoudite, qui n'a jamais digéré de voir un pays chrétien peuplé s'étendre à quelques encablures de ses côtes inhabitées.

Nous rebroussons chemin sur quelques kilomètres pour trouver l'entrée du parc. Une sorte d'arc de triomphe en béton marque le début de la réserve. Trois ou quatre Éthiopiens attendent à l'abri d'une guérite censée accueillir les touristes. Il n'en vient plus depuis longtemps et je me demande même s'il en est venu un jour. Dans tous les cas, l'administration est présente. Empire, république, révolution, marxisme ou pas, les régimes changent mais les fonctionnaires restent. Vêtu d'un pantalon vert, qui devait être autrefois un uniforme, un gardien découpe, moyennant finances, des tickets sur deux carnets à souches différents : l'un est pour la voiture, l'autre pour les passagers. Un jeune dépenaillé s'engouffre à l'arrière, à côté de Séraphin.

— Bonjour, comment ça va ? Good morning, how are you ? Je suis le guide, I am the guide ! enchaîne-t-il à toute vitesse pour montrer ses talents de polyglotte.

En fait, le « guide » baragouine à peine l'anglais. Les clients sont rares et pour mériter quelques billets, il se croit obligé d'énoncer des généralités au fur et à mesure que nous nous enfonçons dans le parc. N'étaient les termitières qui dépassent de l'eau, on pourrait se croire en Camargue tant la plaine est inondée à certains endroits. Le chauffeur roule avec précaution. Parfois, le niveau atteint la portière mais la voiture, haute sur roues, passe facilement. Nous évitons une énorme tortue à la carapace brune. Des compagnies de pintades grises décollent lourdement devant nous. Au loin, des troupeaux d'oryx beisas pointent vers le ciel, comme des sabres de corsaire, leurs fines cornes annelées. Prévenu par le meuglement des mâles que le bruit de la voiture nous empêche d'entendre, un groupe détale à notre approche en bondissant.

— Look, gazelle soemmerings ! lâche le guide.

Une forêt de cornes émerge des hautes herbes au détour de la piste. Certaines sont courbées vers l'arrière. D'autres, convergentes, s'écartent ensuite pour revenir l'une vers l'autre au point de presque se toucher. Leur corps roux cannelle sur le dos, blanc dessous, semble bien fragile. Avec leurs museaux foncés, elles ressemblent à des peluches au pelage court et lisse. Guébaei arrête le véhicule. Un mâle lèche une femelle, un autre se mordille sans prêter attention à nous. Soudain, sans savoir pourquoi, le groupe s'enfuit à toute vitesse.

Nous reprenons notre marche vers le musée que tient absolument à nous montrer le guide. La piste longe des bosquets et des taillis sauvages. Un dik-dik de Salt la traverse devant nous, si vite qu'il ne semble pas toucher le sol. D'un brusque écart, il évite le pare-chocs avant de disparaître dans les fourrés. A peine plus gros qu'un lièvre, le corps svelte, marron et gris du dik-dik, est prisé par les Africains. Sa chair est savoureuse et son cuir fin. Ils mangent les fleurs des arbres et les gousses d'acacia tombées par terre. Mais les Ethiopiens les piègent près des plaques de sel, l'aliment dont ils ne peuvent pas se passer. A tel point qu'un dik-dik en captivité meurt en une semaine sans sel. Sur les marchés, des chasseurs les vendent vivants. Ils cassent leurs pattes postérieures pour qu'ils ne s'enfuient pas. L'animal souffre en poussant des zick zick d'effroi, d'où son nom, mais le client est assuré d'avoir de la viande fraîche dans des régions où le réfrigérateur est encore inconnu. Comment d'ailleurs pourrait-il fonctionner alors que l'électricité est absente ? Par manque de temps, nous ne verrons pas les koudous, nombreux paraît-il, les autruches, les phacochères, les panthères et les servals, ces chats-tigres hauts sur pattes, pas très courageux mais qui jouent avec leur victime, oiseaux ou souris, avant de la dévorer.

Entre la rivière Aouache qui coule sur la frontière sud et la Kesem qui court au nord, les 830 km² du parc abritent, à 1 000 mètres d'altitude, soixante-deux espèces de mammifères et quatre cents spécimens d'oiseaux. Tel était le souhait du négus, qui a voulu créer cette réserve au pied du mont Fantale, dont le cratère en ellipse à trois kilomètres et demi de diamètre et profond de 300 mètres, disparaît à 2 000 mètres d'altitude dans les nuages.

Notre arrivée devant le musée provoque la surprise chez les Africains qui traînent autour des bâtiments. Ça n'est visiblement pas tous les jours que des étrangers se déplacent jusqu'ici. Un nain me fait signe d'attendre, puis effectue un aller-retour en courant tant bien que mal sur ses courtes jambes. Il revient porteur d'un trousseau de clés censées ouvrir la porte de bois de la grande hutte traditionnelle qui abrite les richesses du parc. Pour pousser le loquet du haut, le malheureux est obligé de sauter plusieurs fois en l'air. Ses compagnons ne bougent pas le petit doigt pour l'aider, préférant regarder le spectacle d'un air abattu. Je reste à ma place pour ne pas froisser le conservateur nain. Il réussit finalement à ouvrir les deux battants.

La lumière diffuse de cette journée pluvieuse éclaire à peine le capharnaüm qui règne à l'intérieur. Une énorme tête d'hippopotame, passée entre les mains du taxidermiste local, a la peau transformée en carton au fil des ans. Ses yeux glauques regardent un chacal empaillé qui perd ses poils au pied d'une carapace de tortue géante. Les babouins, eux, sont mieux réussis. Dans la pénombre, ils semblent prêts à grimper le long du poteau central de soutènement de la case, ornementé de la colonne vertébrale d'un gigantesque python. Autour, des œufs d'autruche jonchent le sol en ciment. Entre plusieurs bucranes d'antilopes et de buffles, des peaux mitées de lions et de léopards sont pendues au mur. Des bocaux, alignés sur des étagères, contiennent des fœtus de crocodiles, et des serpents, gros et petits, venimeux ou pas, lovés dans du formol. Quelques oiseaux déplumés complètent le tableau de ce musée poussiéreux dont le conservateur semble très fier. Il a d'ailleurs choisi de s'occuper de Séraphin et du chauffeur qui déambulent au hasard des découvertes en hochant la tête d'étonnement devant les explications savantes de l'homme de science. Entassés dans des caisses, devant des photographies en couleur jaunies par le temps, des roches volcaniques « vieilles comme le monde » collectées au nord de la vallée du Rift sont exposées ainsi au regard des curieux.

C'est donc ici que le directeur général du chemin de fer compte emmener des touristes en faisant construire une bretelle à partir de la voie principale qui traverse en partie la réserve !

Dehors, le temps s'est levé. Les rayons de soleil percent les nuages fins et espacés. Après dix minutes de route, le guide fait arrêter la voiture au bout d'un chemin en cul-de-sac. A cet endroit la rivière Kesem tombe en cataractes magnifiques. Le grondement et la vapeur que dégage l'eau bouillonnante forment un véritable spectacle. Après la pénombre et la curieuse odeur du musée, je respire enfin au beau milieu d'une Afrique éternellement sauvage.

Le guide, qui espère grappiller quelques billets supplémentaires, estime que je devrais dormir dans les caravanes-bungalows installées à l'autre bout du parc pour accueillir les visiteurs qui désirent rester la nuit. J'ai beau lui dire que cette perspective ne m'enchante guère, il insiste et je finis par accepter d'aller au moins voir. Je ne me fais aucune illusion. Longtemps inhabités et probablement mal entretenus faute de moyens, ces bungalows doivent être en piteux état. En acceptant d'aller au campement réservé aux touristes, je fais réellement plaisir à ce jeune escroc. Séraphin reste dubitatif. Son silence en dit plus long qu'un grand discours. Après tout, le détour d'une vingtaine de kilomètres nous permettra de découvrir un peu plus le parc. A peine le bruit sourd des chutes s'est-il estompé derrière nous que Guébaei stoppe brutalement la voiture à la sortie d'un virage. A une centaine de mètres devant, deux belles lionnes, assises comme de gros chats, barrent la piste. Elles tournent une fois la tête dans notre direction, puis, toujours dans la même position, continuent de regarder fixement quelque chose. De mon siège, je ne peux voir l'objet de leur convoitise mais, sans aucun doute, les fauves sont en pleine partie de chasse.

Nous les dérangeons au moment où elles allaient certainement s'élancer à 65 km/h sur une gazelle ou un koudou. Contrairement à la légende, le lion chasse rarement. Affalé à l'ombre d'un arbre, il dort et se repose les trois quarts de la journée à côté de son harem. Les femelles, à part avec les petits, s'occupent de l'intendance. Le roi de la savane, lui, est là pour défendre, contre un autre mâle dominant, son territoire qu'il aura marqué par des projections d'urine. Selon l'importance du clan et la densité du gibier, cet espace varie. Il peut atteindre, lorsque les proies sont rares, 100, 200, voire 400 km^2.

Le mâle ne consent à se lever que pour aider ses femelles à chasser. Après un long détour, le lion se place alors à vent portant, face à un troupeau d'antilopes. Il suffit de quelques rugissements, audibles à 8 kilomètres, pour que les malheureux cavicornes paniqués, s'enfuient dans le sens contraire. Prêtes à bondir, les lionnes les attendent tapies dans les herbes. Même s'il ne s'est pas beaucoup fatigué à courir, c'est le lion qui, toujours, entame le repas. Les femelles viennent ensuite et les jeunes en dernier. Féroces, chassant à plusieurs, les lionnes sont les plus agressives, surtout si elles considèrent que les petits sont menacés.

J'ai demandé à Guébaei de couper le moteur. Mais le mal est fait. Pour les deux lionnes, la chasse est finie. Le bruit de la voiture aura effarouché le gibier tant convoité. Les fauves restent immobiles quelques secondes puis, voyant leur proie leur échapper, se tournent vers nous en fixant la Land Rover de leurs yeux dorés. Elles n'ont pas peur. Elles sont plantées au milieu de la piste et rien ni personne ne semble pouvoir les faire bouger. Signe de courroux, elles dressent la tête, leurs queues fouettant l'air en cadence. Elles sont intriguées par « l'animal » qui leur fait face, mais ne cèdent pas un pouce de terrain. Au contraire. Dans la voiture, chacun a soigneusement remonté les vitres. Le chauffeur n'ose plus faire un geste. A l'arrière, le guide, d'habitude si prolixe, garde le silence et Séraphin ouvre des yeux qui trahissent non pas l'inquiétude mais la peur.

Les minutes s'écoulent et les fauves ne bougent toujours pas. Au nord de la République centrafricaine, à la frontière du Tchad et du Soudan, j'avais déjà eu le loisir d'observer pendant plusieurs semaines le comportement des lions en réalisant des films animaliers. Je sais par expérience que les fauves n'aiment pas l'odeur de l'huile et de l'essence. Un coup de klaxon, le fait de lancer le démarreur, provoquent des bruits insolites qui les perturbent et, en général, les font fuir. Si un lionceau ne vient pas jouer sous la voiture, la lionne ne s'approche pas. A condition toutefois de rester à distance. Mais pour ces deux-là, rien n'y fait. Guébaei, d'abord, hésite à klaxonner.

Les animaux sauvages terrorisent les Africains. Ils en ont trop souffert pour ne pas les craindre. D'où la difficulté pour eux de comprendre que la faune représente une richesse. Le combat de l'homme contre la bête hante leur inconscient. Les souvenirs de l'éléphant dévastant les cultures, du lion dévorant les enfants restent présents dans les esprits. Dans les pays pauvres, accablés par la sécheresse et la surpopulation, les animaux sont les concurrents des hommes. Et lorsque les Africains ont obtenu l'indépendance et le droit de posséder un fusil, le carnage a commencé. Ils ont pris leur revanche sur les bêtes sauvages.

Guébaei finit par appuyer sur le klaxon. La réaction des lionnes est inattendue : au lieu de déguerpir, elles avancent d'une dizaine de mètres en poussant un rugissement à vous glacer le sang. Le signal est clair : c'est une charge d'intimidation. (Un lion charge rarement du premier coup.) Il n'y en aura probablement pas d'autre. Les lions d'Éthiopie ne trahissent pas leur réputation. A l'abri dans la voiture, je suis plutôt rassuré. Il n'en est pas de même pour mes compagnons. Tous roulent des yeux aussi gros que des billes et j'entendrais presque claquer des dents. Si cela continue, ils vont finir par me ficher la trouille. Je demande à Guébaei de démarrer et d'avancer de quelques mètres.

Décidément, ces lionnes sont mal lunées. Elles tiennent absolument à nous faire payer le repas qu'elles ont raté. Au lieu de reculer, elles avancent d'abord au pas, puis, cou tendu et gueule ouverte, se mettent à trottiner vers nous en accélérant l'allure.

A bord, ce n'est pas la panique, mais presque. Guébaei s'affole, a du mal à trouver la marche arrière. Il fait craquer la boîte avec une drôle de grimace. Non pas qu'il craint de casser un pignon, mais je pense qu'il s'imagine tomber entre les pattes des fauves. Il arrive enfin à enclencher la vitesse. Nous reculons prestement sans marquer d'arrêt ni d'à-coup. Les fauves insistent encore puis s'arrêtent. Nous sommes sortis de leur périmètre de sécurité. Ils ont signifié leur supériorité, cela leur suffit. Guébaei conduit encore en marche arrière 300 ou 400 mètres. Puis trouvant un endroit où les herbes sont plus basses, il fait demi-tour pour reprendre la piste en sens inverse. A l'arrière, le silence est toujours de mise. Le guide ne parle plus d'aller jusqu'aux fameux bungalows. Il ne rechigne pas quand nous empruntons le chemin du retour. Dans mon coin, je souris en douce. Je suis sûr maintenant qu'il me laissera en paix jusqu'à l'entrée du parc.

— Monsieur Patrick, vous rigolez mais les lions c'est très dangereux, me dit Antoine.

— Nous sommes dans une voiture fermée. Que pouvait-il nous arriver ? dis-je, un tantinet provocateur pour en savoir plus.

— Mais monsieur Patrick, vous ne connaissez pas les lions. Ils sont terribles, terribles, je vous dis, répète Séraphin en roulant les *r* comme un Ardéchois. La voiture ne leur fait pas peur. Le lion peut sauter dessus et lacérer la carrosserie comme si c'était le cuir d'un buffle. Si ceux-là étaient montés sur le toit, ils seraient passés à travers.

Devant l'insistance de Séraphin, je lève les yeux vers le plafond pour constater qu'il n'est pas en tôle mais en résine synthétique.

— Un lion en colère, vous ne pouvez pas imaginer les dégâts que ça peut causer. Si l'une des femelles avait réussi à enfoncer une patte à l'intérieur, nous étions tous morts. Elles auraient même pu casser le pare-brise.

» En 1960, poursuit Séraphin, je me souviens de ce qui est arrivé au père Boilet de Gundo, dans le Moyale. Le fauve a bondi sur le toit de sa voiture. D'un coup de patte par la fenêtre, il a tué le jésuite. Au sud, dans le Balé, je conduisais en 1962 un camion chargé de militaires. Devant nous, deux officiers ouvraient la route dans une Mercedes. Ils roulaient, toutes vitres baissées. Soudain, un lion a sauté sur la portière. Il les a sortis tous les deux par la fenêtre comme s'ils étaient des mannequins de paille. Ça a duré à peine quelques secondes. J'ai pilé. Les soldats ont sauté du camion. Ils ont tiré. Le lion est mort mais les deux officiers aussi. Fallait voir dans quel état ils étaient. Les griffes du lion sont aussi tranchantes qu'un rasoir. Les lions n'ont peur de rien, pas plus des voitures que d'autre chose. Même si vous roulez, ils s'accrochent comme s'ils étaient sur le dos d'un animal. Au temps du négus, il y en a eu un qui avait bondi à l'arrière d'un camion bâché. Le chauffeur croyait qu'il allait redescendre. Pas du tout. Il est resté dedans jusqu'à Addis-Abeba ! Le conducteur ne savait pas comment s'en débarrasser ; il freinait, il accélérait mais l'animal tenait bon. En rentrant en ville, la population qui voyait dépasser la tête du fauve à l'arrière s'enfuyait en poussant des hurlements. Finalement, le camion fou est tombé sur un poste militaire et les soldats ont abattu à coups de fusil le passager clandestin.

De temps en temps, Séraphin entrecoupe son récit de phrases en amharique. Il traduit à ses compatriotes les histoires terribles qu'il me raconte. Les deux autres, attentifs, hochent la tête comme pour souligner que ce qu'il dit est vrai.

Je repense au projet du directeur du chemin de fer. Avec le caractère des lions éthiopiens, les touristes auront intérêt à fermer les vitres de leur wagon. Un homme apparaît, ou plutôt un gosse, qui n'a pas peur de se balader dans la réserve. Il a d'autant plus de mérite qu'il pousse devant lui ce dont les fauves raffolent le plus. Pieds nus et armé d'un bâton, ce jeune bouvier conduit ses vaches et ses bœufs paître l'herbe grasse du parc. J'imagine les centaines d'yeux de lycaons, guépards, lions, chacals qui observent cette boucherie ambulante.

— C'est interdit d'amener les troupeaux ici, explique le guide qui a retrouvé la parole, mais c'est dans la réserve que les pâturages sont les meilleurs.

Le gamin semble serein. J'apprends toutefois qu'il ne passe pas la nuit avec son troupeau dans le parc. C'est à la tombée de la nuit, ou au lever du jour, que chassent les prédateurs. Un simple clair de lune guide leurs pas, l'ouïe et l'odorat font le reste. En ce début d'après-midi, le petit gardien de vaches amène son troupeau vers la sortie. Il ne tient pas à être surpris par la nuit à l'intérieur du parc ; pourtant, ce jeune pâtre vêtu d'un simple chamma prend des risques. Il suffit qu'un lion attaque l'une de ses bêtes et ce sera le massacre. Le sang appelle le sang. De tous les coins de la savane, des groupes affamés convergeront vers le troupeau. Les beuglements des vaches affolées, ou ceux des zébus attaqués, seront autant de signes de ralliement pour les fauves toujours en quête de proies faciles.

En Centrafrique, les soldats de la garde présidentielle abattaient des bœufs dans le cadre de la lutte anti-braconnage. Le bétail tchadien et soudanais n'était pas vacciné contre la peste bovine. En saison sèche, ces animaux contaminaient les mares où venaient s'abreuver les buffles et les antilopes. Pire, les bouviers profitaient de la traversée du pays pour braconner les éléphants, les girafes et même les rhinocéros s'ils en rencontraient un.

Abattre les bœufs, c'était refouler les braconniers hors des réserves. A peine les derniers coups de feu étaient-ils tirés que déjà le profond rugissement du lion se faisait entendre. Non pas un grondement de colère venu de la gorge, mais des sons rauques, puissants, partis des entrailles de l'animal. En cinq minutes, le périmètre était cerné par les fauves invisibles dans les hautes herbes, qui ne se manifestaient que par la voix, comme pour mieux terroriser leurs futures victimes.

Guébaei, le chauffeur, a retrouvé le sourire. Depuis que nous avons rejoint la route asphaltée il plaisante même avec Séraphin. Guébaei est un homme de la ville et la brousse n'est pas son fort. Contrairement à l'idée encore trop souvent répandue dans nos pays occidentaux, tous les Africains, y compris bien entendu les Éthiopiens, ne vivent pas dans la « cambrousse ».

Ainsi, la plupart des habitants d'Addis-Abeba ne savent plus suivre une piste sans se perdre, connaître l'heure sans regarder une montre ou marcher une journée en se nourrissant de baies sauvages. Ils sont devenus des citadins et Guébaei est de ceux-là.

Il conduit habillé d'un pantalon de Tergal et d'un blouson de toile sombre plutôt à la mode. Assis sur la terrasse (c'est un bien grand mot) de la gargote qui tient lieu de restaurant à Metahara, je l'observe avec amusement déployer sa salopette bleue soigneusement pliée, avant qu'il n'ouvre le capot de notre guimbarde. Il vérifie le delco et le niveau d'huile tel le pompiste d'une station-service de l'autoroute du Sud. Puis il ôte, toujours aussi délicatement, sa salopette avant de la ranger dans un sac en plastique. Assis à notre table, il commande un plat d'injira et demande de l'eau. La crêpe de tef ressemble par sa couleur grise et sa consistance, molle et creusée de minuscules cavités, à de la panse de vache bouillie. Des petits tas de pois chiches, de haricots et des morceaux de viande de chèvre sont disposés dessus. Séraphin et le chauffeur trempent à tour de rôle des morceaux dans un plat rempli de sauce tomate pimentée. Pour avoir déjà essayé cette nourriture traditionnelle, j'opte pour l'autre choix qui m'est proposé : les sempiternels spaghettis.

L'aubergiste est aux petits soins. Il tente de nettoyer notre table, mais la crasse est trop bien incrustée pour s'enlever à l'aide d'un simple chiffon, douteux lui aussi. Les chaises sont rares et défoncées. Le mobilier, de fabrication locale, est constitué en majorité de planches grossièrement assemblées. A l'intérieur, des hommes boivent de la bière, glacée, car Metahara bénéficie de l'électricité grâce à l'usine de sucre distante de quelques kilomètres. Le bourg n'est en fait qu'une succession de cabanes en bois qui s'étirent de chaque côté de la route. Les camionneurs y trouvent de l'essence, des cigarettes, de quoi réparer une chambre à air et manger sur des étals tenus par des gosses. Des autobus jaune et rouge s'arrêtent aussi.

A chaque fois qu'un chauffeur change de vitesse, la chaussée est envahie par une fumée noire et grasse qui sort du tuyau d'échappement, ou plutôt de ce qu'il en reste, à entendre le bruit infernal des moteurs. Une vieille mendiante, au visage flétri, s'approche pour demander l'aumône. Elle est coiffée d'un turban sale et ses haillons, raides de crasse, sont serrés à la ceinture par un bout de ficelle. Elle marche pieds nus pour éviter d'user la paire de bottes éculées qu'elle porte sur les épaules. Au point où elles en sont — les semelles bâillent, décollées — je doute qu'elle puisse encore les mettre. Mais, en Afrique, les miséreux ne jettent rien. Des tatouages en pointillé courent autour de son cou. La vieille dégage une odeur pestilentielle et n'a pas beaucoup de succès auprès des clients qui sont à peine moins pauvres qu'elle. La boîte verte marquée d'une croix accrochée devant l'entrée n'attire pas grand monde non plus. Les chrétiens sont censés y déposer quelques pièces pour entretenir les églises et les prêtres du coin. Mais l'argent est ce qui fait le plus défaut en Éthiopie. Probablement à moitié aveugle, la mendiante vient de découvrir ma présence. Elle gémit en me tendant une main tremblante. Un Blanc, c'est bien connu, ne peut être que riche. Avaler des spaghettis très gras n'est déjà pas chose facile en temps ordinaire avec une fourchette, mais l'exercice devient vite périlleux, et même carrément odieux, devant le nez d'une femme affamée. Quelques billets calment heureusement son ardeur. Elle arrête sa litanie incantatoire mais reste plantée devant notre table à me dévisager comme si j'étais une bête curieuse.

— C'est une Karayou, une tribu de païens, me dit Séraphin en continuant de manger comme si de rien n'était.

Si nous sommes revenus à Metahara, c'est que je ne voulais pas abandonner la « route des capucins » qui longe le chemin de fer. Depuis Nazareth, une poignée de religieux français sont disséminés en brousse jusqu'à Harar. Le père Jean est l'un d'eux. Je le trouve dans sa mission, une simple maison basse qui ressemble à une cabane à peine améliorée. Pour ce Breton de Saint-Pabu dans le Finistère Nord, l'habitat n'a guère d'importance. Sinon, il y a longtemps qu'il aurait renoncé à vivre en Éthiopie. A 24 ans, il prêchait déjà la bonne parole dans les villages du Sud infestés de moustiques. Les conditions de vie étaient bien plus précaires qu'aujourd'hui. Trente-cinq ans plus tard, le père Jean exerce toujours son ministère avec la même foi. Lorsque j'arrive, il dort dans sa minuscule chambre monacale, meublée d'un petit lit, d'une chaise et d'une table de bois chargée de livres. Levé depuis l'aube, le prêtre fait une sieste au gros de la chaleur. L'électricité arrive jusqu'à lui, mais aucun climatiseur ne ronronne dans la maison. Le père Jean n'a pas été habitué à l'air conditionné. Le peu d'argent qu'il possède est réservé à la paroisse. Le religieux ne me tient pas rigueur de ma visite impromptue. Ça n'est pas tous les jours qu'il rencontre un compatriote de passage. L'homme est sec, de taille moyenne et, quand on lui serre la main, on sent qu'elle ne sert pas seulement à lever le ciboire mais à manier la pelle et la pioche. A Metahara, père Jean n'est pas seul. Il partage la mission avec un autre religieux plus âgé, le père René, breton lui aussi.

— Il nous arrive parfois de parler en patois. Cela nous rappelle la Bretagne, dit avec le sourire le père Jean.

Si les deux prêtres sont implantés ici, c'est que sur les huit mille ouvriers qui travaillent dans la raffinerie de sucre, deux mille sont catholiques. Les coupeurs de cannes, originaires du Sud, ont été christianisés les premiers. Lorsqu'ils ont émigré sur les bords de l'Aouache, le père Jean les a suivis. Quatre sœurs de Nazareth formées par l'évêque Person et un père indien complètent le petit groupe de religieux de la zone. Entre les musulmans et les chrétiens orthodoxes, la marge de manœuvre des catholiques reste faible.

— Sans compter les adventistes et les sectes protestantes suédoises et américaines qui, à coups de dollars, ratissent large, ajoute le père qui accepte de m'accompagner dans la plantation.

Pour y arriver, il suffit de suivre la bretelle de chemin de fer. Elle mène droit à la raffinerie, où, toutes les vingt-quatre heures, cinq mille quintaux de sucre cristallisé sont chargés sur les wagons qui partiront vers les pays arabes, via Djibouti. Un pont de bois, gardé par des hommes en armes, marque le début des cultures. Sur des kilomètres, les champs de canne verts se succèdent. La piste principale, aussi large qu'une route à double voie pour permettre le passage des camions, est bordée de majestueux flamboyants couverts de fleurs rouge orangé. Ils profitent de l'eau des canaux d'irrigation qui quadrillent la plantation et apportent une note presque bucolique dans cette ferme géante où les hommes transpirent dix heures par jour pour couper les cannes avec une machette.

Au retour nous croisons un petit groupe d'hommes à demi nus. Leur sexe est caché par des haillons sales et déchirés et leurs cheveux, gris de poussière, sont coiffés en nattes. Ils rejoignent une douzaine de sphériques, ces huttes rondes couvertes de peaux de vache, habitées par des femmes, encore moins propres qu'eux, et une ribambelle de marmots nus comme des vers.

— Ce sont des Oromos karayous, des pasteurs devenus semi-nomades par manque de territoire, explique le père Jean. L'extension des champs de canne et la création du parc ont réduit leur terrain de chasse. Ils se sentent lésés et ils deviennent agressifs. Ils se battent parfois avec les Afar. La population les rejette. Il y a quelques semaines, ils se sont accrochés à coups de kalachnikov à la gare de Malka Djillo avec des Wergobas pour une sombre histoire de pâturage et de vol de bétail.

— Les comptez-vous parmi vos ouailles ?

— Une quinzaine seulement sont devenus catholiques. Tout au moins, ils le sont lorsqu'ils viennent à la mission. Ensuite, je ne sais pas. Ils sont en fait païens. Ils adorent Waka, le dieu créateur, mais aussi des arbres, des rochers et des animaux. Ceux qui ne sont pas restés païens ont embrassé la religion de Mahomet. Ou tout au moins ses grands principes. En fait, ils s'arrangent mieux avec l'islam. Ils ont tous plusieurs femmes et restent proches de la nature.

A Metahara, les capucins ne font guère recette. Ils s'accrochent pourtant à cette terre depuis plus d'un siècle. Le sabre et le goupillon ne sont plus aujourd'hui de mise. Comment convertir les âmes alors que le ventre crie famine ? Les missionnaires soulagent d'abord ceux qui viennent à eux et dispensent quelques cours à l'ombre d'un acacia.

— L'habit ne fait pas le moine, mais je le mets quand même pour dire la messe, lance avec un sourire le père Jean en enfilant une aube blanche.

La nouvelle église de la mission vient d'être terminée. Le prêtre en est fier. Pourtant le sol est en béton, le soubassement en pierre et la charpente en bois rouge, imputrescible, apparaît sous le toit de tôle. Mais la simplicité du lieu est plus forte que les ors de nos cathédrales.

CHAPITRE IX

A la gare d'Aouache, on ne parle que de ça. Sur le quai, les passagers sont en effervescence. Hier le train a été attaqué. On ne connaît pas tous les détails. Mais l'on sait qu'une roquette a explosé dans la cabine. Un agent est mort. Les uns disent que le conducteur est blessé. Les autres affirment le contraire. Le train avait pris du retard, comme d'habitude. Et quand il a traversé la zone dangereuse, il faisait nuit.

— L'accident s'est produit entre Khora et Arba, affirme le chauffeur de l'autorail. C'est un jeune électricien de 32 ans qui a été touché. Il s'appelait Daniel. Il accompagnait le train pour déceler les problèmes électriques de la motrice. D'ordinaire, il était sédentaire à l'atelier. On l'avait envoyé en mission pour détecter un court-circuit. Il n'a pas eu de chance.

— Piloter ce train, c'est de la folie ! Si ça continue on va tous y passer, peste Makonnen en rangeant son petit sac de voyage sous le tableau de bord.

Békélé, l'aide, ne dit rien, mais il en a gros sur le cœur. Il a repris le travail hier, après quinze jours d'arrêt. Il aurait pu être à la place de ce pauvre Daniel, déchiqueté par une roquette anti-char. Si les deux conducteurs affichent une triste mine, c'est qu'ils sont des miraculés. Au volant de la ZA 109, ils ont été attaqués à 2 heures du matin, il y a deux semaines à la sortie de Khora.

— Sur le coup, j'ai cru à un tremblement de terre. On a d'abord entendu la déflagration, sourde et violente, qui nous a projetés au sol. La roquette a fusé dans la tôle pour exploser côté droit, dans la partie électrique de la machine. A 15 centimètres près, on y passait. La cloison de la cabine s'est disloquée et le feu a pris à l'arrière. Le moteur s'est arrêté net, explique Makonnen.

— Le pare-brise a explosé, les éclats ont descendu les autres vitres. J'avais des morceaux de verre plantés dans tout le corps. Je me suis jeté sur le ballast par la portière. Je saignais. J'étais sonné, poursuit calmement Békélé. J'ai voulu éteindre le feu avec un extincteur. J'ai pressé la manette mais la mousse ne sortait pas. Heureusement, j'en ai trouvé un autre. Après ça, je ne tenais plus debout. Je me suis allongé sur la banquette d'une voiture. Une femme m'a couvert avec un chamma. Je croyais que j'étais blessé grièvement. En fait, j'étais seulement criblé de petits morceaux de ferraille. Les passagers hurlaient et sautaient par les fenêtres. Si nous nous étions encore trouvés sur le pont que nous venions de franchir, ils seraient tombés dans le ravin. C'était la nuit, ils ne voyaient rien. Les gens étaient paniqués. Ils pensaient qu'on allait leur tirer dessus. Mais je connais leur habitude. Ils tirent puis ils disparaissent.

Békélé ne prononce pas le nom des assaillants. C'est un sujet tabou. Dire qui ils sont, c'est faire de la politique. Pour le gouvernement, la rébellion oromo a été anéantie. Officiellement le problème est résolu. Mais, pour montrer qu'ils existent encore, pour rappeler au pouvoir d'Addis-Abeba qu'il faut compter avec eux, les maquisards se livrent à des actions spectaculaires. Makonnen et Békélé, petits chauffeurs de locomotive, deviennent les otages d'affrontements qui les dépassent.

Makonnen travaille au chemin de fer depuis vingt-cinq ans. Il a commencé comme chaudronnier aux ateliers généraux, puis, il y a dix ans, il a voulu devenir conducteur. Un rêve de gosse, mais aussi le moyen de toucher des primes. Makonnen a sept enfants, une grande famille qu'il faut nourrir. Sans ses gosses, il aurait arrêté. Car des attaques, il en a déjà subi six.

— Jusqu'ici, j'ai eu de la chance. Mais elle ne durera pas toujours, souffle-t-il en sortant de son bleu une image de la Vierge qu'il cale contre le pare-brise de la loco, étoilé par l'impact d'une balle.

Deux autres projectiles ont troué la portière.

— C'est le résultat d'une attaque précédente. Le magasin manque de pièces de rechange.

L'attaque d'hier ne décourage pas les passagers. Ils sont trois fois plus nombreux qu'au départ d'Addis. Les clandestins prennent carrément d'assaut les voitures déjà bondées. Tous savent ce qui s'est passé la veille. Pour eux, c'est de la routine. Ballots, valises, sacs sont poussés à l'intérieur par les fenêtres dans un brouhaha indescriptible. Séraphin s'est frayé un passage dans la voiture de première. Un chiffre qui ne rime plus à rien car, à partir d'Aouache, le train change de physionomie. Ici c'est chacun pour soi.

Dans la cabine, les conducteurs terminent leur installation. Chacun pose un paquet de cigarettes sur le tableau de bord, coince sa gourde entre le siège et la cloison. Ils enlèvent enfin le plastique qui enrobe leur botte de kat. Cueilli le matin dans le massif du Tchertcher, le kat arrive en début d'après-midi à Aouache. Frais, il n'en est que meilleur. Makonnen en choisit un brin, ôte les feuilles et les enfourne dans sa bouche. Nous n'avons pas encore démarré que l'équipage broute déjà, un terme employé par les consommateurs (ils sont des centaines de milliers) qui mastiquent cette plante aux effets euphorisants.

Makonnen actionne le sifflet. Sur le quai, les retardataires cherchent à s'engouffrer par les portes obstruées par les passagers. Ceux qui n'y arrivent pas grimpent sur le toit ou sur les tampons entre les wagons. Le diesel s'emballe, ronfle dans un bruit sourd et gras. Makonnen se penche par la fenêtre, klaxonne à nouveau en tournant son volant de vitesse.

Le train s'ébranle, gémit, grince, couine sur ses essieux et finit par quitter le quai. A peine sorti de la gare, la voie suit une pente cassée par plusieurs virages. Makonnen freine plusieurs fois pour éviter de prendre de la vitesse. Nous allons franchir le pont métallique qui enjambe la rivière Aouache. Elle coule 50 mètres plus bas au fond d'un canyon de roches basaltiques couvert d'arbustes. Deux piliers ancrés sur des socles de béton supportent 141 mètres de travée composée de croisillons d'acier. Il fut construit en 1894 par Armand Savouré, un compagnon de Rimbaud, ingénieur et aventurier de son état. Au retour de son expédition d'armes destinées à Ménélik, en 1886, le poète fut l'un des premiers à ouvrir cette route, plus directe que celle qu'il avait prise à l'aller, sans se douter que le tracé du chemin de fer suivrait quelques années plus tard le même chemin. L'Aouache avait toujours été un obstacle naturel pour la pénétration vers le Choa. L'empereur Ménélik avait bien fait construire deux passerelles avec des troncs d'arbre, mais elles étaient insuffisantes et dangereuses en période de crue. La rivière prend sa source au nord-ouest d'Addis-Abeba avant de se perdre au bout de 1 000 kilomètres dans les sables du désert dankali. Subjugué par les techniques de Gustave Eiffel, cet original bâtit même à Djibouti une réplique, réduite et aujourd'hui disparue, de la tour du Champ-de-Mars, inaugurée l'année précédente lors de l'Exposition universelle. Mais ce n'est qu'en 1914, le 20 mai, qu'une locomotive emprunta le viaduc. Pour protéger sa retraite, l'armée italienne le fit sauter une trentaine d'années plus tard. Jusqu'en 1949, un pont provisoire, construit par le génie anglais, assura le trafic. L'année suivante, un nouvel ouvrage, bâti selon les plans d'origine, rétablissait totalement la liaison entre Addis et Djibouti.

Quarante ans plus tard, le pont d'Aouache est toujours sur pied et supporte des trains de plus en plus lourds.

Approcher de sa base est fortement déconseillé. Le terrain est miné, des rouleaux de barbelés courent entre les rochers et des soldats surveillent en permanence les superstructures au cas où les rebelles s'aviseraient de vouloir les faire sauter.

Dans quel état le pont est-il aujourd'hui ? A voir la qualité du matériel, je doute que les poutres d'acier défectueuses soient régulièrement remplacées. La première, latérale, qui marque la hauteur du pont est pliée comme si elle avait reçu un immense coup.

— A Addis, ils avaient chargé, sur un wagon plat, un camion de l'aide humanitaire sans tenir compte du gabarit. Lorsque le train est arrivé sur le pont, le camion a été décapité. Ce n'est pas la première fois que ce genre d'accident arrive. A Addis, ils se moquent de tout, peste Makonnen, la joue gonflée par sa boule de kat.

Le train emprunte le pont à vitesse réduite. Il suffirait que les freins lâchent, comme cela arrive parfois, pour que nous nous offrions un vol plané ferroviaire digne du *Livre des records.* C'est ce qui est arrivé non loin de là en 1984. Cette fois-ci la faute était humaine. Depuis, le kilomètre 223 est considéré comme un lieu sacré. Ceux qui savent se signent en passant devant.

Ce jour-là, le conducteur de la ZA 106 était distrait, fatigué ou avait trop brouté de kat. Il a laissé filer son train. Lorsqu'il s'en est aperçu, il allait trop vite. Il a pris peur quand il a vu arriver une grande courbe, celle qui débouche sur un pont enjambant un oued. Le frein à vide ne suffisait plus à arrêter la masse de plusieurs centaines de tonnes qui dévalaient la pente derrière lui. Saisi de panique, il actionna le frein général. La motrice et les wagons se soudèrent avec des gerbes d'étincelles dans un crissement effroyable. La rame n'était plus articulée, mais rigide comme une flèche. Elle ne pouvait plus épouser l'inclinaison de la courbe. La loco et la première voiture déraillèrent d'abord, mais par miracle, continuèrent à rouler sur le ballast. Les voitures de queue n'eurent pas cette chance. En se désolidarisant, elles s'écrasèrent dans l'oued, une bonne dizaine de mètres plus bas. Le bilan officiel fut de quatre cents morts. En fait, neuf cents personnes périrent dans l'accident. La tôle compressée, broyée, froissée, éclatée, était devenue sous la violence du choc aussi coupante qu'une lame de rasoir. La masse humaine, comprimée dans les voitures surchargées, fut littéralement déchiquetée par la ferraille. Le temps que les secours arrivent, il se passa plusieurs heures. Les ouvriers ne pouvaient pas faire grand-chose.

Lutter contre une telle catastrophe nécessite des crics, des grues, des machines pour désincarcérer les survivants, puis du matériel médical et une chaîne d'évacuation rapide. Le chemin de fer ne possède pas de tels moyens pour transporter les blessés vers les hôpitaux. Le gouvernement non plus d'ailleurs. Le régime de Mengistu ne pouvait annoncer une telle hécatombe. C'était avouer l'échec de la révolution qui, comme l'annonçait la propagande, était à l'origine des progrès techniques spectaculaires de l'Éthiopie nouvelle. Il était pourtant impossible d'occulter la tragédie. On décida de minimiser son bilan. Sur le moment, le conducteur était devenu fou. On le retrouva à plusieurs kilomètres de l'accident, en train de marcher comme un somnambule le long de la voie. Son aide était à peu près dans le même état. Le premier fit de la prison. Aujourd'hui, tout deux ont quitté le chemin de fer.

Pour gravir la côte après l'Aouache, Makonnen pousse le moteur à fond. Le diesel a beau donner son maximum, nous avançons quasiment au pas. Nous étions tombés à 841 mètres d'altitude en franchissant le pont. Nous atteindrons les 1 480 mètres à Assabot, distant de 67 kilomètres.

Sachant qu'elles ne seront pas rattrapées, une compagnie de pintades sauvages court devant nous sans se donner la peine de prendre son envol. Une ligne droite nous permet enfin de prendre de la vitesse sur un plateau planté d'arbres nains. On croise des hommes qui cheminent le long de la voie, un fusil en travers des épaules. Un berger vêtu d'un pagne, trottine pieds nus sur le ballast pour chasser son troupeau. Il ne s'écarte qu'au dernier moment mais je ne ressens plus de pincement au cœur. J'ai compris que se mettre devant le train est un sport national.

A plusieurs reprises nous longeons la piste transformée en cloaque par les pluies. Les rares camions qui circulent ont du mal à s'arracher de cette boue noire qui colle aux roues, et repeint chaque véhicule couleur corbillard. Des cases, enfumées par le foyer qui brûle à l'intérieur, abritent des familles itou. Les sphériques sont ceintes d'une haie d'épineux pour se protéger des chacals, des hyènes et des lycaons, ces chiens sauvages qui se déplacent en meutes et sont capables de dépecer un bœuf ou un homme en quelques minutes. Ces villageois vivent au milieu des vaches qui défèquent et urinent devant les cases.

— Jusqu'à Arba, on appelle cette région le pays boueux, m'apprend le conducteur.

Sous les nuages bas, le paysage sombre gorgé d'humidité apparaît hostile. Makonnen n'est pas très bavard. Il se contente d'observer la voie. Nous avons pénétré dans la zone dangereuse.

Quand nous longeons de gros rochers, le regard des deux conducteurs scrute les hauteurs. C'est en général ce type de terrain que les guérilleros affectionnent pour perpétrer leurs coups de main. Ils ne sont pas les seuls à s'intéresser au train. Parfois, l'attaque est crapuleuse. On a déjà vu des wagons de sucre ou de café vidés de leur contenu par des bandits de grands chemins.

Nous approchons d'Arba. Je distingue au loin le château d'eau en tôle ondulée qui, jadis, approvisionnait les machines à vapeur. La halte n'est qu'un gros village de maison en pisé. Des femmes assaillent les voitures avec des régimes de bananes. Des gosses en haillons proposent des graines grillées en pataugeant dans la boue. Trois ouvriers creusent des rigoles à coups de pioche pour évacuer l'eau qui stagne, entre les rails. Ici le ballast n'existe pas et la voie s'est enfoncée dans la terre. Des porteurs vêtus d'un simple short ploient sous de lourds sacs de doura qu'ils engouffrent par les fenêtres. Quand le compartiment est vraiment plein, ils essaient par les portes. Malgré la charge, ils courent en un incessant va-et-vient pour charger le maximum avant que le train ne redémarre. Les passagers vocifèrent, les porteurs crient, bousculent les gens qui se massent devant chaque voiture. Deux coolies s'invectivent avec de grands gestes à propos d'un litige. L'un aurait reçu plus d'argent que l'autre pour ce travail d'esclave. A côté, un homme hisse quatre chèvres sur le toit du compartiment déjà peuplé d'un véritable troupeau. Des enfants retiennent les animaux par le cou pour éviter qu'ils ne sautent à terre. Vu les embardées et les secousses du train, je me demande comment hommes et ruminants peuvent tenir sur le toit glissant et bombé des wagons. Depuis Aouache, j'ai l'impression que notre train de voyageurs s'est transformé en train de marchandises. Monter à bord est devenu une foire d'empoigne.

— Il y en a qui payent, d'autres pas. Ici, ils sont chez eux. C'est eux qui commandent. Personne ne peut rien dire, lâche, désabusé, le conducteur, un Amhara qui, en plein pays oromo, n'ose pas en dire trop.

Il n'est pas seul. Je retrouve le chef de gare bouclé à double tour dans sa bicoque lépreuse. Un cadenas ferme la grille d'entrée qu'il s'apprête à ouvrir pour aller jeter un œil sur le train.

— Je ferme pour empêcher les gens de salir mon bureau avec leurs pieds pleins de boue. Ils se croient tout permis, souffle-t-il pour s'excuser.

Le bureau ressemble en fait à une cellule : une chaise, une table occupée d'un cahier crasseux et un téléphone en bakélite. Le chef de gare n'est pas de la région. Il est ici en remplacement depuis un mois et ne semble pas être fou de joie d'occuper ce poste par intérim. Il est lui aussi amhara et se sent étranger au milieu des Oromos. Il faut dire que les hommes qui peuplent la « gare » n'apparaissent pas très sympathiques. Pas un n'arbore le moindre sourire. On sent dans leur regard une sourde révolte. Les adolescents, insolents, ont des allures de petites frappes. Quelques-uns m'entourent et je comprends, à leur expression, qu'ils m'insultent. Sinon, je ne suis pas regardé avec une curiosité naturelle bien compréhensible, mais observé avec dédain. Je comprends que le malheureux Rimbaud, dans ses correspondances, ait pu écrire pis que pendre des Gallas et des autres tribus qu'il rencontrait dans ses pérégrinations. Le ressentiment à l'encontre des étrangers se terminait souvent, il est vrai, par une attaque en règle au cours de laquelle le Blanc était découpé proprement en rondelles.

Séraphin reste près de moi en regardant nos hôtes d'un moment d'un air circonspect.

— Avez-vous déjà eu des problèmes ? traduit-il au chef de gare.

— Ils attaquent les trains mais ne s'en sont jamais pris à moi ou au bâtiment de la compagnie. Ils ne peuvent pas couper totalement le trafic. Le train, ils en ont aussi besoin, répond le fonctionnaire à voix basse.

Pour atteindre ma place, je dois enjamber des gens assis, d'autres couchés, des sacs de céréales, des régimes de bananes et des cartons huileux entassés dans le couloir. Séraphin m'a réservé un siège à côté de lui. L'homme qui l'occupe se lève gentiment. Ma présence dans le compartiment provoque des sourires plutôt bienveillants. Partager les mêmes difficultés au cours d'un voyage en commun entraîne des sympathies. Le garçon de voiture m'offre un Coca en signe de bienvenue. Il est assis sur une caisse en fer dont il ne se sépare jamais. Ce jeune homme est le postier du train. Il récupère dans chaque gare les ordres, les messages écrits, les lettres qui sont adressés à la direction. Plus la recette, bien maigre il est vrai, récoltée dans les haltes. Deux policiers en civils vêtus d'une parka verte, une kalachnikov négligemment portée en bandoulière, restent là, pour assurer la protection du convoi. Deux autres sont postés dans une autre voiture. Ils sont jeunes et n'impressionnent pas, visiblement, les passagers. Si des politiques nous attaquent, ils ne seront pas inquiétés, à condition qu'ils ne tirent pas. Les guérilleros leur prendront seulement leurs armes. Si nous tombons sur de vrais bandits, les policiers ont toutes les chances de passer de vie à trépas, les passagers seront dévalisés et le Blanc que je suis risque de devenir au mieux une monnaie d'échange. Être pris en otage ne m'enchante guère mais finir exécuté comme un vulgaire ruminant ne me réjouit pas davantage.

Je suis réconforté en me référant à la règle, mal définie, des probabilités. Un train ayant été attaqué hier, celui d'aujourd'hui devrait être épargné. On se console comme on peut.

— Nous sommes ici pour protéger les passagers et le train qui appartient au peuple, fanfaronne un des gardes.

La langue de bois n'a visiblement pas disparu dans les forces de l'ordre éthiopiennes après la chute du marxisme. A l'écouter il serait prêt à se sacrifier pour accomplir sa mission.

— Tu parles ! Au premier coup de fusil, ils partent en courant. Ils sont tout juste bons à racketter les voyageurs ou à tirer au-dessus de la tête des petits voleurs, lance un monsieur assis à côté.

Une femme accroupie dans l'entrée parle si fort que sa voix de crécelle arrive jusqu'à nous malgré le bruit de la rame. Elle semble se disputer avec l'homme qui l'écoute en silence. Vérifications faites, Séraphin m'explique qu'elle parle politique avec son mari, défiguré à intervalles réguliers par des borborygmes et des rots. La matrone, cherchant à convaincre, n'apparaît pas gênée par les éructations de son compagnon.

— Tu dois me croire. Nous sommes au croisement de la démocratie. Si nous prenons le bon chemin, la civilisation nous attend. C'est à nous de faire le premier pas. Il ne faut pas s'endormir sur nos patates ! me traduit Séraphin très sérieusement.

Dans ces bribes de conversation, j'ai appris quelque chose : on ne s'endort pas en Éthiopie sur ses lauriers mais sur ses pommes de terre. Dans un pays qui connaît régulièrement la famine, je comprends que le choix de ce tubercule soit plus judicieux.

— Qu'en penses-tu ? demande la militante après un long monologue.

— Je n'en sais rien, répond son mari dans un nouveau hoquet.

Depuis que nous avons quitté Arba, les taillis ont remplacé les arbres. Seuls dépassent des cactus montés en chandelles, aussi grands que ceux du Mexique. Hormis un champ de maïs ou de doura gagné sur la mauvaise herbe et quelques cases qui rappellent une présence humaine, la brousse est déserte. Mais il ne faut pas trop se fier à cette impression. Je suis toujours surpris de voir au détour d'un virage, un type vêtu d'un simple pagne autour des reins, les deux mains posées sur un fusil placé en travers des épaules.

— C'est un berger. Son troupeau n'est pas loin, m'explique un couple habillé à l'occidentale installé sur la banquette devant nous.

L'homme est un cadre du chemin de fer. Il revient d'Addis où il est allé consulter un oculiste. Sa femme l'accompagne.

— J'en ai profité pour aller visiter ma famille, jamais je n'aurais pris le train toute seule, dit celle-ci.

— Mais pourquoi ? lui demandé-je benoîtement.

— Parce que je m'étais juré de ne plus remonter à bord depuis que j'ai subi une attaque l'année dernière.

— Racontez-moi donc.

— C'était la nuit et je dormais. Soudain, vers minuit, j'ai été réveillée en sursaut par des explosions. Je voyais les flammes des armes automatiques. Les passagers criaient, se marchaient dessus pour descendre les premiers. Ceux qui n'étaient pas allongés dans le couloir avaient sauté sur le ballast pour se coucher sous le train arrêté. Moi, j'ai préféré rester à bord. J'ai joint mes deux mains et j'ai prié. Je répétais sans cesse : « Mon Dieu, donne-moi ta force. Épargne-moi pour que je puisse retrouver mes trois enfants. » Je pensais à eux, à mon mari qui étaient restés à Diré Daoua. Je croyais ma dernière heure arrivée. Les gardes qui étaient dans le train ne répondaient pas. Ils étaient pétrifiés de peur et se cachaient comme les autres. Ils ne pensaient qu'à sauver leur peau. « Donnez-nous vos kalachnikovs », leur criaient des voyageurs plus courageux. « On ne va pas mourir comme ça, sans rien tenter. » Les tirs ont enfin cessé. Mais personne n'osait bouger. On pensait que les assaillants, embusqués sur les côtés, attendaient de voir des ombres se déplacer pour les abattre. On est restés bloqués jusqu'au lever du jour, avec l'angoisse au ventre, sans boire ni manger. Quand il a fait jour, on s'est aperçu que les bandits s'étaient éclipsés certainement depuis plusieurs heures. L'aide gisait dans une mare de sang. Il y avait heureusement un médecin à bord. Il a soigné les blessés. Mais je n'ai pas su combien il y en avait. Je suis restée assise sur la voie, hébétée par cette nuit de cauchemar. Le conducteur essayait d'appeler à l'aide avec son téléphone de secours. Mais il ne fonctionnait pas. Une draisine a fini par arriver. C'était aux alentours de midi. Depuis, la nuit, je me réveille en sursaut. Je crois que je vais mourir. En ce moment, vous ne pouvez pas vous imaginer combien j'ai peur. Dans la famille, on n'a pas de chance. Mon mari est un miraculé de l'autorail 103.

L'homme acquiesce de la tête. Il a écouté sa femme sans rien dire. Les attaques du train font partie de sa vie. Peu de roulants sont passés au travers et tous semblent prendre ces événements avec fatalisme.

— Mon accident remonte à 1977, pendant la guerre de l'Ogaden avec la Somalie. J'étais assis à la quatrième rangée de la voiture de première classe. Entre Bicket et

Errer, je garde le souvenir d'une terrible explosion et de m'être retrouvé assis dehors. Lorsque j'ai ouvert les yeux, j'ai vu le ciel à travers des barres de fer au-dessus de ma tête. J'ai cru que j'étais sous un pont. J'ai voulu me relever. Je n'ai pas pu. Il a fallu que je soulève des morceaux de ferraille qui pesaient sur mes jambes pour me dégager. J'ai compris que c'était un attentat. J'avais peur qu'ils mitraillent ensuite les survivants. Alors, poussé par l'énergie du désespoir, je me suis traîné sur le ballast. Il y avait du sang partout. Des gens qui gémissaient. Beaucoup avaient perdu leurs jambes. Une femme n'avait plus de pieds. Des membres pendaient sur les longerons tordus et les tôles étaient maculées de chair humaine. Ma figure était criblée d'éclats, ma lèvre fendue, mon œil gauche abîmé. J'ai appris par la suite que la mine télécommandée à distance avait explosé derrière moi, à la hauteur des dernières banquettes. La puissance de la charge a littéralement coupé en deux l'autorail. J'étais sonné, poursuit le cheminot, mais j'ai réussi à ramper jusqu'aux taillis les plus proches où j'ai attendu les secours. J'étais persuadé que les Somalis allaient revenir pour achever les blessés. Depuis, je suis sourd d'une oreille. Mais je m'en tire bien, mis à part quelques cicatrices, dit-il en soulevant le bas de son pantalon.

Ses jambes conservent, plusieurs années après, les traces blanchâtres de la déflagration.

— Dès qu'il y a un problème politique, c'est le train qui paye, ajoute-t-il. C'est triste. Avec la pauvreté que nous connaissons, on n'a pas besoin de ça.

Nous entrons dans Khora, une simple halte entourée de quelques huttes. Les physionomies ne sont pas plus sympathiques qu'à la gare précédente. Nous profitons de l'arrêt pour rejoindre la voiture de deuxième classe. Le wagon est bondé. Les passagers debout sont bien plus nombreux que ceux qui sont assis sur les bancs de bois. La chaleur et le nombre des voyageurs ont transformé le wagon en véritable étuve. Par les fenêtres, les gens achètent des beignets gras, des bananes plantains et des graines grillées. Ceux qui voyagent sur les tampons en plein soleil se versent de l'eau sur la tête. Sur le toit, les chèvres ont droit à quelques feuilles. Le sol de la voiture est jonché de papiers, d'écorces d'orange, de peaux de banane et de tiges de kat. Un groupe de jeunes qui broutent allégrement offrent une place à Séraphin en se serrant un peu plus sur la banquette. Deux filles sont parmi eux. Elles portent des tee-shirts et des lunettes noires. L'une a coiffé ses cheveux en de multiples tresses, raides comme des bâtons. L'autre, toute de noir vêtue, porte un bandeau de corsaire sur la tête. Leurs copains sont en jean, chaussés de baskets. Le plus grand d'entre eux arbore une casquette à visière et un blouson en nylon frappé d'une tête de mort. Un poste équipé d'un lecteur de cassettes trône sur ses genoux. Il diffuse du reggae à tue-tête, mais personne ne s'en offusque. Les jeunes se dandinent sur leur siège au rythme de la musique jamaïcaine. Ce sont des étudiants somaliens qui ont fui Mogadiscio pour Addis-Abeba. Ils vont faire une virée à Diré Daoua qui accueille bon nombre de réfugiés de la Somalie voisine.

— On a de la famille. On va s'éclater. Les copains nous attendent et le kat y est super, dit celui qui est le plus proche de moi en mastiquant sa boule d'herbe.

— Mais quand il n'y aura plus de problèmes, on retournera à Moga. Là-bas, c'est chez nous. Il fait chaud, il y a la mer. C'est pas comme à Addis.

Séraphin s'est lié d'amitié avec les jeunes branchés. Je n'ose plus lui demander de traduire en le voyant en pleine conversation. Sacré Séraphin ! Il est l'aise partout. Son père était oromo et sa mère amhara. Il parle les deux langues et, suivant les endroits et les situations, il privilégie l'une à l'autre.

Séraphin baragouine maintenant le somali avec ses nouveaux copains qui pourraient être ses fils.

— On parle de leur pays. Je leur dis que la guerre, c'est mauvais. Les Américains sont des enfants. Je les connais. Du temps du négus, ils étaient nombreux à Addis. Ils ne sont pas méchants, mais ils peuvent être très entêtés.

— Tu veux du kat ? C'est bon pour l'esprit, me demande le plus jeune.

Je réponds par la négative. Cette bande de Somalis allumés ne me dit rien qui vaille. A Mogadiscio, j'ai pu rencontrer leurs semblables. J'en garde un mauvais souvenir. Je leur ai trouvé tous les défauts de la terre : menteurs, voleurs, chicaneurs, bagarreurs. Peut-être la guerre civile exacerbait-elle les passions ?

Je préfère lier conversation avec une femme d'une cinquantaine d'années assise sur la banquette voisine. Elle m'offre des fruits. Medhi est contrebandière. Elle achète des tissus et des vêtements, provenant de Djibouti, à Diré Daoua et les emporte à Addis.

— Je paye mon ticket, je suis en règle, dit-elle avec un joli sourire plein de malice.

— Mais les douaniers d'Aouache, que disent-ils lorsqu'ils découvrent vos ballots de marchandises ?

— Je suis connue sur la ligne. Un petit cadeau de temps en temps favorise nos relations. Et puis, je n'emmène pas une tonne de paquets. A chaque voyage, j'en transporte seulement quelques-uns. Ce n'est pas illégal ! dit-elle en ouvrant le coin d'un de ses ballots.

Les chemises et les pantalons, soigneusement pliés,

sont compressés et retenus par une ficelle. Il y a là de quoi alimenter plusieurs magasins.

— Au Mercato, j'ai ma clientèle. Les commerçants m'achètent parce que je fais de bons prix.

En face d'elle, un homme sourit en entendant notre conversation. Il est aussi contrebandier. Sa spécialité, c'est plutôt les postes de radio et les téléviseurs. Afar de naissance, il possède un passeport djiboutien. Sa filière commence dans le port franc. A partir de la petite République, il accompagne en boutre ses appareils jusqu'au port d'Assab, devenu érythréen depuis l'indépendance de ce pays.

— Le voyage dure dix-huit heures. Tout dépend du vent. Mais j'ai le pied marin, m'explique-t-il.

La marchandise est ensuite chargée sur des camions vers Addis-Abeba. Il semble lui aussi trouver des arrangements avec les douaniers. Aujourd'hui, il retourne à Djibouti où il s'embarquera à nouveau pour un périple en mer Rouge. Ses colis, fragiles et volumineux, ne supporteraient pas le voyage en train. Difficile aussi de tromper le douanier avec dix téléviseurs calés sur le porte-bagages.

Medhi, amusée par mes questions, m'invite à m'asseoir à côté d'une jeune femme. En restant debout, je n'avais pas remarqué sa beauté. Elle est mince, bien proportionnée. Je suis stupéfait de sa ressemblance avec Iman, le mannequin vedette kenyian qui a épousé David Bowie. L'inconnue me fixe de ses yeux dorés puis elle détourne la tête vers la fenêtre. Un foulard bleu et or rehausse l'éclat de sa peau café au lait. A travers le voile léger qui dessine ses formes, je devine le galbe de ses seins. Les soubresauts nous amènent parfois à nous frôler. Elle a la peau chaude mais ne transpire pas. J'oublie un moment les horreurs que m'a racontées Bob, le toubib anglais d'Addis. Un silence s'installe, presque complice.

— Qui est-elle ?

— Elle vient de se marier. Elle va rejoindre son époux à Assabot, répond Medhi, malicieuse. Elle est belle, n'est-ce pas ?

Le train ralentit. Nous entrons en gare. La jeune femme se lève, me jette un dernier regard et se faufile jusqu'à la porte. Elle a l'allure d'une princesse. Elle n'est pourtant qu'une paysanne et son château n'est probablement qu'une case nauséabonde.

Assabot. Toujours le même réservoir d'eau, la même bicoque du chef de gare, la même boue. Des femmes courbées sous le poids de colis aussi gros qu'elles poussent des hommes qui bloquent l'entrée de la voiture. « Voyageurs assis : 72 — debout : 36 », lit-on au-dessus. Je n'ai pas compté, mais j'estime que nous devons être au minimum trois fois plus. Un homme, qui dépasse tous les autres d'une tête, réussit à son tour à mettre un pied dans le wagon. Il serre une lance dans une main et un grand coutelas dépasse de sa ceinture. Il porte un chamma écru sur ses épaules. Soudain, une bousculade éclate. Ce n'est pas une bagarre mais quatre ou cinq personnes qui cherchent à rentrer en même temps. Sur le coup, je ne comprends pas la cause de tant de précipitation. Le train ne démarre jamais sur les chapeaux de roues. Les deux premières manquent de trébucher en hissant sur les marches un poids mort. Je ne crois pas si bien dire. Il transporte un homme à demi inanimé blessé de plusieurs balles. Les passagers consentent à se pousser et le moribond est appuyé contre une banquette. Il gémit en dodelinant de la tête. Il est nu, mais à part une sorte de pagne qui lui couvre le bas des reins. Sa poitrine est serrée d'une bande crasseuse tachée de sang à deux ou trois endroits. Probablement à chaque entrée de projectiles. Un autre impact est visible sur l'un de ses bras mais le bougre est si amoché qu'il est difficile de savoir exactement où il a été touché. Du sang coagulé parsème son visage et ses yeux, gonflés et violacés, semblent avoir reçu des coups. Il respire difficilement, en un bruit rauque. Du sang s'écoule dans ses poumons.

J'ai vu comment des chirurgiens militaires français, pendant l'une des batailles de N'Djamena au Tchad, procédaient dans ces cas-là : ils perforaient la cage thoracique avec un trocart de Monod entre la deuxième et la troisième côte. Il fallait qu'ils appuient de toutes leurs forces pour que le mandrin s'enfonce dans un bruit sec afin de pratiquer un drainage de la plèvre. Lorsqu'un blessé au poumon sifflait en inspirant, c'est qu'il était proche de la fin. Un geyser de sang jaillissait de sa bouche à l'image d'une baleine qui souffle. Puis sa tête roulait sur le côté. Il était mort.

Quelques années plus tard, je me trouvais dans un Fokker 27 de l'armée libyenne sur la piste de Faya-Largeau. La grande palmeraie du Tibesti venait d'être reprise pour la énième fois par les rebelles de l'époque, soutenus par Kadhafi. L'avion était surchargé. Un blessé salement touché au poumon était à bord, allongé sur un brancard bruni de sang séché. L'un des responsables politiques tchadiens, colonel de son état, rentrait, lui, avec deux gros sacs remplis de dattes. En découvrant les fruits, le pilote libyen a refusé de les embarquer.

— Nous sommes trop chargés. Vous ne pouvez les amener que si un passager descend, intima-t-il.

Personne, évidemment, ne voulait quitter son fauteuil pour des dattes. Restait le blessé, qui ne pouvait pas donner son avis.

— Il n'arrivera pas à Shéba. Il sera mort avant, dit le colonel.

Le temps s'écoulait dans un lourd silence, ponctué par les gémissements et le râle du combattant sur sa civière.

L'agonie dura de longues minutes. Puis, le colonel ventru, les yeux cachés par des lunettes noires, finit par avoir raison. Le blessé rendit son dernier soupir. A mon avis, il n'était pas complètement mort. Il était tombé dans le coma.

— Ça y est. On peut le débarquer. Il est inutile de l'emmener avec nous.

Aussitôt dit, aussitôt fait. L'ancien caporal-chef de la coloniale, devenu officier après l'indépendance et rebelle ensuite, donna même un coup de main pour descendre le corps. Il saisit prestement ses deux sacs de dattes, restés au pied de la passerelle, et le pilote lança les hélices de ses deux moteurs.

En regardant le moribond du train, je pense à celui de Faya-Largeau.

Le convoi à peine démarré, plus personne ne s'intéresse à lui. Il n'est qu'un encombrant paquet supplémentaire. On lui marcherait presque dessus pour prendre sa place.

— Que s'est-il passé ? demandé-je à Séraphin.

— Je crois qu'il y a eu une bagarre dans le secteur. Peut-être le résultat d'une vendetta. J'ai compris que plusieurs hommes sont restés sur le carreau.

Un brouhaha s'élève à l'extrémité de la voiture. Plusieurs personnes tentent d'entrer par la porte qui mène au wagon de première classe. Ils ont beaucoup de mal car les gens assis dans le couloir empêchent tout mouvement. Un petit homme à la moustache et aux cheveux grisonnants perd patience, mais rien n'y fait. Les deux autres, armés d'un pistolet-mitrailleur, ont plus de chance. Devant eux, les passagers se lèvent et le petit bonhomme, porteur d'une sacoche en bandoulière, finit par entrer à son tour.

— C'est le contrôleur ! me crie Séraphin dans l'oreille.

Le poinçon dans une main, l'agent demande son titre de transport à chaque voyageur. Il réveille ceux qui dorment, se penche sous les banquettes pour surprendre les resquilleurs et ouvre la porte des toilettes pour vérifier que personne ne s'y trouve. Il y a peu de chances. Qui pourrait résister à l'odeur pestilentielle qui s'en dégage ? Le petit homme fait son boulot, consciencieusement, méthodiquement et sans trop s'énerver.

Arrivé devant moi, il réclame les billets aux trois hommes qui accompagnent le blessé.

— Il n'y en a qu'un qui reste avec lui, les autres filent en troisième classe ! intime Aziz. Les conditions de travail empirent chaque année. En deux heures, j'ai à peine contrôlé un wagon, peste-t-il.

Suivre Abou Aziz Ahrmad tient du parcours du combattant. Il se faufile entre les gens, plaisante avec les uns, en pousse d'autres. Parmi la foule, il distingue les voyageurs qui ont déjà payé aux précédentes haltes de ceux qui viennent d'arriver. Aziz aurait pu être physionomiste tant sa mémoire visuelle semble infaillible. La plupart des gens sont des connaissances pour lui.

— Les contrebandiers prennent toujours leur billet. Ils ne veulent pas d'histoires. Le train est pour eux une source de revenus. Sans le chemin de fer, finie la contrebande. Moi, cela ne me regarde pas, je ne suis pas douanier. Mon travail c'est de vérifier que le maximum de gens achètent leur billet.

Aziz ne s'en laisse pas conter.

— J'ai perdu mon ticket.

— Cherche-le, dit-il à un adolescent qui essaie de ruser.

Le contrôleur n'attend pas longtemps. Il sort de sa sacoche un carnet à souches jaunes, griffonne quelques mots dessus et le tend au contrevenant. Celui-ci ne proteste pas devant la détermination d'Abou Aziz. Il lui donne quelques birrs et se retourne, mécontent mais en règle.

Pour rejoindre les voitures de troisième classe, nous sautons comme dans les westerns d'un wagon à l'autre. Encore faut-il écarter ceux qui voyagent dehors. Pour nous laisser passer, ils posent un pied sur un tampon qui bouge dangereusement et se tiennent d'une main à la barre de maintien de la voiture. Ce numéro d'équilibriste n'épate pas Abou Aziz qui réclame les billets. Les plus agiles ont grimpé sur le toit dès que le contrôleur est apparu.

— Je suis trop vieux pour les suivre, regrette-t-il.

Le wagon de troisième classe comporte peu de banquettes. Les gens sont debout, assis, couchés, recroquevillés entre les sacs de doura, de chiffons, de légumes. Ils broutent du kat. Un homme accroupi par terre mâche son herbe face à un chevreau. L'animal fixe son maître en mastiquant les tiges qui traînent autour de lui. L'humain est perdu dans ses pensées et la bête semble intriguée par ce plantigrade d'un nouveau genre qui imite les chèvres.

Aziz ne s'intéresse pas à ces scènes zoologiques. Il préfère réveiller un groupe de femmes qui font semblant de dormir. Il soulève sans ménagements le voile qui couvre leur visage. Elles ne s'en offusquent pas. C'est la règle du jeu mais elles se font tirer l'oreille pour mettre la main à la poche. La discussion s'éternise. Les matrones comptent avoir le contrôleur à l'usure.

— Tu es pauvre comme nous. Pourquoi veux-tu nous prendre notre argent ? dit l'une, presque à voix basse.

— Que l'on paye ou pas, qu'est-ce que ça change ? La compagnie ne sera pas plus riche pour autant, argumente une autre.

— Pourquoi je payerais pour ce train pourri qui est en retard et où l'on risque sa vie ? s'insurge une autre, faussement en colère.

1. La gare d'Addis-Abeba.

2. Le Club des cheminots où l'on joue à la pétanque.

3. Salle de réunion des Wagons impériaux offerts par la reine d'Angleterre au négus Haïlé Sélassié.

4. Les voleurs des fils de téléphone en cuivre sont emprisonnés dans un wagon à bestiaux en gare d'Addis-Abeba.

5. Le train sur les hauts plateaux du Choa.

6. Accident entre le train et un camion avant Nazareth.

7. Les ateliers de la gare de Diré Daoua.

8. Une termitière dans la casse du chemin de fer à Diré Daoua.

9. Le conducteur à côté de sa locomotive touchée par une roquette.

10. André Ducamp, directeur de la plus vieille Alliance française d'Afrique, fondée en 1908 à Diré Daoua.

11. L'ancienne usine électrique transformée en fabrique de pâtes par Henry de Monfreid.

12. Arrivée des caravanes de dromadaires à Diré Daoua.

13. Famille Oromo devant son toucoul sur la route de Harar.

14. Le marché du khat à Awedeï.

15. La prétendue maison de Rimbaud à Harar.

16. Le père Émile devant la ferme d'Henry de Monfreid à la sortie de Harar.

17. Le train dans le désert de l'Ogaden; le pare-brise est étoilé par une balle.

18. Croisement avec le « Hassan Djog ».

19. Aux arrêts dans le désert, les nomades Issas proposent de la viande de chèvre aux passagers.

20. Le train s'arrête pour que l'électricien de bord répare le fil du téléphone coupé par les vautours.

21. Frontière de Djibouti, les passagers sont parqués dans un hangar grillagé pour démasquer les clandestins.

22. Les Djiboutiens achètent le khat du Harar aux trafiquants éthiopiens.

photos : © Patrick Forestier

Abou Aziz reste impassible. Il ne veut pas palabrer ni polémiquer.

— Si vous voulez vous plaindre, écrivez au directeur général. Vous êtes dans le train, vous devez avoir un billet, s'obstine Aziz.

Il reste planté devant elles, les jambes écartées pour ne pas tomber à chaque embardée. De guerre lasse, les grosses mégères sortent leur argent et le contrôleur écrit sur son carnet à souches le prix du billet, agrémenté d'une taxe supplémentaire pour la fraude. Les matrones s'insurgent.

— C'est le règlement, répond Aziz en montrant du doigt les phrases écrites au-dessus des portes : « Tout voyageur non muni de titre de transport valable doit s'acquitter du prix du billet majoré de 50 %. Messieurs et mesdames les voyageurs sont invités à exiger du contrôleur pour tout paiement effectué en cours de route la délivrance d'un billet. »

Interloquées, elles regardent ce charabia sans comprendre Aziz traduit en leur tendant un reçu et tourne les talons. Le suivre dans le wagon de troisième, c'est participer à une mêlée de rugby. Il pousse des voyageurs, manque de trébucher sur des femmes habillées de jupes de toile. Celles-ci sont vraiment issues de la brousse. Elles sont belles mais leurs regards farouches dégagent une animalité qui fait froid dans le dos. Aziz n'en a cure. Il poursuit son chemin en marchant sur des corps enchevêtrés abrutis de chaleur et de kat. De la salive blanche marque la commissure de ses lèvres.

— Ton billet, demande-t-il à un berger qui mesure deux fois sa hauteur.

L'homme est armé d'un fusil d'assaut M16 qu'il porte en bandoulière ; l'inconnu ne répond pas, regarde un instant Aziz d'un air dédaigneux qui ne dit rien qui vaille. Puis il met la main à la ceinture de son pagne d'où il extirpe son billet. La présence de deux policiers armés qui collent le contrôleur a permis d'éviter un drame. Ces pasteurs ont leur fierté et la gâchette facile.

Soudain, le train freine puis s'arrête dans un bruit aigu. Nous sommes arrivés à Mehesso. A l'avant, le blessé est descendu sur le quai. Ses yeux vitreux n'annoncent rien de bon. Il n'y a plus que les gris-gris qu'il porte autour du cou qui puissent le sauver.

CHAPITRE X

La gare de Mehesso comporte plusieurs voies. Un autre train attend à côté du nôtre, machine arrêtée. Les voyageurs vaquent sur le ballast. Ceux qui sont restés dans les voitures parlent à travers les baies ouvertes avec les nouveaux arrivés et montrent du bras la direction de Diré Daoua. Il se passe visiblement quelque chose.

— Les rails ont été démontés. Il faut attendre. Il y a eu des tirs ce matin. L'armée est sur place et les ouvriers sont en train de réparer.

— Et le train qui était avant nous ?

— Il devra partir en premier, répond Séraphin, la mine déconfite.

Lui comme moi, nous nous voyons passer la nuit ici. Le chef de gare est plus confiant. A l'écouter, la voie est déjà en ordre. Ce n'est qu'une question de minutes.

— Qui a déplacé les rails ?

— Des bandits, affirme le chef de gare qui ne désire pas s'étendre sur le sujet.

Le préposé s'escrime à composer un numéro sur un poste noir en bakélite. Il hurle dans le téléphone mais il n'y a personne au bout de la ligne. Il raccroche violemment le combiné pour en saisir un autre, encore plus vétuste. De la main gauche, il actionne rageusement la manivelle de ce nouvel engin. Après plusieurs essais infructueux, il réussit à obtenir une opératrice et demande un numéro.

— Aucun des chefs n'est présent.

Il faut qu'il rappelle, le temps qu'on en trouve un, explique Séraphin. A l'époque des Français, cela ne risquait pas d'arriver. Celui qui n'était pas à son poste avait un blâme. S'il récidivait, c'était la porte. Et les trains arrivaient à l'heure, maugréait-il encore en faisant les cent pas dans la pièce vide.

Comme de coutume, le bureau du chef de gare est meublé sommairement. Sur sa table, traîne un vieux cahier épais à couverture cartonnée où sont annotées, en français, les heures d'arrivée et de départ des trains ainsi que les anomalies remarquées sur chaque convoi. Un coffre-fort gris, muni d'une poignée en laiton, fabriqué par les établissements Gallet, 66 boulevard Magenta, en impose près de la porte.

— Il abrite la recette, précise Séraphin.

Je n'ose pas demander à combien elle se monte. Face au coffre, un slogan de l'ancien régime barre toute la pièce. On y lit : « Travaillez plus, sinon vous n'aurez rien à manger », traduit Séraphin en ricanant des idioties de Mengistu. A l'extérieur, une fresque du plus pur réalisme socialiste couvre tout un mur. Un soldat et un paysan, unis dans l'effort, moissonnent un champ de blé doré avec un sourire radieux.

Avec deux rames en gare, la plate-forme de Mehesso connaît une activité inhabituelle. Les vendeurs de graines et de beignets se démènent autour des voitures pour approvisionner les gens affamés. Une ribambelle de gosses colle à mes pas. Ils me dévisagent et éclatent de rire en me montrant du doigt. Les adultes se contentent de me regarder, étonnés de voir ici un Blanc. Un homme à la mine renfrognée ne semble pas cependant apprécier ma présence. Il m'aborde pour me poser des questions que je ne comprends pas. Séraphin, appelé à la rescousse, fait office d'interprète.

— Il demande comment vous vous appelez.

Je décline mon identité, mais cela n'a pas l'air de suffire.

— Il veut votre passeport.

Je lui tends le document. L'inconnu regarde la photo et fait semblant de lire les caractères romains qu'il ne comprend pas.

— Il dit que vous n'avez pas le droit d'être là.

A voir son air suspicieux, il doit être un membre des anciens comités populaires qui pullulaient dans le pays avant la fuite de Mengistu. Délateurs pendant la révolution, ces petits chefs avaient des pouvoirs immenses dans les villages où ils pouvaient faire arrêter qui bon leur semblait. Son regard mauvais et sa face de collabo m'encouragent à lui tenir tête.

— Demande-lui qui il est.

Séraphin, de plus en plus gêné, pose la question du bout des lèvres. L'autre répond d'un ton sec. Il est furibond et cela ne me déplaît pas. Je le sens gêné, ne sachant pas à qui il a affaire.

— Il ne veut pas répondre, dit Séraphin.

— A quel titre pose-t-il des questions ? S'il est policier, qu'il me montre ses papiers !

Séraphin hésite. Il y a quelques mois, nous aurions été amenés en prison depuis longtemps.

— Monsieur Patrick, je vous en supplie, montrez-lui votre laissez-passer. Ce type est dangereux, supplie Séraphin.

— Ne t'inquiète pas. Il va patienter encore un peu. Ce n'est pas en répondant à toutes ses questions qu'on aura la paix pour autant.

Au fur et à mesure de la traduction, j'observe avec satisfaction sa tête se décomposer. Séraphin tente d'arrondir les angles en précisant que j'ai la permission de prendre le train et de m'arrêter dans les gares. L'inconnu ne veut rien entendre. Il me voit espion, saboteur, maquisard du Front de libération oromo.

— Il ne vous croit pas ! Il dit que vous n'avez rien à faire ici et que la gare est un objectif militaire.

De guerre lasse, j'extirpe mon sésame, soigneusement plié en quatre, écrit en amharique sur du papier pelure et signé par le directeur général du chemin de fer. L'homme lit, tend la feuille à Séraphin et tourne immédiatement les talons pour disparaître dans la foule.

— Il a perdu la face, murmure Séraphin, pas fâché d'avoir joué un mauvais tour à ce paranoïaque.

— Ils sont chez eux et n'aiment pas beaucoup les étrangers, ajoute-t-il en marchant vers le bouna-biet le plus proche.

Le bistrot en face de la gare est une petite maison sombre qui s'ouvre sur le terrain vague qui sépare, de ce côté-ci, les voies du village. A l'intérieur, deux soldats boivent une bière. L'un porte un uniforme beige et l'autre une tenue camouflée. C'est tout ce qui les différencie. Sinon ils ont la même tête de Tigréens, une kalachnikov chacun et autant de grenades autour de la taille. Leurs yeux rougis et leur façon de se dandiner pour demander deux autres bouteilles montrent qu'ils en ont déjà vidé une caisse. Une serveuse plutôt moche officie derrière le comptoir en formica bleu et blanc, décoré de deux gros cœurs rouges. Sur les étagères, seules une dizaine de bouteilles de cognac, d'ouzo, et d'alcool distillé éthiopien, sont exposées. Des lampions dorés et une guirlande de Noël complètent la décoration de cet établissement qui se transforme en bordel le soir.

La faible lumière qui filtre à travers les volets à claire-voie éclaire à peine les murs jaunes et le soubassement marron de la salle où trône une seule publicité : « Ici, on vend le café d'Oromia. » Espérant ne vexer personne, je commande du thé. C'est tout ce que nous pouvons obtenir. Je devrai conserver la faim qui me tenaille l'estomac. Il n'y a même pas de pain. La femme apporte le breuvage fumant en traînant les pieds. Elle affiche une mine dégoûtée. Non pas que le thé à la cannelle, d'ailleurs excellent, la rebute mais c'est plutôt de traverser la salle qui la fatigue, même si nous sommes, avec les soldats, les seuls clients. N'osant pas commander une deuxième boisson, nous nous levons, sans que personne cherche à nous retenir, ne serait-ce que par un simple sourire.

Dans son bureau, le chef de gare se démène toujours avec ses téléphones. Il a fini par obtenir l'homme idoine à Diré Daoua. L'autorisation de départ est donnée. Il faut maintenant qu'il joigne le chef de la gare suivante, distante de 40 kilomètres. Mais c'est, semble-t-il, plus facile de téléphoner au loin que tout près.

En travaillant d'arrache-pied depuis le matin, les ouvriers ont remis les rails en place. Dehors, la ZA 102 Billard, sortie des ateliers de Tours en 1964, est toujours silencieuse. C'est pourtant cette rame qui doit partir la première. A côté, notre autorail tourne au ralenti. Le conducteur n'a pas coupé le moteur. Bien lui en a pris. Son collègue a beau s'escrimer à faire démarrer la ZA, rien à faire. Il tripote çà et là des manettes, desserre des boulons, s'agite le long des cylindres. Ses essais restent infructueux. J'apprends, si j'ai bien compris, que le moteur principal est lancé par un deuxième, plus petit, qui refuse de se mettre en route, faute de courant dans les batteries.

Après le sabotage, voilà que la mécanique nous lâche. Je demande à Séraphin de se renseigner.

— N'y a-t-il pas de batterie de rechange dans la gare, un chargeur rapide, un appareil qui permettrait de faire démarrer ce maudit moteur ?

— Non, répond Séraphin qui, sûr de sa réponse, ne prend même pas la peine de se renseigner auprès des agents. Les pièces de rechange, c'est ce qui manque le plus. Mais je crois que les conducteurs ont une idée.

L'aide revient en effet d'un hangar voisin en traînant derrière lui deux gros fils de fer longs d'une quinzaine de mètres. Le conducteur en saisit les extrémités pour les plonger dans la partie électrique du moteur. De l'autre côté, Makonnen présente les fils devant le générateur en marche. Déployée en arc de cercle, la foule observe le manège avec beaucoup d'intérêt. Des enfants s'amusent à courir sous les fils dénudés. Je préfère reculer car cette expérience osée risque de se terminer en catastrophe. Il y a là de quoi électrocuter la moitié des badauds dans une gerbe d'étincelles. Conscients du danger, les conducteurs houspillent les gosses et demandent aux passagers de s'éloigner. Ceux-ci reculent de deux mètres, nul ne voulant perdre une miette de ce spectacle insolite.

Tout est enfin prêt. Les commentaires cessent et la foule retient son souffle.

— Stop ! crie l'aide en sautant de sa locomotive.

Les fils de fer se sont mélangés en spirale. Le moyen le plus sûr de provoquer un court-circuit qui ne manquerait pas de griller le seul alternateur valide, celui de notre autorail. L'aide démêle la pelote de câble puis remonte à bord de sa machine. L'expérience peut commencer.

Nouveau silence. Rien ne se passe. Le moteur en panne ne se manifeste pas. A chaque tentative, les gamins observent les fils comme s'ils s'attendaient à voir le courant couler comme de l'eau dans un tuyau d'arrosage. Si l'expérience réussit, ils seront déçus. Ils ne comprendraient pas comment l'électricité, ce fluide magique, peut suivre un simple fil en restant invisible. Après une demi-douzaine d'essais, les enfants sont confortés dans leur raisonnement.

— Les cheminots ont vraiment de drôles d'idées, lance l'un deux, la tête rasée à cause des poux.

Égoïstement, je ne suis pas mécontent que le système D n'ait pas réussi. Sinon nous partions en deuxième position derrière un train qui pouvait tomber en panne ou dérailler. Makonnen est déjà aux commandes. Les coups de sifflet retentissent dans Mehesso, subitement agité d'une fébrilité inhabituelle. Ceux qui étaient allés dans le village acheter des poulets ou des sacs de doura supplémentaires rappliquent en courant. Je reste stupéfait de voir combien notre rame peut contenir de passagers au-dedans et au-dessus. Sur le toit, de jeunes Djiboutiens pleins de kat me lancent en rigolant :

— Viens avec nous, c'est business class !

Je les remercie mais je préfère rester où je suis.

⁂

Aziz, le contrôleur, nous a rejoints dans la cabine.

— Je souffle un peu avant de repartir derrière, dit-il en choisissant les plus belles feuilles sur une branche de kat. Je broute pour tenir le coup !

Aziz est yéménite. Avec ses lunettes à monture marron, sa moustache grise, et la petite coiffe musulmane qui couvre le sommet de son crâne, il ressemble à un boutiquier du souk d'Aden, assis en tailleur derrière des sacs d'épices et de pistaches. Son père était marchand de café à Koffiah. Puis il a émigré à Diré Daoua au pied du massif du Harar où pousse également le moka, le meilleur café du monde. Aziz aurait pu travailler avec lui. Il a préféré entrer au chemin de fer.

— En 1961, la compagnie offrait un emploi sûr et

bien rémunéré. Quand je suis devenu contrôleur, il y a dix-huit ans, je pouvais encore travailler. Maintenant, c'est impossible. On risque la mort à chaque voyage !

Aziz, lui aussi, est un rescapé de l'autorail 103.

— L'explosion a projeté les bagages sur ma tête. J'ai eu mal à l'épaule, c'est tout. Je suis un miraculé. Chaque année, au mois de janvier, je sacrifie un mouton pour les pauvres. Je remercie Dieu de m'avoir laissé en vie.

— Après cet accident, n'avez-vous pas eu envie de quitter le chemin de fer pour reprendre le commerce de votre père ?

— Je n'ai pas voulu. A l'époque, mon salaire de 300 dollars éthiopiens était suffisant. Aujourd'hui, avec le double, je ne m'en sors pas. Mais l'important, c'est que Dieu me garde en bonne santé. Omar, mon jeune frère, a gagné 10 000 dollars à la loterie. Il travaillait à peine depuis un an au dépôt. Il a démissionné pour se lancer dans le commerce. J'aurais pu travailler avec lui. Mais au chemin de fer, je me sens chez moi. J'y ai tous mes amis.

Le train a repris sa vitesse de croisière. Nous franchissons des petits ponts plus étroits que le gabarit de la machine. A chaque fois, j'ai l'impression que nous roulons dans le vide. Un couple de phacochères traverse la voie, suivis de leurs petits qui trottinent la queue en l'air.

— Les Français les chassaient. Les Européens mangent tout, remarque le contrôleur sans méchanceté.

Jusqu'à Afden, arbustes, taillis et cactus se succèdent lentement. A bord, c'est le silence. Aziz et les conducteurs broutent du kat, les yeux dans le vague. Des guibs harnachés détalent à notre approche. A plusieurs reprises, des chacals coupent la route sans se presser.

Un choc nous fait sursauter. La machine aurait-elle

pulvérisé un gros caillou qui serait passé sous le chasse-pierres ? Les passagers sont aux fenêtres. Ils craignent un nouveau sabotage. Il n'en est rien. En fait de caillou, c'est une malheureuse tortue géante, le seul animal qui est plus lent que nous, qui est passée sous le train. Des morceaux de chair, collés contre la carrosserie, témoignent de la violence du choc et rassurent tout le monde.

Au moment où je regarde ma montre, Makonnen s'esclaffe.

— Ça n'est pas comme sur le TGV. Il faut être patient. A combien roule-t-on en France ? me demande-t-il.

— Pour couvrir Paris-Lyon, soit 450 km, le TGV met deux heures. En pointe, il dépasse les 300 km/h.

— Pfou ! souffle Makonnen. C'est incroyable. J'aimerais voir ça un jour ! Ici, c'est impossible de rouler à une telle vitesse. Avec les vaches et les hommes qui marchent sur les rails, ce serait un véritable massacre. 300 à l'heure, c'est incroyable ! répète-t-il.

— Le TGV a battu également le record du monde de vitesse à plus de 400 à l'heure sur un tronçon préparé à cet effet.

— Comment peut-on rouler aussi vite en train ? dit-il.

— Et ici, nous roulons à 40 à l'heure, lâche-t-il comme s'il réfléchissait à haute voix.

— Brouter, ce n'est pas recommandé pour piloter un TGV. Alors, ce train n'est pas bon pour l'Éthiopie.

Les deux autres rient de bon cœur. L'aide frappe d'un coup sec une branche violette de kat contre le tableau de bord. Il en choisit les meilleures feuilles et les offre à son camarade. A ce moment, ils ont oublié qu'une rafale de pistolet-mitrailleur peut subitement transformer leur joie de vivre en drame. Ils ne pensent plus, du moins ils ne le montrent pas, aux hommes qui sont peut-être embusqués dans le prochain virage.

— Avant la guerre de l'Ogaden, la région était infestée de lions. Ils venaient la nuit dévorer les vaches et les buffles. Ils ont fui devant les combats. Les soldats ont abattu les derniers, explique Aziz.

Pour grimper la pente qui mène à Bicket, Makonnen met la gomme. Les 600 CV de l'autorail donnent leur puissance maximale sans guère de résultat. La tôle qui nous sépare du moteur est si chaude qu'il est impossible de s'appuyer dessus. Un homme au pas avancerait aussi vite que nous. Noyée dans le bleu des collines chemine une colonne de dromadaires lestés chacun de quatre ballots. Bicket est à majorité issa comme en témoigne le minaret de la mosquée qui se détache au loin. Des caravanes chargées de sel viennent jusqu'ici, depuis Djibouti, traversant le désert à pas lents et réguliers avant de suivre les pistes qui montent jusqu'à 1 100 mètres d'altitude.

Peu avant la gare, un wagon de marchandises gît en contrebas. Le châssis est tordu et les parois en acier sont froissées comme du papier aluminium. Une paire d'essieux repose dans les herbes. Le sol, marqué de profonds sillons, a été labouré par les voitures qui ont versé dans le ravin.

Makonnen ralentit au maximum. Les rails, rafistolés pour parer au plus pressé, sont tordus et posés en accordéon. A peine arrivé, Makonnen actionne son sifflet. Il ne tient pas à marquer un arrêt trop long à Bicket.

La nuit approche. Il vaut mieux parcourir le maximum de kilomètres avant l'obscurité totale. Nous repartons. Les gens courent derrière nous. Ils sautent sur les marches en riant. Des huttes sphériques tendues de toiles rapiécées bordent la voie à la sortie du village. Armes à l'épaule, des soldats tigréens partent en patrouille dans les collines. Ils vont rester sur le terrain toute la nuit à surveiller les abords de Bicket. Rien d'exceptionnel pour eux. Il n'y a pas si longtemps, ils n'étaient que de simples maquisards qui affrontaient l'armée gouvernementale. Ils n'ont pas leur pareil pour suivre une piste, tendre des embuscades, piéger une route. Les combattants oromo l'ont appris à leurs dépens. La lumière tombe d'autant plus vite que le ciel s'obscurcit à l'horizon. Des éclairs zèbrent la masse noire et compacte qui s'accumule devant nous. Le trajet jusqu'à Diré Daoua risque de se terminer sous la pluie. Une épreuve de plus pour les conducteurs qui auscultent la voie en clignant des yeux. Avec ce temps de chien, les gens hésitent à mettre le nez dehors. C'est le moment idéal pour effectuer un coup de main. Makonnen est payé une misère. En cas de blessure, il n'existe pas d'assurance. Blessé, handicapé, le conducteur quittera la compagnie avec sa retraite, s'il compte assez d'ancienneté. En guise de prime, il a droit chaque année à un bleu de chauffe et à une paire de chaussures noires.

Makonnen détaille les conditions de vie des roulants. On ressent chez lui un soupçon d'amertume.

— Si, entre Paris et Dijon, les trains étaient attaqués à coups de bazooka, la SNCF trouverait-elle des agents pour conduire les rames ? demande naïvement l'aide. Existerait-il des volontaires pour piloter un matériel aussi vétuste qui peut vous envoyer au paradis à tout moment ? dit-il encore.

La nuit est tombée et l'inquiétude est née avec elle. Nous sommes encore sur le tronçon dangereux. Après Errer, nous serons sortis d'affaire. Makonnen a allumé les feux. Seul le projecteur du haut dispense de la lumière. Les deux phares du bas ne fonctionnent pas, faute de lampe de rechange. Du plafonnier émane une lumière blafarde. La cabine éclairée fait de nous une cible idéale dans l'obscurité.

— Les lampes du tableau de bord ont grillé. On n'a pas le choix ! explique Makonnen.

Autour de nous, l'orage gronde. Des éclairs blancs strient le ciel à la vitesse d'un flash électronique. Grâce à ce stroboscope géant, je découvre une autre patrouille de soldats qui marchent parallèlement à la voie.

L'électricité n'arrive pas jusqu'à Gotha. Makonnen stoppe la rame devant un alignement de cabanes en tôle et en torchis au moment où les premières gouttes commencent à tomber. Le train est attendu. Des sacs de mangues, de citrons verts, d'oranges et de papayes sont prestement montés à bord au milieu des cris et des bousculades. Avec la pluie, il fait presque froid. Les gouttes sont lourdes et épaisses. Elles s'écrasent sur le pare-brise avec la même densité qu'un jaune d'œuf jeté au fond d'une poêle. Aziz boit un verre d'eau pour éliminer le goût amer du kat resté dans sa gorge. Il ne retourne pas contrôler les passagers. A quoi bon ? Impossible, sans lumière, de découvrir les fraudeurs. La nuit, le train devient gratuit par la force des choses.

L'aide m'offre un *fichta*, un fruit vert à chair blanche.

— C'est bon pour l'estomac, me dit-il.

A chaque voyage, il fait ses courses. En brousse, les produits sont moins chers et plus frais. Un sac de patates douces est à ses pieds. Il veut à tout prix que je goûte un morceau de ces tubercules, longs et torturés. La chair immaculée est bizarrement sucrée.

Il pleut maintenant à torrents. Les essuie-glaces ne fonctionnent pas et de véritables seaux d'eau tombent sur le pare-brise. Les bouffées d'air frais qui pénètrent par intermittence dans la cabine à travers les fenêtres entrouvertes, donne le frisson après la canicule de l'après-midi ; le fait d'avancer quasiment en aveugle provoque un sentiment de malaise. Si les maquisards oromo se sont amusés à déboulonner les rails, il sera difficile de s'en apercevoir.

Le train, tout à coup, s'arrête. Dans la cabine, on n'a

ressenti aucun choc. Mais il arrive qu'un wagon déraille à l'arrière, sans que le conducteur se doute de quelque chose. En roulant sur le ballast, il arrache les traverses et met la voie en charpie sur des kilomètres. Sinon, il se décroche.

L'aide revient trempé en bougonnant. Ce n'est rien. Un voyageur a tiré le frein d'urgence d'une voiture.

— Ils tirent sur la poignée, soit pour s'amuser, soit parce qu'ils veulent descendre rejoindre leurs villages entre deux haltes. Les paysans estiment que le train leur appartient. Ils le stoppent où bon leur semble.

Au détour d'une courbe, des lueurs de phares apparaissent à travers le pare-brise inondé. Makonnen n'est pas inquiet. Un convoi qui arrive de nuit en sens inverse, sur une voie unique, n'est pourtant pas une nouvelle rassurante.

— C'est un train de marchandises qui va à Mehesso. Il attendra à Errer. De toute manière, il ne repartira pas avant l'aube pour traverser la zone critique, dit-il, sûr de lui.

— On ne sait jamais ! Il se produit parfois des événements si étranges sur cette ligne, dis-je.

— S'il s'avisait de venir vers nous, on ferait des appels de phares ! répond-il le plus sérieusement du monde.

Lorsque nous entrons en gare, le convoi est sagement à l'arrêt. Errer est une station thermale appréciée, paraît-il, des rhumatisants. Il y pleut comme vache qui pisse et l'humidité ne doit pourtant pas soulager les articulations.

Le chef de gare frappe à la portière. Il vient donner la feuille de route, mais surtout approvisionner les conducteurs en kat et en cigarettes américaines apportées en contrebande à dos de dromadaire. Il ne s'intéresse pas aux dizaines de passagers clandestins qui hantent le train de marchandises. Une famille s'abrite tant bien que mal sous une bâche. Les enfants blottis les uns contre les autres ressemblent à une couvée d'oisillons transis. Les vieux wagons à bestiaux, eux, sont habités par des hommes qui cohabitent avec les animaux. Entre deux camions accidentés, des femmes ont tendu un plastique à moitié déchiré. L'une d'elles serre sur sa poitrine un nouveau-né emmitouflé dans une couverture trempée. En un instant, la misère de l'Éthiopie apparaît sous la pâle lumière de notre unique phare.

Makonnen donne le signal du départ. Des gamins se mettent en travers de la voie, la tête encapuchonnée dans le haut de leur tee-shirt. Ils défient notre cyclope en imitant des mouvements désordonnés de kung-fu qu'ils ont probablement vus en regardant une cassette de Bruce Lee, venue elle aussi de Djibouti à travers le désert.

A partir d'Errer, le chemin est sauf. La région, davantage peuplée, est mieux quadrillée par l'armée.

Deux néons laiteux éclairent une façade lépreuse, la gare d'Ourso. La rame est prise d'assaut par les paysans. Haricots, bananes, pommes de terre, ananas, mangues, citrons sont chargés pour approvisionner les marchés de Diré Daoua. A ce stade, le train n'est plus une entreprise commerciale mais un service public. Le règlement est jeté par-dessus bord. Il y va de la survie des cultivateurs qui n'ont pas d'autres moyens pour expédier leur récolte.

En cinq minutes les fourmis ont terminé leur travail nocturne. L'aide, penché à la fenêtre, regarde avec sa lampe si les clandestins sont bien accrochés. Les voitures sont pleines à craquer et, les derniers kilomètres, la rame ressemble à une ruche couverte d'abeilles. L'amorce d'une côte en ligne droite nous autorise le 55 kilomètres à l'heure. Makonnen pousse sa machine à fond mais nous n'arrivons pas à dépasser le 45. Une légère pente aide enfin à rejoindre les lumières scintillantes de Diré

Daoua. Le train a pris de la vitesse. Tant et si bien que Makonnen met le moteur au ralenti. En roue libre, le compteur marque 65 à l'heure. Un record ! Un dernier faux plat et nous y serons. Ma joie est de courte durée. La rame s'arrête. L'aiguille du manomètre descend à nouveau. On a encore débranché le tuyau du frein à vide !

A l'arrière, des ballots sont jetés sur le ballast, des sacs sont sortis par les fenêtres. Des ombres s'agitent autour des portières. Makonnen donne du sifflet pour faire accélérer le transbordement.

La pression remonte au cadran. L'aide passe derrière pour jeter un œil sur le moteur. Il s'est armé de sa lampe comme un soutier qui descendrait au fond de la cale d'un navire. Le convoi s'ébranle, j'espère pour la dernière fois. La lumière qui apparaît entre les nuages, maintenant clairsemés, diffuse une clarté suffisante pour distinguer la colonne des trafiquants, qui marchent à travers champs, chargés comme des mulets. Ils partent stocker leur marchandise dans un village, connu de tous, mais où la douane ne va jamais. Aucun mystère là-dedans. Chacun y trouve son compte.

Peu à peu la brousse devient habitée. Nous longeons une cimenterie illuminée. La voie contourne ensuite une huilerie. Les huttes ont disparu pour laisser place à des constructions en pisé. Makonnen ralentit avant de franchir un portail grillagé qui délimite le périmètre de la gare. Deux minutes plus tard, il arrête le train contre un vrai quai en béton. Nous sommes arrivés en gare de Diré Daoua. La rame vomit ses hommes et sa misère, attendus de pied ferme par des douaniers et des policiers armés de bâtons. Dans la cabine, mes compagnons rassemblent leurs provisions. Le train n'a pas été attaqué. Ils sont épuisés mais heureux.

Il est près de 22 heures.

CHAPITRE XI

Sur le pont d'Avignon, on y danse, on y danse
Sur le pont d'Avignon, on y danse tous en rond

La comptine trotte dans ma tête comme dans un rêve. « Sur le pont d'Avignon... » La ritournelle se poursuit. Je viens pourtant d'ouvrir les yeux au fond d'un lit douillet. Je réalise enfin. Je suis à Diré Daoua. L'air du ventilateur achève de me réveiller. Je sors sous la véranda, les yeux gonflés de sommeil. Il est 9 heures du matin et la chaleur est déjà forte. Derrière les arbres du jardin, des enfants de 5 ou 6 ans font la ronde en chantant. Les petites Éthiopiennes en socquettes, chemisette blanche à dentelles et robe bleu marine, arborent des coiffures soigneusement élaborées en de multiples petites tresses ornées de rubans roses.

Ma mine étonnée fait sourire André Ducamp. Le directeur de l'Alliance française n'a pas failli à sa réputation. Son accueil, la veille, a été des plus chaleureux.

A Diré Daoua, M. Ducamp est aussi connu que le général de Gaulle, le négus, Mengistu ou le président actuel Meles Zenawi. L'Alliance française est, sans nul doute, la meilleure école de la ville. Les parents se bousculent pour y placer leurs enfants. Mais surtout, connaître le français c'est trouver du travail au chemin de fer. Les cheminots apprennent notre langue à l'Alliance. Leurs enfants aussi, dans l'espoir de devenir également cheminot un jour. André en est très fier. A Diré Daoua, André, c'est Jules Ferry. Il y a aussi chez André du Marcel Pagnol. Les petits Éthiopiens regardent leur directeur avec autant d'admiration que le petit Marcel en avait pour son instituteur de père.

Ce Niçois, taillé dans la masse, a eu très jeune la vocation de l'enseignement. Mais lorsqu'on est né sous le soleil et au bord de la mer, il est difficile de se retrouver instituteur en banlieue.

Dès qu'il le put, il s'en échappa. C'est le service militaire qui lui en donna l'occasion. Il ne signa pas un engagement pour devenir marsouin dans la colo ; mais comme volontaire de l'assistance technique à Diégo-Suarez. Apprendre notre langue aux petits Malgaches était autrement plus gratifiant.

André ne pouvait pas mieux tomber. A Diégo-Suarez, sa vocation d'enseigner était enfin récompensée. Il découvrait dans l'île de la vanille un autre monde, une manière inédite de vivre. Les fonds du canal du Mozambique étaient pour lui un véritable enchantement. Sa passion des coquillages date de cette époque. Plonger pour découvrir un spécimen rare était presque devenu une drogue. La métropole lui paraissait bien loin et bien fade.

Après Madagascar, André fut muté à la Réunion. Il ne devait plus remettre les pieds en métropole. Son fief, c'était « Bois de Nèfles » sur la commune de Saint-Paul. Là aussi, il y avait à faire. Le jeune directeur d'école André Ducamp ne ménageait pas son énergie. Il tâta même de la politique, toujours folklorique sous les tropiques. Lorsqu'il est en forme, André s'amuse à parler le créole. L'accent est parfait. « Il valait mieux l'apprendre, sinon je ne comprenais pas mes élèves », dit-il. Chaque dimanche, André était à la mer. Il connaît la côte comme sa poche. Pendant les vacances, il partait explorer les fonds des Comores, à tel point qu'il devint l'un des dix premiers collectionneurs de coquillages du monde. Un club très fermé avec ses règles, ses folies, son argus des prix. Il lui arrive encore de recevoir une lettre d'un Chinois de Hongkong ou d'un Américain de Los Angeles qui lui propose d'acheter ou d'échanger une pièce.

Aujourd'hui, André ne plonge plus. Un jour, on lui a proposé un poste à Accra, au Ghana. Diriger un lycée français dans un pays anglophone, voilà qui était un défi à sa mesure. Sonia, sa femme institutrice rencontrée à la Réunion, l'accompagnait. Pendant trois ans ce ne fut pas triste. Accra n'est pas un modèle de développement et les militaires du bouillant capitaine Jerry Rawlings, un récidiviste du coup d'État, créaient parfois de l'animation dans la capitale.

Le poste de directeur de l'Alliance française de Diré Daoua était vacant mais il n'y avait pas beaucoup de candidatures. Celle d'André était même la seule. Il faut avoir de la constance pour accepter de vivre isolé dans ce qu'il faut bien appeler, comme aime à le répéter André, le « trou du cul » de l'Afrique. Mais André a dit banco ! Il ne l'a pas regretté.

Quelques mois après son arrivée, il est pourtant resté bloqué avec Sonia trois jours dans son école. Dans les rues, l'armée de Mengistu affrontait les maquisards tigréens à coup d'armes automatiques et de bazookas. Après maintes péripéties, un Transall français est venu de Djibouti les récupérer en se posant en catastrophe sur l'aéroport de la ville, tandis que deux Mirages aux cocardes bleu-blanc-rouge tournaient au-dessus, prêts à intervenir.

Une fois revenus, ce sont les Oromos, les Issas, les Tigréens qui se sont étripés, chacun leur tour. André en a pris son parti.

Personne jusqu'à présent ne s'est attaqué à eux. André ne fait pas de politique. Il apprend à lire et à écrire le français aux enfants de toutes les ethnies. Toutes sont unanimes au moins sur un point : il faut respecter l'Alliance française.

André dispose de peu de moyens mais a des idées. Une fois par mois, les parents sont conviés à l'école et peuvent interroger les professeurs sur la scolarité de leurs enfants. Avec M. Ducamp, on ne change pas de classe parce qu'on est fils de riches commerçants ou enfant du grand chef du coin. L'école de la République a des principes. Une fois franchie la porte, l'égalité vaut pour tous.

André ne manque aucune sortie de classe. Planté au milieu de la cour, il observe les élèves qui marchent en rang jusqu'au portail surmonté d'un arc métallique, repeint à neuf. On peut y lire en lettres noires sur fond blanc : Alliance française, école fondée à Diré Daoua en 1908.

Les instituteurs de l'Alliance sont issas et amharas. Ces derniers viennent d'Addis. Elles sont trois ou quatre jeunes filles à être venues s'exiler à Diré Daoua. Elles parlent un français impeccable, même si la plupart n'ont jamais séjourné dans l'Hexagone. Qu'un étranger vienne et les questions fusent comme si, tout d'un coup, un petit air de Paris était arrivé ici. Jusqu'à l'année dernière, le ministère octroyait deux bourses aux plus méritantes pour un stage d'été de trois mois en France. A la rentrée suivante, le dé-briefing est de rigueur. Les pauvres filles ont à peine le temps de terminer une phrase que leurs collègues posent d'autres questions. Les femmes sont-elles bien habillées ? Qu'est-ce que tu mangeais ? Et les garçons ? T'a-t-on demandé tes papiers ? Et le métro ? Raconte-nous dès le début.

— A Roissy, j'ai failli me perdre. Pour aller chercher sa valise, il faut emprunter un escalator. J'ai perdu l'équilibre dessus. Cela commençait bien !...

Les autres pouffent. Normal, il n'existe pas d'escalier mécanique dans toute l'Éthiopie. Le rêve est malheureusement terminé. La France n'a plus officiellement les moyens de poursuivre cette politique. Elle dépense 50 millions de francs pour organiser à l'île Maurice le cinquantième sommet de la Francophonie mais elle ne peut plus offrir un stage pédagogique aux professeurs africains qui vont dispenser notre langue pendant toute leur vie. Quand André a annoncé la nouvelle, la déception a été immense.

— Par mesure d'économie, le stage se déroulera à Bujumbura, capitale du Burundi. Je n'y peux rien, c'est comme ça, a-t-il dit avec regret.

A Diré Daoua, les Blancs se comptent sur les doigts d'une main. Hormis André et sa femme, son adjoint, marié lui aussi, et un jeune VSN, volontaire du service national, la communauté européenne est réduite à sa plus simple expression. Elle se réunit une fois par semaine pour une partie de bridge chez Katzunov.

Le docteur Katzunov est venu pour la première fois en Éthiopie en 1971. Il n'avait pas le choix. C'est son gouvernement qui l'avait dépêché en Afrique. Il était difficile pour lui de refuser car dans la République socialiste de Bulgarie, on ne plaisantait pas à l'époque avec ceux qui émettaient un avis personnel. Pendant quatre ans, le coopérant bulgare a officié à l'hôpital de Makalé, la capitale du Tigré qui abrite le château de l'empereur

Yohannès. Le chirurgien a été ensuite muté à l'hôpital militaire de Harar, ville de garnison cubaine depuis la guerre de l'Ogaden.

Pour soutenir Mengistu, les pays frères n'avaient pas lésiné sur les moyens. Brejnev fournissait le matériel et les conseillers militaires, et Fidel Castro les hommes noirs pour la troupe (les officiers restant d'origine hispanique) qui pouvaient être pris sur le champ de bataille pour des Africains. Katzunov n'était-il que chirurgien ? Probablement.

On sait que la spécialité des Bulgares était, au sein du pacte de Varsovie, le renseignement. A bien regarder Katzunov, je ne le vois pas se balader avec un parapluie au curare. L'homme est fort, large d'épaules, un vrai joueur de rugby. Il roule les *r* et, comme les gens du Sud-Ouest, a le sens de l'hospitalité.

Dans l'hôpital de la compagnie du chemin de fer, il est le maître. Il n'impose rien. Il est simplement écouté. Lorsque le marxisme ne fut plus à Sofia religion d'État, il aurait pu rentrer au pays, ouvrir un cabinet, ou travailler dans une clinique privée. Il a choisi de vivre à Diré Daoua avec un contrat local. Le chemin de fer le paie, certes, en dollars, mais il ne gagne pas une fortune, loin de là. Il est resté parce que ici il se sent non seulement utile, mais a trouvé le bonheur. Il a épousé une Éthiopienne, Mayo, avec laquelle il a eu un garçon, Emmanuel, âgé de 7 ans, l'un des meilleurs élèves des petites classes de l'Alliance.

Les Français avaient non seulement construit des ateliers, le magasin, le dépôt, une gare, mais aussi un hôpital réservé aux cheminots. Il existe encore. Les soixante-dix chambres sont réparties dans trois bâtiments sans étage abrités sous de grands arbres qui, en saison chaude, dispensent un peu de fraîcheur. Mis à part les cuisines et la laverie rénovées il y a déjà plusieurs années, l'hôpital est resté en l'état depuis sa construction. Le dernier chirurgien français est parti en 1971. Groki Katzunov le remplace, aidé de Tesfay, un confrère éthiopien.

— Le chemin de fer est la seule entreprise du pays qui prodigue au sein de son propre hôpital des soins gratuits et prescrit des médicaments qui ne sont pas russes ou cubains, dit l'Africain.

— Ici il n'y a pas d'électronique. On fait tout à la main. L'électronique, ce n'est pas bon pour l'Afrique. Elle nécessite trop de maintenance, explique Katzunov, ironique, en regardant un stérilisateur vieux de trente ans. Voilà mon domaine. Ici j'opère tout, mais en ce moment nous manquons d'anesthésiques, dit-il en poussant la porte du bloc au sol carrelé d'un damier noir et blanc. La table d'opération est un modèle de 1914. Le seul problème, c'est qu'elle descend sur son verrin quand j'opère.

Dans la salle de radiographie, un maçon double un mur en briques rouges pour protéger l'opérateur des rayons X émis par une énorme machine fabriquée en 1956 par la Compagnie générale de radiologie de Chaumont. L'appareil est utilisé à bon escient. Pas question de prendre un cliché si ce n'est pas absolument nécessaire. Les films coûtent cher. Ces petits tracas matériels n'entament pas le moral du docteur Katzunov. Son royaume tombe en ruine, mais grâce au système D, il rend encore service.

La partie de bridge comprend un autre joueur. Il se nomme Krystos et reste le seul professeur de l'unique classe de l'école grecque de Diré Daoua. Du temps du boom ferroviaire, la communauté grecque comptait six cents membres. Beaucoup étaient de petits employés, d'autres avaient fait fortune. L'hôtel Bololakos était renommé, Henry de Monfreid y retrouvait sur sa terrasse la bourgeoisie de la ville. Son propriétaire, profondément croyant, finança la construction de l'église orthodoxe de la Sainte-Trinité. La statue de Stilianos Bololakos (1854-1936) trône toujours au milieu de la cour plantée de citronniers. Le dimanche, le gardien ouvre les portes de l'église mais aucun prêtre ne célèbre l'office. Pour maintenir une présence grecque, l'ambassade avait demandé un instituteur. Athènes dépêcha Krystos, un fils de berger, frais émoulu de l'école et n'ayant jamais mis les pieds hors du Péloponnèse. Son premier contact avec l'Afrique est rude.

Krystos se retrouve à enseigner le grec à seize élèves dont quatorze ne parlent que l'amharique. Au bout d'un semestre, le malheureux Krystos n'a guère progressé. Ses élèves sont toujours réfractaires au grec mais contemplent facilement d'un air béat les posters du Parthénon, des Cyclades et de la Crète, qui décorent le mur de la classe. Désespéré, il prend des cours à l'Alliance. Pour enseigner le grec, il utilise en effet quelques mots de français pour se faire comprendre. Cette expérience n'étant pas très concluante, Athènes a jugé que le jeune instituteur serait plus utile au Malawi.

Yanni n'est pas heureux de cette décision. Avec sa femme Adamandia, ils complètent la table de bridge. Yanni Georgalis est le président de la communauté grecque de la ville. Depuis que le pope est parti et que les vieux sont morts, elle ne comprend plus que quelques métis et, par extension, ceux qui ont embrassé le rite grec orthodoxe.

La vie de Yanni est un roman. Fuyant les massacres de Constantinople, son arrière-grand-père Cardasis avait pris le bateau jusqu'à Zeyla en Somalie pour finir douanier de Ménélik. Du côté de sa femme, la famille est originaire de Smyrne. Après les tueries perpétrées par les Turcs, l'arrière-grand-père avait immigré avec sa famille en Abyssinie. Le grand-père de Yanni et l'oncle Stavros étaient dans le commerce du transport entre Aden, Zeyla et Diré Daoua avant de s'associer avec un négociant en spiritueux. La maison Mandalides importait du whisky, du gin, des liqueurs et des vins français. Grâce à eux, on pouvait boire à Diré Daoua du chablis, du châteauneuf-du-pape et même du champagne.

Le père de Yanni s'installa à Irna, un bourg perdu dans les monts Ahmar à près de 3 000 mètres d'altitude et distant de 200 kilomètres de Diré Daoua. Il y collectait les peaux de chèvre et de vache. Deux autres familles étrangères habitaient le village. Les Atamian et les Marchikian, des Arméniens spécialisés dans l'import-export. Ils touchaient aux peaux, mais aussi au café et apportaient en brousse des produits manufacturés. La vie en pays galla n'est pas facile. Rimbaud et Monfreid qui sont passés par là en savaient quelque chose. Isolés au milieu des indigènes, les Georgalis ne pouvaient compter que sur eux-mêmes. La mère de Yanni perdit quatre enfants sur les dix qu'elle mit au monde grâce à l'aide d'une matrone éthiopienne. Inutile d'espérer la venue d'un médecin en cas de complications : il n'y en avait pas. Si la famille ne perdait pas espoir, c'est parce qu'elle était profondément croyante. Chez les Georgalis, le carême était respecté à la lettre. Pendant quarante jours, on ne mangeait ni viande, ni poisson, ni œufs et, pendant la dernière semaine, même pas d'huile. Deux jours avant la fin du jeûne, exception était faite d'une soupe de lentilles arrosée au vinaigre en souvenir de la crucifixion de Jésus qui reçut du vinaigre lorsqu'il demanda à boire.

Yanni n'a pas oublié non plus ses parties de jeu avec les autres enfants éthiopiens, les longues courses dans les montagnes au milieu des animaux sauvages. Il parle amhara, oromo, arabe. Petit, il a observé les croyances des Africains.

— Lorsqu'une vache s'est égarée, le sorcier prononce sept fois un vœu pour la protéger. Elle ne sera pas mangée par le lion ou la hyène, raconte Yanni.

En 1948, le malheur s'abat sur la région. La guerre, une de plus, entre Issas et Afars provoque des massacres. Des villages sont brûlés, les routes coupées. Le père de Yanni perd beaucoup d'argent. Sa famille ne peut plus rester isolée dans la montagne. Trop dangereux. Il faut descendre à Diré Daoua. Les Georgalis sont ruinés. Yanni est encore jeune et n'a pas de métier. Un homme a pitié de lui et le prend sous sa coupe. Yanni lui doit tout.

David Nadel est le patron de l'Ethiopian Coffee. Il est juif, né à Anvers. Il a deux enfants. L'un est atteint de poliomyélite, l'autre n'a pas toute sa tête. Alors, il reporte toute son affection sur Yanni qu'il considère comme son propre fils. Les juifs ne sont pas nombreux à Diré Daoua. Ils sont cordonniers, marchands de vêtements, comme Cohen, ou exportateurs. Beaucoup partiront en 1954, au moment de la guerre du canal de Suez. Avec le vieux Nadel, Yanni apprend à reconnaître le sidamo du lima, le gimbi du kafa et enfin le fameux moka, le café le plus cher du monde. Yanni est intarissable sur le café d'Éthiopie. Il connaît sur le bout des doigts les légendes, les qualités, les cours de cet or brun.

On dit en Éthiopie que des caféiers sauvages poussaient déjà dans le Kafa à l'époque des premiers *Homo sapiens*. Cependant l'homme ne découvrit les vertus de cette plante que beaucoup plus tard.

Kaldi, un berger, s'aperçut que ses moutons étaient énervés après qu'ils avaient brouté en plusieurs endroits les feuilles et les baies des arbustes qui couvraient les hauts plateaux. Intrigué, il en goûta quelques-unes et se sentit revigoré. Il rapporta une poignée de ces mystérieuses baies aux moines d'un couvent voisin. Ceux-ci ne voulurent rien entendre. Ces baies étaient les fruits du diable ! Ils les jetèrent au feu. Un arôme subtil s'en dégagea aussitôt. Mélangé à l'eau chaude, le breuvage était succulent. Ils apprirent donc à préparer ce café qui leur permettait de prier la nuit sans ressentir le poids du sommeil. Les chrétiens éthiopiens virent très vite dans le café un don de Dieu.

Les musulmans aiment à raconter que l'archange Gabriel offrit du café à Mahomet, épuisé par les batailles qu'il menait. Le prophète, dopé par ce jus inconnu, reprit tellement de force qu'il « désarçonna quarante cavaliers et rendit heureuses quarante femmes ». Jamais on n'a réalisé meilleure publicité pour le café.

Ce nom de « café » ne trouve pas son origine dans la région de Kafa mais dans le mot arabe kaona, ou qahwa, qui désigne une boisson à base de végétaux.

Au début du XVIIe siècle, les Européens l'appelaient le « vin d'Arabie ». Comment parvint-il jusqu'à nous ? Ce seraient les Vénitiens qui l'auraient importé les premiers. Les Turcs, quant à eux, après leur défaite devant Vienne en 1683, en abandonnèrent plusieurs sacs pendant leur retraite. Mais, pour Yanni, il n'y a pas de doute, le café vient d'Abyssinie. Ce sont les Arabes qui en emportèrent quelques plants au Yémen au cours de leur invasion au XIIIe siècle. Et s'il porte le nom de moka, c'est parce que les Vénitiens le chargeaient dans le port yéménite du même nom.

Le café, c'est toute la vie de Yanni. Il lui doit tout. Lorsqu'il observe les trieuses courbées sur des tas de grains dans son hangar de Diré Daoua, c'est en fait les caféiers des coteaux du Haragué qu'il regarde. Sa vie, il la revoit défiler, bercée par la mélopée des femmes qui travaillent en chantant. Il se souvient des leçons de botanique de David Nadel, le vieux sage, devant les feuilles vernissées à bords ondulés, dont les nervures apparentes convergent vers une pointe fine. Au bout de la quatrième année, les fruits charnus apparaissent pour la première fois en même temps que les fleurs blanches à la senteur de jasmin. C'est là que l'arbuste est le plus beau, le plus majestueux : un pin couvert de neige décoré de boules vertes qui, au fil de la maturation, deviennent jaunes pour finir rouge vif et grenat.

Sur les hauts plateaux d'Éthiopie, les femmes et les enfants récoltent les cerises une à une.

— Chaque arbre produit en moyenne deux kilos et demi de moka qui donnent 500 grammes de café vert transformé en 400 grammes de café grillé, soit quarante tasses d'un jus délicieux, explique méthodiquement Yanni.

A côté du hangar où s'affairent les trieuses, le Grec a aménagé un laboratoire pour tester son café. Le Grec demande à une vieille femme de griller, puis de préparer plusieurs tasses de café. Il le goûte en utilisant une longue cuillère en argent, garde le breuvage en bouche puis le recrache dans un seau. Entre chaque test, il se rince le palais avec un verre d'eau, plonge l'ustensile dans un broc pour ôter le goût précédent.

— Le café brun ne doit pas être fort, sinon il prend le goût du brûlé, dit Yanni. Le harar possède une acidité moyenne. Il est rond en bouche, il a du corps. Un bon café n'est pas amer et se boit sans sucre. Il ne provoque jamais de maux d'estomac. Je ne citerai pas de marque mais le café moulu que tu achètes en boîte, c'est même pas du café, mais les mauvais grains et les pelures qui restent après le triage. Sans lait, il est imbuvable.

J'apprends que le café sec se teste dans sept tasses. Si l'une a mauvais goût, il n'est pas pénalisé. Mais si une deuxième présente un défaut, le stock est mauvais.

Depuis toujours le Grec fait confiance au train. Son café voyage dans des wagons métalliques fermés accompagnés de policiers. Pour le vol et les attaques de la guérilla, il paye une assurance supplémentaire. Jusqu'ici il a eu de la chance. Six sacs seulement manquaient à l'appel l'année dernière.

— Diré Daoua a connu son heure de gloire, raconte Yanni avec nostalgie. Il y avait le Ras Hôtel occupé par les légionnaires et les marsouins de Djibouti. Mamité Zola, la petite Zola, une mère maquerelle métisse mariée à un grand Italien moustachu, qui prétendait être un descendant du roi Victor-Emmanuel, y tenait le bar. L'Eau Dorée, le deuxième bordel de la ville, était aux mains de la femme du chef de la police. On choisissait les filles dans le salon d'une grande villa coloniale tendu de rideaux rouges.

Les trois ou quatre Italiens qui demeurent encore en ville ne sont pas amateurs de cartes. Rizzo a débarqué en Érythrée en 1936 dans le port de Massawa. Il portait l'uniforme et n'avait pas choisi de venir en Afrique. Mussolini, qui rêvait d'un empire identique à celui de Jules César, avait décidé pour lui. Pendant deux ans, Rizzo pilota un char d'assaut. Puis il ouvrit un bar à Assab, port érythréen sur la mer Rouge. Avec les marins, il faisait des affaires. Avec les filles, qui peuplaient son établissement, aussi. Lorsque les Alliés rentrent en guerre contre les forces de l'Axe, Rizzo, qui espérait s'être reconverti pour toujours dans la limonade, doit endosser une nouvelle fois la vareuse et le calot.

Muté à la logistique, il conduit un camion sur les routes d'Érythrée. Heureusement. Car, cette fois-ci, ce ne sont pas les tribus éthiopiennes qu'affronte l'armée italienne, mais des fantassins britanniques. Rizzo n'étant pas officier ni fasciste convaincu, écope au bout de quelques mois d'un statut de prisonnier libre. En 1945, les Britanniques le libèrent pour de bon.

— Pourquoi n'êtes-vous pas rentré en Italie ?

— Parce que je suis fou, répond-il en allant chercher une deuxième bière dans le réfrigérateur.

Rizzo est un petit homme aux jambes fortement arquées. Même les auteurs de bandes dessinées n'ont jamais osé créer un cow-boy avec des membres inférieurs épousant aussi parfaitement une demi-lune. Ce n'est pourtant pas dû à une infirmité naturelle. Rizzo est un casse-cou. Un vrai, qui aime les défis et la vitesse. Fangio était son maître, et Rizzo n'a jamais manqué de s'aligner sur la ligne de départ d'un rallye éthiopien. En 1958, son premier accident lui coûte trois mois d'hôpital à Asmara.

En 1960, il était sur le point de gagner dans sa catégorie au volant de son Alfa Romeo 1750 turbo. Il a terminé la course dans les arbres au fond d'une gorge. Les sauveteurs ont mis vingt-quatre heures à le retrouver au milieu des broussailles. Nouveau séjour à l'hôpital. En 1964, Rizzo est sûr de son coup. Avec la Fiat 1800 préparée par ses soins, il franchira le premier la ligne d'arrivée. Nouvelle sortie de piste. Cette fois-ci il a le bassin fracturé, les jambes cassées et doit subir plusieurs opérations. Depuis, il marche comme un vrai Texan.

L'Italien possède quelques photos. Il a perdu les autres au cours d'une vie tumultueuse. On le voit en 1965 à l'inauguration de l'école Notre-Dame, accompagné d'un architecte français et du négus.

— Je dirigeais à l'époque une entreprise de construction, explique-t-il avec un accent nasillard. Ensuite, je me suis lancé dans le transport. J'avais deux camions de huit tonnes. Le premier est tombé en ruine. Impossible de le réparer, il était au bout du rouleau. Le deuxième a sauté sur une mine sur la piste de Djibouti. Il est dans la cour en mille morceaux. Je n'étais pas assuré, alors j'ai arrêté. Avec ma pension de 70 000 lires et ma retraite militaire je m'en sors. Le temps a passé et je suis resté.

Je me suis si bien amusé que j'ai oublié l'Italie. Les Éthiopiennes sont si belles.

Rizzo est connu pour être un chaud lapin. Il n'y a pas si longtemps, une jeunesse de 20 ans ne lui faisait pas peur (il est presque octogénaire).

— Si je retournais en Sicile, mon frère m'aiderait. Il est archevêque de Messine. Cela fait des décennies que je ne l'ai pas vu, dit l'Italien, il faudrait que je brûle une bougie dans la cathédrale en souvenir de Mussolini, ajoute-t-il en riant. Il prenait des pauvres bougres comme moi pour les envoyer aux quatre coins du monde. Mais, grâce à lui, j'ai connu Cannes, Marseille, l'Espagne et l'Afrique. J'ai bien baisé et j'ai bien vécu. Je ne regrette rien.

Giovanni est le fils de Mario, aujourd'hui décédé. Sa mère est éthiopienne et il est un métis heureux. Il offre la bonhomie des gros, et un sourire sympathique éclaire en permanence son visage poupin percé de deux petits yeux fins. Je fais sa connaissance à l'Alliance française, un jour où il vient chercher ses enfants. Il connaît la cité sur le bout des doigts pour y avoir vécu depuis sa naissance. Je ne refuse pas son invitation lorsqu'il me propose un tour en ville dans sa 404.

— Quand les Français dirigeaient le chemin de fer, jamais vous n'auriez vu ça, dit-il en effectuant un gymkhana pour éviter trois nids-de-poule successifs. Jusqu'à l'oued, c'était la compagnie qui s'occupait de tout.

Le Club des cheminots de Diré Daoua est plus grand que celui d'Addis mais beaucoup moins fréquenté. Il est bien loin, le temps où le 14 juillet était quasiment considéré ici comme une fête nationale. Le consul (le consulat est fermé depuis), le gouverneur, les représentants de la direction générale et les personnalités de la compagnie ne rataient jamais le bal animé par l'orchestre éthiopien de la garde impériale. Les jasmins et les frangipaniers à fleurs blanches embaument toujours les rues. Mais les maisons des ingénieurs, les cases de passage habitées par les cadres éthiopiens, sont tombées en décrépitude faute de crédits.

Le cinéma Majestic et l'ancienne pâtisserie Kouliles existent toujours sous les arcades du centre-ville. Les longs métrages indiens ont remplacé depuis belle lurette les films avec Charlie Chaplin ou Jean Gabin.

Les frères Alexandros, des oncles d'Adamandia, avaient ouvert le cinéma l'Empire à la fin des années 50. A côté de celui-ci, une salle de billard et une cafétéria accueillaient les consommateurs après la séance. Des fakirs, venus des Indes par bateau jusqu'à Djibouti, pratiquaient des tours de prestidigitation avec des serpents. Les hypnotiseurs avaient également un grand succès. Personne ne cherchait à savoir s'ils avaient des complices dans la salle. On était trop content que des artistes de cette qualité se déplacent jusqu'ici. Leurs tournées commençaient parfois à Beyrouth, continuaient à Alexandrie et au Caire, débarquaient à Djibouti après le canal de Suez et le passage du détroit de Bab el-Mandeb, avant d'arriver à Diré Daoua en train.

— Ils ne faisaient pas le voyage pour rien. Ici, ils étaient payés en or, explique Giovanni.

Diré Daoua reste encore le débouché pour le café du Harar et du Tchertcher. Au début du siècle, des milliers d'ânes descendaient les précieuses graines depuis les montagnes. Les camions ont pris le relais depuis pour transporter le café jusqu'au chemin de fer.

— Alors que l'Europe avait du mal à se relever de la guerre, ici on payait tout cash. Après dix-sept ans de Mengistu, on a l'impression d'être revenu cinquante ans en arrière, peste Giovanni.

A proximité de l'Alliance s'étend le carré du cimetière italien et celui des soldats sud-africains — la plupart étaient noirs — tombés pour la libération du pays. Plus loin, se trouve le cimetière éthiopien. La carcasse d'un hélicoptère de transport soviétique gît au bord du chemin. Les pilotes seraient sortis indemnes de cet accident qui remonte à la débâcle de l'armée de Mengistu. Face au cimetière, des cabanes et des huttes abritent des réfugiés somaliens qui ont fui la guerre civile. Ils font brouter leurs chèvres au milieu des tombes en majorité saccagées. Un carré est aussi réservé aux missionnaires français. Le père Léopold Pouquine, né le 10 juillet 1891 (la date de sa mort est effacée), côtoie le frère Justin (1898-1914) et le père Léopold de Oude (1891-1969). La sœur Marie-Chantal, franciscaine de Calais, est inhumée à côté de mère Marie de Sainte Lucie, franciscaine elle aussi, née à Angers en 1897 et décédée ici en 1962. Depuis la révolution, personne n'entretient plus les sépultures. L'oued Datchatou sépare la ville européenne, tournée vers le chemin de fer, des quartiers africains peuplés d'Adarés, d'Oromos, d'Arabes et d'Issas. La rue principale toujours animée est bordée de boutiques : « Venus shop » (chaussures), « Jupiter shop », « Barwako shop », « Samir shop » voisinent avec Harar Bakery et Alishen Etoffe tenue par des Hindous. Les boucheries chrétiennes se distinguent des musulmanes par leur croix rouge peinte sur leur façade blanche. Sur la rive de l'oued, se dresse une imposante bâtisse.

— C'est l'ancien moulin à farine de Tilota et Apikian, me dit Giovanni.

Je suis déçu. Je suis venu au « Magala » pour retrouver l'ancienne usine électrique d'Henry de Monfreid et non pas une minoterie. A moins que...

Une ruelle conduit derrière l'immeuble de trois étages. Une petite maison, de construction plus récente, y est adossée comme une vilaine excroissance. Assis sur une chaise, un vieux au visage fripé m'observe d'un air intrigué. Il s'appelle Haptemikaèl Wollo et affirme avoir 82 ans. Son père avait suivi l'empereur Ménélik lorsqu'il quitta l'ancienne capitale Ankober pour fonder Addis-Abeba. Lui-même travailla au service du prince Makonnen, « duc de Harar » et fils de Haïlé Sélassié à qui appartenaient les lieux, affirme le bonhomme. Tout fut vendu à l'Arménien Apikian qui créa ici une fabrique de pâtes.

— Qui a construit cette bâtisse en pierre ? Que produisait-on ici avant les macaronis ?

— De l'électricité ! Des Français habitaient sur place.

Voilà donc ce qui reste de l'entreprise de Monfreid : des murs de pierre épais d'un mètre ouverts aux quatre vents. La première fois que l'aventurier arrive à Diré Daoua, en 1911, c'est pour travailler dans un des comptoirs de Marcel Guigniony. Contre des peaux et du café, de la cire, du miel et de l'ivoire, les représentants de cette maison troquent des fusils Lebel, des Mausers et des carabines Winchester. La province est gouvernée par le ras Tafari, le futur empereur Haïlé Sélassié. Après maintes pérégrinations dans le Tchertcher et de nombreux trafics en mer Rouge, Henry de Monfreid revient treize ou quatorze ans après à Diré Daoua avec un pécule important en poche. La cargaison de haschich qu'il a réussi à écouler lui a rapporté gros. Il a prêté de l'argent à un Italien, propriétaire d'une usine électrique à Djibouti et à Diré Daoua. Mais Ripici, c'est son nom, voit grand. Il adjoint à la centrale une minoterie et une fabrique de pâtes. Endetté, l'Italien fait faillite et Monfreid récupère l'usine de Diré Daoua. La mémoire du vieux Haptemikaèl Wollo ne l'a pas trahi. Monfreid avait investi 500 000 francs dans cette affaire. Il entendait qu'elle dégage des bénéfices. Il voulait démontrer aux

Français de Djibouti qui le prenaient pour un dangereux hurluberlu qu'il était aussi capable de conduire une entreprise tout en continuant à naviguer sur la mer Rouge.

Deux hommes, deux amis, s'occupaient en fait de la centrale en son absence. Lippman, fils d'un ancien gouverneur de Djibouti, était un jeune administrateur adjoint, nommé au poste de Dikil. Blessé par une grenade, il avait été trépané en 1914. Au milieu des Issas, le jeune Lippman était devenu un véritable chef, accepté de tous. Ce qui n'était pas du goût du gouverneur Chapon-Baissac qui ne portait pas non plus Monfreid dans son cœur. Plutôt que d'être rappelé en France, Lippman avait préféré rejoindre l'aventurier à Diré Daoua.

Marcel Korn est le second personnage chargé du bon fonctionnement de l'usine. Il a moins de trente ans. Son père, un ami de Monfreid, l'a renié après qu'il a quitté la France pour vivre au milieu des « sauvages ».

Les deux compères surveillent les turbines et les moteurs à gaz pauvre, qui fournissent l'électricité de la ville. Ils relèvent les compteurs et répondent aux clients mécontents qui se plaignent de sautes de courant. Monfreid a conservé la fabrique de pâtes, mais, ne les trouvant pas à son goût, il engage un contremaître italien.

Une large cour intérieure s'étend de l'autre côté du bâtiment. Des carcasses de voiture et des morceaux de ferraille mangés par la rouille s'entassent au milieu de hautes herbes. Plusieurs familles squattent les lieux. A Diré Daoua, Monfreid habitait là. Il y retrouvait Ali, l'ancien mécano de l'Altaïr, et Abdi, le vieux marin de toutes les équipées en mer Rouge.

La Peugeot de Giovanni a du mal à se frayer un passage dans les ruelles étroites de la ville africaine encombrées de piétons et de boguets, des charrettes équipées de pneus de voiture.

Entre les boutiques, les tedj-biet (maisons à hydromel) et les bouna-biet (maisons à café) gardent leurs portes ouvertes tard dans la nuit. Les dames qui s'y retrouvent n'y viennent pas pour le thé mais pour appâter le client. On y débite d'ailleurs plus de bières fraîches que de boissons chaudes. Le décor est souvent très simple. Sur les murs nus éclairés par un néon, des posters du mont Blanc peuvent être exposés à côté d'un surfeur californien et d'une femme au sourire engageant. Un rideau dissimule parfois au fond de la salle un cagibi où, moyennant finances, le consommateur peut se retirer en galante compagnie après avoir étanché sa soif. La prostitution est aussi ancienne que l'Éthiopie. A partir du XVIe siècle, les récits des voyageurs européens sont formels. Ils mentionnent tous les tentes de prostituées qui accompagnent le campement du roi. Au XVIIIe siècle, des Français visitant Gondar qualifièrent pudiquement ces demoiselles de « courtisanes » et de « Madeleine non repentantes », un euphémisme pour désigner les milliers de putes qui suivaient les déplacements du négus éthiopien et de son armée. Au siècle dernier, l'explorateur Abbadie donne dans son dictionnaire de langue amharique pas moins de cinq équivalents pour désigner le mot « prostituée ». C'est dire l'importance du phénomène qui, depuis, n'a fait qu'empirer.

Hier, j'ai vu la ville de nuit. Rien de folichon. Dans le bouna-biet standard, les caisses de bière sont empilées dans un coin. Au-dessus du comptoir en formica, un néon, des lumières rouges et des guirlandes éclairent la pièce. Un patio peuplé de quelques tables bancales jouxte parfois le bar. Les filles de « luxe supérieur » préfèrent œuvrer dans les hôtels. Au Ras, le « palace » de la cité, elles sont assises sur les vieux canapés défoncés qui meublent le hall. Le restaurant, lugubre, offre invariablement des escalopes milanaises, dures comme de la semelle, accompagnées de spaghettis trop cuits.

Sortant d'un bouna-biet voisin, j'ai surpris un éclopé qui descendait les marches d'un air joyeux grâce à des béquilles d'un modèle datant d'avant-guerre. Il était à peu près le seul client mais il ne semblait pas s'être ennuyé. A l'intérieur, une fille avait rendu ce soir-là un handicapé heureux. Après plusieurs soubresauts dus, selon mon chauffeur, à un mauvais réglage du ralenti, Giovanni réussit à amener sa 404 devant le marché Afira. Un grand cadre de fer encombre le rond-point qui y fait face. Il encadrait un portrait de Mengistu. Maintenant, on voit à travers et c'est mieux ainsi. La face du dictateur ne cache plus la magnifique perspective des étals alignés derrière les murs d'un fortin crénelé, réhabilité pendant l'occupation italienne. Les fruits et les légumes abondent. Sur la droite, le chemin ensablé conduit vers une plaine caillouteuse qui s'achève au pied des montagnes.

C'est ici que prend fin le voyage des caravanes de dromadaires. Les animaux baraquent un à un sous les ordres de leur chamelier. Des fagots de bois, des sacs de sel, de doura, des ballots de contrebande, sont transbordés sur des carrioles tirées par de petits chevaux efflanqués.

A l'opposé du « parking » à chameaux, la rue principale traverse le quartier arabe. L'architecture change. Entre les maisons en pisé s'élèvent des habitations en pierre. Elles appartiennent à de riches commerçants qui se sont fait construire de modestes palais miniatures aux façades peintes en vert clair, en bleu azur ou tout simplement en blanc. L'une d'elles comporte, luxe suprême, un balcon et un étage.

— C'est la maison d'Assam Força. Il était coolie et, grâce à son travail acharné, il est devenu marchand de café, explique Giovanni.

Je ne suis pas convaincu que Força signifie en arabe

« le fort ». Giovanni confond peut-être la demi-douzaine de langues qu'il baragouine.

— Cette maison appartient à Abdou Ahmed. Il a fait fortune avec le café et les tapis persans. Il est mort à Paris. Son fils, Youssouf, se sentait plus arabe que ses copains. Il voulait défendre la cause. Il est devenu pilote en Libye. Depuis qu'il est chez Kadhafi, on ne l'a plus revu.

Accrochées à la colline voisine, des cahutes de pierre et de branchages dominent le quartier. Pas un arbre ne procure de l'ombre sur ce désert minéral. Habiter à flanc de montagne, c'est monter l'eau, le bois, la nourriture à dos d'homme pour ceux, et ils sont nombreux, qui ne possèdent même pas un âne.

— Là-haut, ce sont les pauvres, dit Giovanni en pilant devant trois chèvres qui se courent après.

Arrivés sur la route goudronnée de la cotonnerie nous dépassons une rangée de maisons uniformes qui ressemblent à celles des mineurs, dans nos corons. Elles sont réservées aux employés du chemin de fer. Nous suivons un autre chemin pour rejoindre l'oued. Sur la rive poussiéreuse, un immense souk s'est créé en quelques années. « Taïwan » est réputé dans toute la région. Ce supermarché en plein air offre les articles de mauvaise qualité produits en Chine, et plus largement dans toute l'Asie : tissus, vêtements, peignes, radio, bassines, toute une panoplie d'objets en plastique venus pour la plupart en train via le port de Djibouti. Une partie de la marchandise est destinée à la capitale. Le reste est confié à des colporteurs qui approvisionnent les villages de brousse. A Diré Daoua, « Taïwan » fait partie du paysage. Pendant le règne de Mengistu, ce trafic était une soupape de sécurité pour le régime marxiste. L'économie socialiste ayant mis le pays en faillite, il fallait laisser entrer quelques biens de consommation courante que l'industrie locale est incapable de fournir.

Dans la ville européenne, une usine de pâtes qui n'a jamais produit le moindre kilo de macaronis est bâtie non loin de cinq silos qui, depuis dix ans, restent vides sans qu'on sache pourquoi. Seule une manufacture fonctionne le matin : l'usine de kat. C'est là que les bottes sont mises sous plastique avant d'être expédiées par la voie des airs à Djibouti.

⁂

Le départ de l'avion de midi sur l'aéroport de Diré Daoua vaut le coup d'œil. La foudre, la grêle, le vent, la pluie, rien ne pourrait empêcher le départ du DC9 d'Ethiopian Airway ou de Puntavia sur Djibouti. Même s'il neigeait sur la ville (cela tiendrait du miracle) l'avion décollerait quand même. Djibouti sans kat pendant deux jours et la petite République, déjà passablement instable, connaîtrait à coup sûr des émeutes plus sanglantes que la guerre qui oppose les Afars aux Issas.

Agglutinés devant le comptoir d'enregistrement, les passagers tendent leurs billets vers l'hôtesse. Chacun marche sur les pieds de l'autre, crie plus fort que son voisin, et essaie de prendre la place de celui qui est devant. Tous ont inévitablement un OK écrit sur leurs titres de voyage. Pour certains, il est légitime. Les autres l'ont obtenu grâce à un bakchich. De toute manière, l'avion d'aujourd'hui est complet. Il faut même que des passagers descendent alors que des sièges sont vides. Hussein est formel. Il représente la Sogic, la société qui affrète l'avion de la compagnie djiboutienne Puntavia. Chaque jour, il expédie 5 000 kilos de kat. Ce jour, on lui en demande 2 000 de plus. Normal, le jeudi, veille du week-end musulman, les Djiboutiens consomment davantage. Hussein est obligé de se fâcher : « L'avion est d'abord réservé au kat ! Les voyageurs c'est en plus. Si le poids en charge le permet. » Les passagers s'insurgent, vocifèrent puis se rendent à l'évidence. Personne ne peut lutter contre le kat. Ils prendront l'avion demain. Inch allah !

Une fois le Boeing parti, l'aéroport est déserté. La ville aussi. Les trois ou quatre rues, envahies chaque matin par les vendeuses de kat, sont redevenues le royaume des chèvres qui s'en donnent à cœur joie. Elles mangent les tiges et les feuilles fanées qui jonchent la terre battue. Deux heures avant, la foule y était dense. Chaque matin, de grosses femmes vêtues de boubous colorés attendent le client, les fesses posées sur une caisse en bois. D'autres restent accroupies devant leurs bottes de kat comme s'il s'agissait de persil, de poireaux ou de carottes. Le consommateur regarde, touche, sent le produit. La fraîcheur, la qualité des feuilles, la couleur verte ou grenat et la souplesse guide son choix et fixe le prix.

Hassan, Issa d'Éthiopie, mais dont la moitié de la famille vit à Djibouti, m'a convié à venir brouter chez lui. Il travaille dans l'une des deux sociétés exportatrices de kat. Aussi est-ce un grand privilège que d'être invité à partager son « mabraz », réputé dans toute la ville. Hassan se réserve chaque jour plusieurs bottes du meilleur kat, celui destiné à la présidence et aux ministres djiboutiens. Rien de luxueux dans cette simple pièce rectangulaire. Je m'assois sur un des matelas garnis de coussins alignés le long des murs à peine éclairés par la lumière tamisée qui filtre des persiennes. Des cendriers, posés à même le tapis, alternent avec des bottes de kat enroulées dans des serviettes humides. Des bouteilles d'eau gazeuse, de Coca-Cola et deux Thermos de thé complètent l'attirail du parfait brouteur.

Chacun choisit délicatement sa première tige, celle qui offre des bourgeons vert tendre, plus délicats. Les feuilles, roulées en boule de la main droite (la main gauche réservée aux ablutions intimes est considérée comme impure), sont enfournées dans la bouche.

— Comment trouves-tu le kat ? me demande Hassan.

— Le goût est particulier. Il faut avoir l'habitude.

Les quatre autres brouteurs sourient en ruminant. Quelques gouttes âcres coulent lentement dans ma gorge et le contact entre le *Catha edulis Forskal*, nom scientifique du kat, et mes muqueuses me donne l'impression de mâcher du papier buvard imbibé de jus de pissenlit. Alors que mes compagnons conservent leur boule calée contre leurs gencives, la mienne a tendance à se balader entre mes deux joues. Ma langue est titillée de picotements. Maladroit, j'avale des morceaux de tige et de feuille avant qu'ils ne soient réduits en bouillie.

J'ai déjà ingurgité la moitié d'une botte et je ne suis pas pris de délire ni agité de gestes incontrôlés. Les langues se délient peu à peu. Nous allumons cigarette sur cigarette sans nous en rendre compte et la conversation s'anime.

Pendant plus d'une heure on a appelé le « mirgham », l'effet du kat, qui, sans à-coups, s'est glissé subrepticement en nous. Malgré les persiennes closes, la chaleur devient plus forte. Des gouttes de sueur perlent sur les visages éclairés par des yeux brillants. Le thé chaud et sucré calme l'amertume de ma gorge. Mon voisin préfère du Coca. Aucune tension ni euphorie ne gagne chacun de nous mais plutôt un bien-être naturel.

— Avec le kat, la fatigue disparaît et tu comprends mieux les choses, dit-il en se moquant un peu.

— Peut-être. Mais le kat est un stupéfiant.

— Foutaises ! répond Hassan. Ici on a toujours brouté du kat. Depuis la nuit des temps, le kat est bon pour le croyant. Allah demanda un jour à deux saints de faire un vœu. « Seigneur, répondirent-ils, permets-nous de rester éveillés afin de mieux t'adorer. » Et Dieu dépêcha un ange avec des feuilles de kat frais et des boutures pour le cultiver. Le kat est sacré, sais-tu que le Prophète s'est servi du kat pour guérir un malade ? Pour le consommer, un homme, ou une femme, doit être propre, comme pour prier. Naguib ad-Din, un pharmacien du XIIIe siècle, écrivait déjà dans son *Livre des médicaments* qu'il faut prescrire le kat pour soulager la mélancolie. Les historiens arabes l'ont toujours affirmé : le kat stimule l'intelligence et la mémoire, rend joyeux et empêche d'avoir faim. Le paradis est un état et non un lieu, déclarent les partisans de Zoroastre. Je crois en Dieu et en Mohamed, son prophète, mais ces Persans n'ont pas tort.

Dans ma tête, les idées défilent. Je ne sais pas si le kat rend intelligent, mais, en tout cas, il me donne l'impression de posséder un Macintosh à la place de la cervelle.

— Tu expédies seulement le kat à Djibouti ?

— Ils en consomment chaque jour entre 15 et 16 tonnes. Là-bas, ils en sont fous. Nous, on en envoie à peu près la moitié. Tout dépend de la contrebande. Chaque matin, avant l'aube, il y a des centaines de Toyotas qui filent dans le désert vers la frontière. Sais-tu qu'on en envoie aussi en Europe ? 400 à 800 kilos par semaine à Londres et autant à Rome. Cela n'est pas interdit et les douaniers ne savent pas distinguer le kat d'un buisson. A Paris, nous n'en expédions qu'une centaine de kilos. Il y a moins de Somaliens chez vous. Il y a aussi du kat qui arrive en Israël pour les juifs yéménites. Mais depuis que les falaschas éthiopiens sont arrivés en Terre promise, il paraît qu'ils cultivent eux-mêmes leurs plantes.

Au fur et à mesure que la lumière décline, les silences se font de plus en plus longs. Une grande lassitude envahit nos esprits si « brillants » jusqu'alors, et engourdit nos jambes et nos bras. Une apathie générale succède à nos joutes verbales. Le kat faisait rebondir nos pensées aussi promptement qu'une balle de latex sur un carrelage de marbre. Voici que maintenant nous ne trouvons plus rien à dire. De gais nous sommes devenus tristes, presque anxieux sous l'effet du « mirgham », de cette descente psychologique indescriptible qui met mal à l'aise. La chaleur qui ne me gênait guère tout à l'heure m'indispose, me dégoûte. J'ai l'impression de baigner dans mon jus et de manquer d'air. Rien d'alarmant ni de dramatique. A ce rythme quotidien de hauts et de bas, le cerveau doit finir par en prendre un coup. Hassan propose des bières, chaudes de surcroît. On m'offre aussi du lait pour atténuer la phase dépressive.

Pour les médecins, le kat est une drogue, un véritable fléau qui coûte cher à l'homme, mais aussi à l'économie des pays consommateurs déjà bien fragiles. Au Yémen, à Djibouti, dans une partie de l'Éthiopie, plus personne ne travaille à partir de 14 heures. Les chefs de famille préfèrent acheter du kat plutôt que de la nourriture pour leurs enfants ; 50 % du budget familial part en chique. L'accoutumance coûte de l'argent. Pour en obtenir, le vol, la corruption sont nécessaires. Ils négligent leur travail, perdent l'appétit et le sommeil. Les riches convoquent parfois des « nayas » pour l'après-midi. Les prostituées servent le thé, allument les cigarettes, préparent la chique des consommateurs qui rient de bon cœur en broutant leur salade. Profiter d'elles n'est pas le but. Elles sont là pour distraire, esquisser des caresses, mais le jeu amoureux ne va pas, la plupart du temps, jusqu'à l'acte sexuel. L'éducation des filles n'a pourtant rien à voir avec celle des geishas. Les nayas ne refusent pas le sexe mais c'est le sexe des consommateurs assidus de kat qui se refuse à elles. Au moment où les feuilles vertes apportent le bien-être, le désir envahit le brouteur. Cela n'est qu'illusion. Devant la chair, il reste impuissant. Après l'eau, le thé et les boissons gazeuses ingurgités pendant l'après-midi, l'homme éprouve l'envie de satisfaire un besoin naturel. Il sort pour uriner mais à la fin de la miction, son sperme s'écoule tout seul, sans jouissance.

Pour éviter ce désagrément, des petits malins évitent de manger les feuilles trop dures, réputées avoir des effets néfastes, et absorbent des clous de girofle censés pallier les troubles de l'orgasme. Lorsque le malheureux brouteur retourne dans le mabraz, la naya n'offre plus guère d'attraits à ses yeux. Il ne lui reste plus qu'à recommencer à chiquer pour retrouver son paradis intérieur.

On ne m'a pas dit quel effet produisait le kat chez les femmes. J'en ai croisé une à Diré Daoua, mi-issa mi-amhara, qui paraissait passablement excitée après avoir brouté. Elle cherchait partout son homme dans l'hôtel Ras où j'essayais d'ingurgiter la sempiternelle escalope milanaise aussi raide que de coutume. Je ne crois pas qu'elle ait finalement trouvé son fiancé, mais l'air concupiscent qu'elle affichait en me dévisageant m'amène à penser penser que le kat n'entraîne pas, sur le plan sexuel, les mêmes déboires chez la femme que chez l'homme.

Les épouses des gros consommateurs de kat sont les premières à se plaindre. Elles se sentent non seulement délaissées mais les sautes d'humeur, l'agressivité ou la prostration de leurs maris aboutissent, en fin de compte, à l'éclatement du couple et au divorce.

La nuit est tombée lorsque je quitte Hassan et ses amis. Le grand air me revigore.

« Je me sens plutôt en forme », me dis-je à haute voix, histoire de me rassurer en pensant à quels maux je m'exposerais si je broutais tous les jours.

CHAPITRE XII

En sortant de Diré Daoua, je comprends pourquoi les ingénieurs Alfred Ilg et Léon Chefneux ont abandonné l'idée de faire passer le chemin de fer par Harar. A la fin du siècle dernier, Diré Daoua n'existait pas. A peine si quelques pasteurs afars, issas ou gurgouras (ils se disputent encore la primauté du lieu) emmenaient paître leur troupeau au bord de l'oued. Le grand centre historique et commercial était Harar perché sur les hauts plateaux où vécurent Rimbaud et Monfreid. Pour y accéder, il aurait fallu percer des tunnels, construire des ouvrages d'art qui auraient retardé les travaux et entraîné un énorme surcoût pour la compagnie.

La route en lacet, qui grimpe à flanc de montagne, témoigne des difficultés qui furent ainsi évitées. Elle fut construite en 1903, dans les mois qui suivirent l'arrivée du train à Diré Daoua. Elle permettait, et c'est toujours le cas, d'acheminer le café, les légumes et le kat jusqu'au chemin de fer.

Notre Land Rover a beaucoup de peine à prendre de l'altitude sur la chaussée pourtant asphaltée. L'ami Ducamp a beaucoup cherché avant de la trouver. Les voitures sont rares à Diré Daoua. C'était prendre ce tas de ferraille qui n'a plus d'âge ou rien. Louer un taxi était possible à condition de ne pas sortir de la route principale. Tilahoun met parfois trente secondes, montre en main, pour changer de vitesse tant les pignons de la boîte de vitesses semblent agir à leur guise. Le double débrayage n'améliore guère la manœuvre qui s'effectue dans un crissement qui peut varier du plus grave au plus aigu. Quant au moteur, il ne ronfle pas mais dispense par à-coups un curieux « ren-ren » languissant. Notre faible allure ne comporte toutefois pas que des inconvénients.

A la sortie d'un virage, nous tombons nez à nez avec un énorme rocher qui a dévalé la pente ravinée par les pluies. Tilahoun évite le bloc sans ralentir. A l'arrière Séraphin reste silencieux, confiant en sa bonne étoile. Les buissons sauvages alternent avec les premières terrasses de kat. Au Yémen, la plante aphrodisiaque a remplacé le caféier et représente près de 30 % du produit intérieur brut. Ici, on n'est pas loin du compte. Le kat est trente fois plus rentable que le sorgho, cinq fois plus que le café et rapporte 100 millions de dollars à l'Éthiopie. Rien n'est plus facile à cultiver sur ces pentes humides et tièdes. Une fois que la bouture a pris, il faut attendre entre trois et cinq ans pour récolter les premières feuilles. Il suffit ensuite de tailler pour que l'arbre bourgeonne à nouveau en un cycle sans fin. De loin, il ressemble au fusain et au buisson ardent qui appartiennent à la même famille de célastracées. La culture du kat est décriée. Mais sans elle, nombre de terres arides seraient aujourd'hui en friche. Par endroits, le paysage s'apparente à la montagne libanaise. Les murets de pierre, les arbustes à feuilles caduques, les buissons verts évoquent les coteaux méditerranéens. Au bout d'une vingtaine de kilomètres, nous atteignons le col Fentego contrôlé par une baraque militaire. Les soldats fouillent les camionnettes qui descendent sur Diré Daoua, à la recherche d'armes ou pour exiger quelques bakchichs au passage. Sur le plateau, de magnifiques eucalyptus bordent, de chaque côté, la route qui traverse des champs de tef.

Des femmes nous regardent sans oser nous saluer de la main. Leurs visages, couverts d'argile rouge, ressemblent à des masques de carnaval. Je demande au chauffeur d'arrêter la voiture. Elles reculent d'une dizaine de mètres à mon approche. Deux marmots nus et crasseux se mettent à pleurer. Je n'insiste pas davantage, d'autant plus que l'odeur qui se dégage de leurs toucoules au toit de paille est insoutenable. Si ces femmes se méfient, c'est qu'elles ont souffert de la guerre. Un transport de troupes soviétiques à huit roues percé par une roquette anti-char est resté devant le village. Il date des combats entre l'armée de Mengistu et les Tigréens maintenant au pouvoir. Les affrontements n'ont pas pris fin avec la fuite du dictateur. La région est encore traumatisée par la guérilla du Front de libération oromo, aujourd'hui mal en point, mais qui reste encore capable d'effectuer des coups de main. Pendant des mois, Harar est resté isolé. Prendre la route que nous suivons était risqué. Dès 5 heures du soir, c'était impossible.

Le lac Achelé étend ses eaux boueuses. La terre y est fertile. Les champs sont cultivés jusqu'à la limite des terres noires qui bordent la rive où poussent des euphorbes candélabres en fleurs. Le lac Alemaya semble plus profond. A notre passage, une colonie de flamants roses s'envole au-dessus des roseaux. Le village, qui jouxte le lac, est bâti de maisons en pisé couvertes de tôle ondulée. Il abrite une école, pompeusement baptisée « université d'agriculture » et plusieurs petites mosquées peintes en vert clair. A partir de là, la route devient plus étroite. Les croisements avec les camions sont périlleux comme en témoigne la voiture encastrée dans le parapet d'un pont. Un autre blindé calciné achève de rouiller dans un fossé. Un char d'assaut T54 déchenillé a lui aussi été stoppé par un obus. Après lui, nous sommes obligés de quitter la route pour emprunter des traces qui traversent une rivière, heureusement en basse eau. Le pont qui l'enjambe a été dynamité par les Oromos. A l'entrée d'Awedeï il y a embouteillage devant le poste à essence. Un large autocollant Ricard est curieusement plaqué sur la cabine d'une camionnette. Je me demande où le chauffeur a pu dégotter une publicité pour le pastis.

— Awedeï est le grand marché du kat, ces voitures l'emportent tous les jours en contrebande jusqu'à Djibouti, me dit Séraphin.

Le Rungis de la salade euphorisante s'étale devant nous. Ici, point de chambres froides ni de hangars en béton. On ne traite à Awedeï que du produit frais destiné à être consommé sous vingt-quatre heures. A 10 heures du matin, le marché est fermé jusqu'au lendemain. Même si ce commerce illicite ne se déroule pas dans la clandestinité, je comprends dans les regards qui me sont adressés qu'on n'aime pas voir un *farendj* venir traîner par ici. Ma seule défense consiste à parer mon visage de sourires niaiseux, comme on dit au Québec, et à avoir l'air de flâner dans la foule tel un touriste japonais sur les Champs-Élysées. Je suis rapidement entouré par un groupe de jeunes aux faciès menaçants. Pressé de questions, Séraphin calme la situation en répondant en oromo. Ils ne sont pas censés savoir qu'il est à moitié amhara et qu'il se moque comme de sa première chemise de la lutte pour l'Oromia.

— Que leur as-tu dit ?

— Ne vous inquiétez pas, monsieur Patrick. Je leur ai raconté que vous étiez un touriste français qui s'intéressait à l'agriculture et qui venait visiter Harar.

— L'ont-ils cru ?

— Oui, mais je pense qu'il ne faut pas rester trop longtemps ici.

La petite troupe me suit toujours mais l'un d'eux me tend maintenant la main. Je la lui serre et il éclate de rire en regardant ses copains. Ils veulent tous évidemment réitérer le geste qui finit par provoquer l'hilarité générale. Je me prête volontiers au jeu tout en avançant au milieu du terrain en pente jonché de tonnes de kat en vrac. Des dizaines de femmes habillées de robes chamarrées le mettent sous plastique. Les pick-ups sont chargés jusqu'à la dernière ridelle de sacs bourrés d'herbe, dans une précipitation inhabituelle sous ces latitudes. Les chauffeurs roulent au milieu des cris, manquent d'écraser des femmes accroupies, avancent brusquement pour se dégager et démarrent en trombe. Sur leur précieuse cargaison, une demi-douzaine d'aides, sarong noué à la taille, accompagnent le kat jusqu'à la frontière en se tenant en équilibre comme ils le peuvent. Au retour, les pick-ups rapportent du whisky et des cigarettes américaines.

— Combien de kilos veux-tu ? plaisante un moustachu devant la porte de l'une des cabanes alignées en haut du marché.

Des sacs sont empilés à l'intérieur. Le sol est recouvert de feuilles et de tiges qui constituent un matelas végétal souple et vert. Il faut être un expert pour discerner les différentes qualités, la fraîcheur et les différences de prix entre les stocks.

— Monsieur Patrick, il vaudrait mieux s'en aller, me souffle Séraphin.

Les marchands de kat estiment que je suis un touriste trop curieux. Ma présence ne les amuse plus. Les femmes sont les plus agressives. Elles crient en me montrant du doigt et je suis suivi d'une cohorte d'excités qui vocifèrent après moi.

Après plusieurs coups de démarreur infructueux, le moteur de notre guimbarde daigne se mettre en marche et nous quittons Awedeï sous l'œil goguenard de la foule. Une vingtaine de kilomètres plus loin, nous atteignons Harar, l'une des villes les plus mythiques d'Éthiopie, considérée par les musulmans comme le quatrième lieu saint de l'islam.

Une grande avenue à double voie tracée au cordeau traverse la cité moderne et administrative. Une statue équestre du ras Makonnen, la lance pointée vers l'Ogaden, le pays somali, est érigée en face de l'ancien siège du Parti. Ce lourd bâtiment en pierre est décoré d'une fresque représentant l'empereur Théodoros. Le drapeau éthiopien agrémenté du nom des grandes tribus éthiopiennes est peint sur l'académie militaire inoccupée. Mengistu, bien que marxiste, prônait un nationalisme pur et dur, comme les négus qui l'avaient précédé au pouvoir. Les immeubles en pierre de taille ne sont plus maintenant que des coquilles vides depuis que l'armée a été démantelée.

Nous abordons enfin la vieille ville par la porte de Harar qui évoque le décor d'un mauvais film de cape et d'épée. Il y a quelques décennies, le rempart a été, à cet endroit-là, démoli pour agrandir le principal accès de la cité.

L'intérieur de la ville annule toutefois la mauvaise impression de l'arrivée. Une rue bordée d'échoppes conduit à une place animée, carrefour des ruelles qui s'enfoncent entre les maisons centenaires. L'église orthodoxe Alem Medhane occupe un côté du rond-point. Au milieu un large panneau annonce : « Pour ne pas risquer le sida, utilisez des préservatifs. »

L'église, comme le veut la coutume, est fermée entre les offices. Seul, un prêtre armé d'une tige d'acier surmontée d'une croix parcourt le déambulatoire extérieur en priant devant chaque porte.

Sur la place, une boucherie marque l'angle d'une venelle en pente. Deux zébus peints sur la façade rouge décorent l'entrée du magasin chrétien. A l'intérieur, trois petites tables sont occupées par des consommateurs qui dégustent un cube de viande crue. Les Éthiopiens adorent ce mets. Il est toujours présent pour célébrer la fin du carême, dans les banquets de mariage, lorsqu'un hôte désire honorer son invité. Les convives découpent de fines lamelles dans le bloc sanguinolent et les avalent avec la plus grande délectation. Les Éthiopiens raffolent de cette viande découpée au carré et gorgée de sang. De l'autre côté de la venelle, un hôtel dresse sa façade lépreuse. Des vieux installent leurs dominos dans le salon et, dans la salle adjacente, une foule d'amateurs regardent une partie de billard. Le tapis vert est décollé et la table en bois massif aurait sa place chez un antiquaire. L'hôtel est plus ancien encore. Peut-être la bâtisse abritait-elle, en 1880, le premier magasin de l'agence Bardey pour laquelle travaillait Rimbaud.

En face, un cinéma pouilleux affiche en français le programme du mois : *Randonnée pour un tueur* avec Sidney Poitier. Le deuxième long métrage est une guimauve indienne produite à la chaîne à Bombay ou à Calcutta. Deux colonnes de soldats tigréens débouchent sur la place en file indienne ; ils sont armés de kalachnikovs et portent des roquettes sur le dos. Ils viennent contrôler l'attroupement qui s'est formé devant la Ligue nationale des Hararis, toute-puissante au sein du parlement chargé de gérer « la région autonome de Harar », qui s'étend dans un rayon de 12 kilomètres autour des remparts et comprend 110 000 habitants.

Harar est une ville à part, comme le souligne le bandeau noir qui marque, en signe de deuil, le drapeau de la Ligue. Il rappelle la défaite des Hararis, face aux troupes de l'empereur Ménélik le 26 janvier 1887 à Djalango.

Pendant trois siècles Harar a été une cité indépendante. Ses habitants prétendent être les descendants d'Arabes et de Persans venus dans la région au XIIIe siècle. Ils sont musulmans. Un émir commande à toute la région. Au XVIe siècle, l'émir Gragne, « le gaucher », déclenche la jihad islamique contre le royaume chrétien. Son armée conquiert le Choa et le Tigré, brûle les églises, passe les moines au fil de l'épée, pille les greniers. Le roi Lebna-Dengel, traqué, envoie des messagers au roi du Portugal. Quatre ans plus tard, quatre cents fantassins portugais commandés par Christophe de Gama débarquent en Abyssinie et sauvent le royaume. Gragne mort, ses successeurs entourent Harar de murailles pour se protéger avant tout des pasteurs oromos qui ont commencé leur migration depuis le sud.

Depuis cet épisode, les Hararis nourrissaient de la haine envers les chrétiens et contre tous les étrangers en général. Pendant la première moitié du XIXe siècle, aucun des colporteurs qui découvraient l'Abyssinie ne parvint à pénétrer dans la ville. Sauf un, Richard Burton, qui s'y faufila déguisé en musulman. Il avait déjà fait le coup à La Mecque mais, à Harar, il connut une telle peur qu'il déconseilla vivement à ceux qui en auraient l'idée de l'imiter. En 1874, Raouf Pacha conquit cependant pour l'Egypte la province, et plaça dans la ville un régiment soudanais, un autre égyptien, un troisième de cavalerie et trois cents bachi-bouzouks, des mercenaires albanais qui maniaient le cimeterre comme personne. Cinq mille hommes en tout, respectés par les Hararis et les Gallas, le nom ancien et péjoratif des Oromos, qui est encore souvent utilisé aujourd'hui par les autres ethnies.

Avec la pacification du Harar, l'Egypte ouvre les portes de la ville aux commerçants. Bardey et Rimbaud découvrent une cité hallucinante. La grande porte est ornée de deux sculptures terrifiantes de lions, et des queues d'éléphant sont clouées sur les linteaux. Les autres étaient fermées dès le coucher du soleil et il était formellement défendu à quiconque de circuler en ville pendant la nuit sans permis spécial. Des chiens sauvages étaient lâchés sur les remparts pour empêcher les lions, les panthères et les hyènes de pénétrer à l'intérieur de l'enceinte. Cette parade ne suffisait pas. La nuit, on entendait les aboiements des chiens et les cris atroces des hommes qui se faisaient dévorer. A l'époque, on avait en effet la fâcheuse habitude de laisser les infirmes et les malades dans les rues empuanties par les déchets et les carcasses de bœuf en putréfaction.

Avec les Egyptiens, l'islam gagne du terrain. Les mosquées déjà nombreuses fleurissent de plus belle, à tel point qu'on en compte encore quatre-vingt-dix-neuf de nos jours. L'émir est tout-puissant. Quand il lui arrive de cracher, c'est-à-dire souvent, ses fidèles rivalisent d'adresse pour recevoir sa sainte glaire en pleine figure.

Pendant dix ans, les Egyptiens font régner l'ordre dans Harar. La ville prospère grâce aux caravanes chargées de marchandises qui approvisionnent la côte somalienne. S'aventurer en brousse n'est pas de tout repos. Les voyageurs européens sont assassinés par des bandits à quelques kilomètres à peine de la cité. Mais, pour aller chercher l'ivoire, les peaux, la gomme et le musc ou évangéliser les sauvages, il fallait bien s'aventurer vers les contrées hostiles. Avec la décadence de l'Empire ottoman, l'Egypte finit toutefois par se retirer de la Corne de l'Afrique. Ménélik, qui voit en l'émir de Harar un nouveau Gragne, saisit l'occasion. Pour arriver au Choa depuis les rives de la mer Rouge, il faut compter soixante jours de voyage à travers le désert, au risque d'être émasculé par des Danakil. Par la route de Harar, le trajet est réduit de moitié. C'est dire si Harar est important pour Ménélik qui passe à l'attaque. Rimbaud traversa lui-même le champ de bataille quelques jours après la défaite harari. Le terrain était couvert de cadavres dévorés par les fauves. Des ossements avaient été dispersés dans la plaine par les hyènes et les chacals. Dans Harar, Ménélik n'a pas fait de quartier. Il a uriné sur la grande mosquée avant de la faire démolir et construire sur ses décombres l'église qui fait face à la porte principale. A partir de ce jour, Harar devint une nouvelle province de l'empire.

Malheur aux vaincus. La ville, qui n'était déjà pas ragoûtante, devient un véritable dépotoir. Des épidémies de peste se déclarent et la famine sévit. Les cadavres sont si nombreux que les fauves, rendus fous par l'odeur de la viande décomposée, sautent les remparts en plein jour. On assiste même à des scènes de cannibalisme. Le ras Makonnen, neveu de Ménélik et nommé par lui gouverneur du Harar, fait exécuter pour l'exemple quelques Gallas qui ont mangé leurs enfants.

La vie, et le commerce, reprennent cependant le dessus. Les commerçants, partis avec les Egyptiens, reviennent. Les missionnaires français, qui avaient commencé à évangéliser les tribus de la région, peuvent à nouveau se consacrer à leur travail en toute quiétude. Le père Jarrosseau devient évêque de Harar et précepteur du fils de Makonnen, le ras Tafari qui allait devenir plus tard le négus Haïlé Sélassié.

Depuis, les capucins n'ont jamais cessé d'être présents à Harar — quoi qu'il arrive. Le père Emile Foucher y habite. Vêtu de son éternel costume gris, il marche à petits pas rapides. Père Emile est né il y a soixante-treize ans dans un village de la Mayenne, près de Laval. Avant d'être nommé ici, en 1958, il avait passé onze années en Inde, dans le Rajasthan.

— Le chemin de fer ? A l'époque de sa construction, les Hararis ne voulaient pas qu'il passe par ici. Ils pensaient que le train amènerait des étrangers et favoriserait le départ des jeunes, explique-t-il.

Après trente-cinq ans, Harar n'a plus de secrets pour lui. Sa chambre, ou plutôt sa cellule qui jouxte la salle à manger, est meublée d'un petit lit, d'une table de travail, de deux cantines et d'étagères chargées de livres. La grande passion du père Emile, c'est Rimbaud. Le poète a vécu dix ans à Harar sans que personne ne sache qui il était réellement. L'auteur des *Illuminations* n'était ici qu'un commerçant. Harar est connu par des milliers de rimbaldiens à travers le monde. Peu ont effectué le pèlerinage pour découvrir le lieu où vécut le poète maudit. Pour le père Emile, l'ombre d'Arthur Rimbaud plane toujours sur la ville. Il a suivi sa trace dans toute la région ; il a lu des quantités de manuscrits, d'études, d'essais sur le jeune prodige.

— Il y aurait, à ce jour, six cent trente-cinq ouvrages publiés concernant Rimbaud.

Pendant des années, le père Emile a cherché la demeure du poète. Il l'a enfin trouvée. Il en est certain. Il lui manque malheureusement une preuve formelle, celle du cadastre de l'époque mentionnant l'achat de la maison. Le père a même trouvé dans quelle remise sont empilés les vieux livres poussiéreux des archives. Il suffirait d'ouvrir la porte et le vieil homme à barbe blanche feuilletterait pendant des jours, voire des mois, chacun des registres pour trouver le nom de Rimbaud, inscrit en arabe ou en amharique. Cela ne serait qu'une question de patience, une vertu chez lui naturelle. Il raconte sa quête d'une manière si simple qu'il persuaderait l'homme le plus incrédule.

Si Rimbaud a acquis sa maison pendant la domination égyptienne, ce qui est fort probable, il n'y a pas de raison, en effet, que cet achat ne soit pas mentionné sur les registres. Raouf Pacha avait emmené à Harar des centaines de fonctionnaires. Et l'administration ottomane, malgré sa paperasserie légendaire, avait la réputation d'être sérieuse. Je garde le souvenir de Palestiniens de Bethléem qui me racontaient être allés à Istanbul pour rechercher le titre de propriété de leur maison familiale dans les registres de l'ancien Empire ottoman. Ils cherchaient à prouver aux colons juifs qui voulaient les exproprier que cette terre appartenait à leurs aïeuls.

Malheureusement, il n'existe plus à Harar d'autorité pour lui remettre la clé du bâtiment, qui abrite les registres du cadastre. Depuis la chute du régime Mengistu, la pagaille règne à Harar, comme dans beaucoup de régions. Les fonctionnaires ont disparu ou se cachent. Personne ne sait même où se trouve la clé. Un problème qui ne représente pas une priorité, loin s'en faut, pour les politiciens locaux. Si l'on connaissait celui qui la possède, il faudrait de toute manière qu'un responsable donne son autorisation pour que Abou Emile puisse l'obtenir et pénétrer, que dis-je espionner, l'histoire de Harar et de l'Ethiopie.

Pour connaître la vie africaine de Rimbaud, le père Emile a tout appris de Harar. Après trente-cinq ans de vie commune, le prêtre en est devenu l'historien. L'osmose entre la ville mythique et le religieux français est si parfaite que l'un et l'autre ne font plus qu'un.

Le muezzin interrompt notre conversation. La mosquée est si proche que l'on pourrait penser que l'homme qui appelle à la prière de la mi-journée est dans l'enceinte de la mission. Avant de sortir, le père m'ouvre l'église. La « cathédrale » de Harar est de dimensions modestes. Bâtie par des artisans indiens, elle est parée d'ouvrages de menuiserie de bois rouge. Un christ en plâtre surplombe les bancs soigneusement cirés, et une croix domine un confessionnal verni. Des scènes bibliques en relief peintes sur des panneaux de bois complètent le décor de cette église qui, par son intérieur, ressemble à la cale d'un bateau en construction.

Dans la cour de la mission, nous rencontrons l'évêque. Monseigneur Weldetensac est érythréen. Il est plutôt jeune et parle quelques mots de français. L'année dernière, il n'est pratiquement pas sorti de l'enceinte de la mission. Il ne se déplace, encore aujourd'hui, que lorsque c'est nécessaire. Les Oromos, ou Gallas, sont de confession chrétienne, seul un tout petit nombre d'entre eux est musulman. Plusieurs groupes de maquisards sont même intégristes. Pendant les mois où ils ont tenté d'acquérir leur indépendance par la force, ils étaient soutenus par des confréries égyptiennes, soudanaises et aussi, dit-on, par des fonds iraniens et saoudiens, qui voyaient en eux le moyen de planter le drapeau de l'islam dans ce grand pays chrétien. L'évêque, catholique, et de surcroît érythréen, était en tête de la liste des hommes à abattre dans la région. L'Erythrée, qui a acquis de fait son indépendance dès le départ de Mengistu, soutient le pouvoir tigréen aujourd'hui en place à Addis-Abeba. Rome aurait décidé de nommer monseigneur, évêque d'Asmara, capitale de l'Erythrée, ce qui permettra à cet homme d'Eglise plein d'avenir, de vivre plus longtemps.

Frère Constant est le troisième pensionnaire de la mission. Le capucin, lui aussi originaire de la Mayenne, est dépassé par les événements. Il est à Harar depuis quinze ans.

— Nous avons vécu ici des choses terribles. Il y a eu des massacres partout. A Gara Muleta, des gens ont été égorgés et jetés dans des puits. D'autres ont été poussés vivants dans des précipices. Le père André Michel a été assassiné avec cinq autres catholiques du côté d'Aouache, lance-t-il précipitamment comme s'il voulait se soulager d'un secret qui le mine et l'empêche de dormir.

— Oui, oui, frère Constant. Cela est du passé, tempère le père Emile.

— Mais ça peut recommencer demain. Avec eux, on ne sait jamais, insiste le religieux qui, apparemment, vit sur les nerfs.

Père Emile en a vu d'autres. Avec le temps, il a acquis le fatalisme des indigènes. Nous partons à pied dans la ville. Il tient à me montrer le fruit de ses recherches : la vraie maison de Rimbaud. Le père Emile ne marche pas, il trottine. Je me précipite à plusieurs reprises vers lui, pensant qu'il va tomber, après qu'il a trébuché sur un pavé.

— Pouvons-nous entrer ? lui demandai-je en m'arrêtant devant la mosquée Jami érigée au XIIIe siècle.

— Non. Nous ne serions pas les bienvenus. J'entretenais de bonnes relations avec le cheik précédent. Mais le nouveau n'est pas franchement liant. Il est égyptien et dirige l'école coranique dans l'esprit d'un islam intégriste. Les jeunes filles portent maintenant le foulard et, pour la rupture du ramadan, elles n'ont pas été invitées à la fête qui s'ensuit.

— Je ne verrai donc pas les cinquante-huit colonnes qui soutiennent l'édifice et le mémorial de l'imam Grane.

— C'est dommage. L'extérieur a été mal rénové avec les fonds offerts par des marchands indiens musulmans. L'intérieur, lui, est resté tel quel.

Nous nous enfonçons dans le labyrinthe de la ville moyenâgeuse. Les véhicules ne peuvent pas circuler dans ces ruelles étroites, coupées d'escaliers et de nombreux éboulis. La cité ne semble pas avoir bougé depuis le siècle dernier. Les récits de voyageurs parlent de maisons en ruine, d'immondices, de ruisseaux d'eau sale qui dévalent les pentes. Il en est toujours ainsi. Même les chiens faméliques au pelage ras vous observent comme leurs ancêtres devaient regarder les infirmes avant de les dévorer.

En traversant le « magala » (marché) Guddo, nous croisons un vieux fou complètement nu qui hurle à notre passage. Il est couvert de poussière et de crasse. Sa maigreur et ses longs cheveux poisseux me rappellent les sadous hindous, vrais ou faux, que l'on rencontre près des crématoires sur les gats de Bénarès.

Des femmes oromos, courbées sous le poids d'énormes fagots, débouchent sur la place à la queue leu leu. Ils seront débités en minuscules tronçons et vendus seulement par six ou huit, la quantité nécessaire pour alimenter un petit foyer sous une théière. Les porteuses habillées de robes aux couleurs pourpre, safran et noir, ont la chevelure graissée au beurre et ramassée en un chignon serré derrière la nuque. Les Hararis, elles, portent tuniques et pantalons bouffants. Quelques-unes ont les yeux bordés de khôl. Leur beauté légendaire ne déçoit pas. Leur peau claire rappelle leurs origines arabes, turques ou persanes. Des paysannes accroupies en tailleur vendent des carottes, des pommes de terre et de l'échalote. A proximité, des moutons mangent dans un tas d'ordures. Un gueux, qui ne me paraît pas non plus avoir toute sa tête, revient plusieurs fois à la charge pour quémander quelques brins de kat. La marchande le rabroue vertement. Accro à l'herbe, l'homme insiste encore. Le mari saisit alors une longue verge et le frappe.

Le boutiquier d'en face s'esclaffe. En attendant le client, il broute consciencieusement derrière son comptoir couvert de casseroles et d'ustensiles en fer-blanc. L'épicier, lui, est un Indien. Des bidons d'huile de table frappés des douze étoiles bleues de la CEE (un don de la

Communauté européenne aux affamés d'Éthiopie) se retrouvent sur ces étagères à côté de conserves d'ananas, de boîtes de cirage, de thé, de biscuits secs, de paraffine et d'huile ZAT pour les cheveux ; des bouteilles de Vimto, un jus de fruits mélangé à du soda, concocté par la société Nichols de Manchester, sont alignées près des aspirines Boyer, des chaussures en plastique et une poignée de cadenas. Une vieille balance en cuivre sert à peser le café et les piments rouges. Une radio-cassette répand à tue-tête une musique arabe lancinante qui ne dérange personne. Surtout pas le boutiquier, qui garde à portée de main un fouet pour éloigner les gosses qui s'approchent un peu trop près de son étal.

L'une des rues pentues s'appelle « Makina Girgir ». « Girgir » pourrait se traduire par cliquetis, ou quelque chose d'approchant. Des machines à coudre bordent en effet cette artère réservée aux tailleurs. Les hommes y façonnent robes et pantalons sur de vieilles Singer noires à gros volant.

Quelques mètres plus loin, nous pénétrons dans une cour dominée par une belle maison aux boiseries en piteux état.

— C'est la fausse maison de Rimbaud. Elle était montrée aux touristes, lorsqu'ils parvenaient encore jusqu'ici, parce qu'elle reste l'une des plus belles bâtisses de Harar. En réalité, elle a été construite au début du siècle par un commerçant indien, lâche le père Émile.

Plusieurs familles vivent à l'intérieur. Elles proposent la visite pour quelques birrs, sans savoir vraiment pourquoi tout étranger qui débarque à Harar vient à coup sûr chez eux.

Dans la même rue se trouve la maison du ras Tafari. Le linteau de la porte principale est sculpté de figures représentant des dieux hindous. Les commerçants indiens étaient nombreux à Harar au début du siècle. Ils importaient du tissu de Bombay. On raconte même que le ras Tafari n'était pas complètement éthiopien, mais fils adultérin de son père, le ras Makonnen, avec une femme indienne.

— Quand il était jeune, le futur empereur Haïlé Sélassié ressemblait plus à un Indien qu'à un Amhara. C'est troublant, n'est-ce pas ? dit le père Émile en sortant de sa poche la page d'un livre portant la photographie du ras Tafari enfant.

En passant devant un porche, je remarque un panneau affiché contre la façade d'une demeure. Elle devait appartenir à un riche marchand indien si je me fie au dieu Ganesh qui orne le dessus-de-porte. Elle est occupée aujourd'hui par le cheik Mohamed Hadji Bushra, marabout de son état. Il peut guérir les onze maladies écrites sur son « affiche publicitaire » : bronchite, diabète, hémorroïdes, paralysie, épilepsie, gastrite, cancer, crise de foie, maladies gynécologiques, sexuellement transmissibles et mentales !

« Le traitement s'accompagne de l'aide de Dieu. Les soins sont donnés gratuitement mais le malade peut nous aider, ainsi que ceux qui ne sont pas malades », est-il précisé au cas où les pauvres bougres qui viennent ici oublieraient que le cheik ne dirige pas une œuvre philanthropique.

Une femme âgée nous invite à entrer dans le cabinet du guérisseur. Il fait si sombre dans cette immense pièce que j'ai du mal à discerner le mobilier : deux bancs et des vieux tapis élimés.

— Le cheik est occupé, nous dit-elle.

— Dites-lui que l'Abou de la mission est venu lui rendre visite, répond le prêtre.

Quelques minutes plus tard, un homme en djellaba ouvre la porte. J'ai à peine le temps d'apercevoir derrière lui un lit défait et un poste radio faiblement éclairés par une ampoule rouge. Le marabout est coiffé d'un turban bleu, il porte une moustache et serre dans une main un attaché-case noir. A voir ses lèvres verdies et le mouvement de ses mandibules, nous venons de le déranger en plein broutage. Après les salutations d'usage, le moment est venu de demander comment lui, saint homme, qui a déjà effectué le pèlerinage à La Mecque (il porte le qualificatif de hadj) arrive à guérir la chaude-pisse aussi bien que le cancer.

— Les maladies sont traitées selon la tradition des marabouts. Avec des racines, des feuilles et des pierres. Mais toutes les médecines que je prescris ne donneraient pas de résultat sans l'intervention de Dieu. Les malades guérissent en priant et je prie avec eux, explique l'escroc enturbanné en roulant des yeux fous, rougis sous l'effet du kat.

L'homme a dû en abuser car il est agité de tics et de soubresauts qui font frémir les pans de sa tunique. Face à mon air incrédule et peut-être légèrement goguenard (vu son état, je doute cependant qu'il s'en aperçoive), il ouvre son attaché-case — une incongruité surréaliste dans ce décor décadent — pour en extraire un épais cahier empli de photographies et de lettres.

— Ce sont tous les patients guéris par ses soins qui lui ont envoyé leurs portraits, accompagnés d'une missive de remerciements, explique le père Émile d'un ton neutre.

Nous prenons congé de notre hôte qui, visiblement, ne tient plus en place à l'idée d'aller s'allonger sur son lit en compagnie d'une botte de kat.

— Les gens de Harar croient beaucoup aux marabouts et aux saints. Il existe une centaine de leurs tombeaux en ville, explique le religieux français en sortant. Si, dans le Coran, Harar est appelé Madinat al-Awliya, la ville aimée des saints, cela vient du jour où le prophète, surpris par une vive lueur qui surgissait de la terre, demanda à l'ange Gabriel d'où elle venait. Celui-ci répondit : « De la montagne des saints » où est bâtie Harar.

— Ils donnent la baraka, leurs pouvoirs sont considérés comme immenses par la population. Abd el-Qadir Jilani, appelé le sultan des Awliya, a eu quarante vies et habita dans autant de lieux sans avoir besoin de se nourrir. Kabir Khalil, qui vint à Harar au siècle dernier, a été vu simultanément dans trente mosquées, guidant la prière. Il n'y a pas que les tombes qui marquent la présence des saints. Des rochers, des arbres, des ficus ou des chênes plusieurs fois centenaires, signalent aussi leur passage. Les croyants viennent prier à leurs pieds. Ces saints avaient la réputation lorsqu'ils étaient vivants de contrôler leurs passions, leurs émotions, et leurs désirs, pour atteindre la pureté du cœur. Entre eux et la nature, l'harmonie était parfaite, au point qu'ils exerçaient un pouvoir sur les animaux, comme notre saint François d'Assise.

Je comprends que le marabout a encore de beaux jours devant lui. Ce n'est pas demain la veille qu'il va manquer de clients.

Nous retournons sur nos pas pour rejoindre la place Feres Magala, l'ancien marché aux chevaux, occupée par des ânes et des mules. Nous contournons la grande église, laissant à notre gauche la tombe de l'émir Nur, qui protège les habitants des attaques oromos, puis l'hôpital. Nous entrons dans l'enceinte du centre culturel, l'ancien palais de Ménélik, surnommé à l'époque « la maison du lion ». Malgré les obus italiens, la résidence conserve ses créneaux d'origine. Elle renferme une bibliothèque et un musée ethnologique qui se résume à deux salles poussiéreuses. On peut y voir le fauteuil de l'empereur orné de belles cornes d'oryx, plusieurs spécimens de lances oromos et somalies, des poignards à lame recourbée dans des fourreaux de métal. Un superbe casse-tête voisine avec des fusils Gras, un modèle que Rimbaud vendit en quantité au négus.

Une énorme corne de buffle utilisée pour boire l'hydromel et la cape de Ménélik sont présentées dans une vitrine. Une autre, de dimension plus modeste, contient un manuscrit du Nouveau Testament, écrit en guèze et en amharique, ainsi qu'un Coran, vieux de huit cents ans. Sur Rimbaud : rien, sinon une vulgaire assiette en faïence, du plus beau kitsch, marquée au nom de Charleville-Mézières et laissée au musée par le maire de la ville natale du poète lorsqu'il vint visiter Harar il y a vingt ans. C'est ce qui s'appelle être radin.

Derrière l'église orthodoxe, un pan de mur de l'ancienne mosquée est encore debout. Il se trouve, aujourd'hui, quelques intégristes pour demander qu'on démolisse l'église afin de pouvoir reconstruire ce lieu musulman. Je doute que les gens au pouvoir, originaires du Tigré, berceau de la chrétienté orthodoxe, accèdent à leur requête. Père Émile trottine devant moi vers un petit bâtiment érigé au fond d'un jardin. Je le rejoins sous le porche. Autour d'une cour étroite, est bâtie une habitation quelconque en forme de U, dotée d'un étage. Pour le religieux, elle représente une valeur inestimable.

— C'est là ! C'est la maison que Rimbaud a achetée, me dit-il, le souffle court.

Je n'ose pas montrer ma déception. Elle ferait trop de peine au père Émile qui passa la moitié de sa vie à chercher cet endroit ordinaire où vécut le poète, au moins pendant un temps.

— C'est le père d'un fonctionnaire, qui travaillait à la municipalité sur les livres du cadastre, qui m'a confirmé en 1982 l'emplacement exact. Depuis, il est mort, ajoute le père.

Des marmots jouent dans la cour au milieu d'un troupeau de chèvres. Une femme sort, curieuse de voir des étrangers plantés devant sa maison. Père Émile la connaît. Il doit venir ici, plusieurs fois l'an, vérifier que la demeure historique tient toujours debout. Son époux, gardien, est au musée, mais la maîtresse de maison nous laisse jeter un coup d'œil à l'intérieur depuis le pas de la porte. Mis à part une table et quelques chaises, la pièce est quasiment vide. Des portraits de la Vierge et de sainte Thérèse de Lisieux, offerts par le père Émile, sont accrochés au mur décrépi. C'est tout.

Un mystère rimbaldien de plus est levé. Tout au moins le sera-t-il complètement lorsque le père aura pu constater de visu le nom de Rimbaud sur le registre cadastral.

En sortant de l'enceinte du musée, nous sommes arrêtés par un mendiant, placé entre deux écrivains publics, assis dans la rue devant leurs machines à écrire anglaises posées sur une caisse de bois. Le lépreux a des moignons à la place des mains. Son corps est tordu comme un vieux cep de vigne. Ses sandales éventrées laissent apparaître des pieds rabougris, pratiquement sans orteils. Je lui donne quelques birrs qu'il saisit de ses avant-bras infirmes, puis il baisse la tête et marmonne des mots inintelligibles en guise de remerciement.

— Ici, la lèpre fait encore des ravages, dit simplement père Émile.

La rue qui mène à la porte d'Errer est encombrée de chèvres, d'ânes chargés de bois et de femmes argobas porteuses de lourds paniers de légumes. Des lépreux, assis par terre, tentent leur chance. Peu de passants donnent. Les Hararis vivent avec les lépreux depuis toujours. Au début du siècle, ils étaient dévorés par les hyènes qui rôdent encore le soir devant la porte Fallana. Contre quelques billets, un habitué des lieux apporte une carcasse, et vous fait revivre le bal maudit de ces sauvages charognards. Des yeux brillants approchent dans la nuit, le silence est brusquement rompu par des ricanements lugubres. La crinière dressée, l'animal gris-jaune s'empare de la nourriture, brise les os, avale la peau, nettoie l'endroit frénétiquement.

La léproserie est bâtie en dehors de la ville. A la porte d'Errer, une vieille femme se fraie un passage entre des chameaux. La femme remonte la pente lentement, posant précautionneusement un pied après l'autre. Elle porte une robe crasseuse et un fichu sur la tête. Arrivé à sa hauteur, je détourne les yeux. Elle n'a plus visage humain. La maladie a rongé sa peau, ses os. Son nez, son menton, ses pommettes ont disparu ou ne sont plus à leur place. Sa tête ressemble à celle d'une lionne. Au bas du chemin, des constructions basses abritent des salles de soins. Elles ont été bâties à l'époque du docteur Féron. A Harar, on ne connaît pas le docteur Hansen, Norvégien qui découvrit le *Mycobacterium leprae*, le bacille de la lèpre, mais le docteur Féron, petit bonhomme solitaire qui vivait au milieu de ses malades.

En face, des cases sont réservées aux personnes soignées sur place. Devant l'une d'elles, une femme sourit. Elle arrive à marcher grâce à des bottes en cuir. Pour ses membres supérieurs, on n'a rien pu faire. Elle a une main de singe. A l'intérieur de la case, un feu fume dans un coin et une paillasse meuble le côté opposé. Une galette d'injira sèche au soleil sur un plateau. Un vieux, peut-être son mari, habillé de haillons, est chaussé de sabots en caoutchouc pour éviter de s'écorcher la peau car les lépreux deviennent insensibles à la douleur. Au milieu du village, des enfants s'ébattent. Ils ne sont pas atteints par la maladie. La lèpre n'est pas héréditaire mais reste contagieuse chez les mal-nourris qui vivent dans un constant manque d'hygiène. Ils l'attrapent entre eux au contact d'une plaie infectée, en touchant des objets souillés par les crachats. Il suffit qu'un malade tousse pour que l'air confiné de la case soit contaminé.

L'incubation peut durer deux, cinq ou dix ans. Puis apparaissent, sur le front, les omoplates, les membres, des taches plus claires que la peau. Rien de grave, sauf que peu à peu, à ces endroits, le lépreux perd la sensibilité. Les lésions lépromateuses entraînent la formation de papules, petites éminences sur la peau semblables à de l'urticaire. Elles grossissent, deviennent des nodules arrondis qui s'attaquent en premier aux oreilles, aux ailes du nez, aux lèvres puis au corps tout entier. Les papules sont d'abord mobiles sous l'épiderme puis elles se fixent, s'ulcèrent, s'infectent, et enfin agressent le système nerveux. La névrite devient douloureuse, anesthésie l'extrémité des membres, détruit les nerfs moteurs. Les muscles du malade s'atrophient, se paralysent. La main se transforme en griffe, la face reste contractée et le pied devient tombant.

La lèpre fait peur. Pourtant on en guérit avec un comprimé de DDS (diamino-diphényl-sulfone) à prendre pendant six ou vingt mois. Mais, si le malade a déjà perdu ses phalanges ou ses orteils, ce sera évidemment trop tard. La polychimiothérapie, combinaison de trois antibiotiques, réduit le temps de guérison à six mois. Au centre de Harar, ces médicaments, trop coûteux, sont rarement utilisés.

— On obtient de bons résultats. Mais il faut faire des tournées en brousse pour déceler les nouveaux cas... Sinon, quand les malades arrivent ici, le mal a déjà causé des ravages. C'est l'hygiène qui leur manque le plus. Ils dorment ensemble dans la même hutte, ne nettoient jamais rien. C'est terrible, mais c'est ainsi, grogne le père.

Deux sœurs éthiopiennes en robe bleue sortent de la chapelle. Dans l'église, la passion du Christ est matérialisée par des chromos naïfs. Une balustrade coupe la nef en deux : elle sépare les lépreux des bien-portants. Dans l'espace réservé aux malades, un Christ doré domine les bancs où s'assoient les fidèles.

— J'ai voulu supprimer la barrière. Ils ont refusé, dit le père Émile. Ils aiment prier ce Christ offert par les Italiens. Il leur donne beaucoup de faveurs. En 1940, une musulmane crachait toujours en passant devant l'église, jetait des pierres sur les fenêtres. Un jour, elle entra à l'intérieur par curiosité. Elle vit Jésus et s'exclama : « Comme il est beau ! » et elle se convertit. Pour eux, cette statue du Christ est sacrée.

⁂

Depuis une bonne décennie, père Émile n'est pas retourné à Araoué. Aussi accepte-t-il volontiers de m'accompagner. Quitter Harar sans ce détour par la propriété de Monfreid me laisserait un sentiment d'inachevé.

Nous quittons la ville en longeant l'ancien centre d'estivage français. Jusqu'en 1974, les marsouins et les légionnaires de Djibouti étaient envoyés en vacances quelques jours sur les plateaux de Harar, plus frais. Les célibataires étaient logés dans trois petits immeubles tenus par un capitaine. Aujourd'hui, l'humidité, la crasse, les mauvaises herbes ont tout envahi. Les bâtiments sont habités par des soldats éthiopiens. Ils ont remplacé le contingent cubain qui tenait le verrou de Harar et écoutait, depuis cette position dominante, les liaisons radio françaises et le trafic maritime au large de la Somalie. Plus loin, l'église Michaël jouxte le camp de la division de l'Ogaden et une caserne, transformée en musée militaire, présente à son entrée un Mig 17 et un char d'assaut scellé dans du béton.

La piste, blanchie de poussière, conduit à Jijiga, mène ensuite à la frontière, en passant par Hargeysa pour finir à Barbera, la « capitale » de l'ancienne Somalie anglaise, en sécession avec le reste du pays depuis la guerre civile. Père Émile ne se souvient pas exactement où il faut tourner pour rejoindre la ferme de l'écrivain. Une maison en ruine à l'ombre de trois palmiers guide son choix. Tilahoun oblique à gauche. Nous descendons à flanc de colline vers le fond d'un vallon planté de kat. Bientôt, la piste n'est plus qu'une sente. Bien que Tilahoun roule au pas, nous sommes secoués à chaque tour de roue. Les cailloux sont de plus en plus gros. Les arbustes griffent la carrosserie, et la voiture s'incline parfois dangereusement pour éviter un rocher. Plus bas, la pluie a raviné le passage en creusant d'énormes ornières dans la terre rouge. Notre véhicule grince, gémit, se contorsionne sur ses amortisseurs fatigués qui sont ainsi mis à rude épreuve. Soudain, nous sommes obligés de stopper. Les ornières sont devenues crevasses. Nous finirons à pied. Le chauffeur se gare sur le côté, le capot contre les arbustes, au cas où les freins lâcheraient. Il gardera la voiture pendant que nous irons à l'ancienne ferme d'Henry de Monfreid. En brousse, on imagine qu'il n'y a personne à des kilomètres à la ronde et puis l'on se retrouve entouré de gens sortis de nulle part. Le père discute avec des jeunes qui marchent pieds nus sur les pierres. Je suis cerné, quant à moi, de gosses qui me regardent, les yeux écarquillés, comme si j'étais un Martien.

Au bas de la pente, coule un oued traversé par un radier défoncé par les dernières crues. Le père Émile franchit l'obstacle avec une agilité déconcertante en marchant de caillou en caillou pour éviter de se mouiller les pieds. Le sentier suit maintenant le cours d'eau bordé de cactus et d'arbustes couverts de baies noires. Nous croisons des femmes qui portent sur le dos des fagots de bois mort destinés au marché de Harar. Des champs en friche s'étendent jusqu'à une lisière de bananiers. Une demi-douzaine de cases puantes, plus loin, bordent le chemin. Surpris par notre arrivée, des hommes viennent grossir notre troupe. Si cela continue, nous serons bientôt à la tête d'un régiment de gueux pour visiter la maison de Monfreid. Ils portent tous un pagne à carreaux rouges et blancs, ou bleus, noué sur le ventre. Quelques-uns sont chaussés de tongs. Avec leur turban sur la tête, ils ressemblent à des pirates. Ils serrent dans leur main une serpe ou un bâton en forme de gourdin.

— La propriété commence ici, dit père Émile. Des bassins, vides, se succèdent jusqu'à une ferme aux murs passés à la chaux. Ils sont fendus comme ceux des réservoirs d'eau, et les pierres du soubassement se délitent lentement.

Mohamed et Ali ont ouvert une boutique dans l'une des pièces pour alimenter l'association des paysans. Boutique est un bien grand mot. Ce débarras nauséabond offre des peignes « Royals », des biscuits arabes, des piles « white Elephant », du pétrole « Jelly » pour les lampes, des ampoules chinoises rangées dans une boîte décorée d'un tigre, des conserves de concentré de tomate et des cubes de savons roses de cinquante milligrammes. C'est tout. La véranda en piteux état, où l'écrivain aimait dîner, donne sur un verger en pente douce planté de manguiers. Les champs de caféiers doivent être autour ou bien ont disparu, ainsi que tous les arbres fruitiers que Monfreid avait fait venir en plants de France. Grâce à son système d'irrigation, il avait réussi à transformer cette terre aride en jardin. Armgart, sa femme, y passait généralement l'été avec ses enfants pour fuir la chaleur torride d'Obock et le khamsin, le vent de sable qui souffle sur les rives de la mer Rouge. Elle restait de longues semaines seule pendant que l'aventurier retournait à bord de son bateau ou partait en brousse négocier quelques marchandises de contrebande. Malgré sa décrépitude, la maison conserve son charme d'antan, entre les bougainvilliers mauves et les lianes à fleurs blanches qui l'entourent. Les Africains savent qu'elle a été habitée par un Blanc. Ils sont cependant trop jeunes pour connaître son nom. Ali et Mohamed, les deux boutiquiers, tournent rapidement les talons pour retourner s'affaler sur leur couverture noircie de crasse, afin d'ingurgiter la décoction de kat qui macère au fond d'une calebasse. Par rapport aux feuilles, l'extrait de kat est beaucoup plus fort et son effet dure plus longtemps. C'est ce que recherchent Ali et Mohamed. Ils n'ont rien à faire, sinon délirer chaque après-midi.

En arrivant devant la voiture, je retrouve Tilahoun enfermé dedans. Il n'est pas tranquille, face à une ribambelle d'enfants, plus ou moins âgés, qui tournent autour de lui. Ils touchent les rétroviseurs, montent sur le toit, tentent d'ouvrir la porte derrière où se trouvent la roue de secours et quelques outils. Le visage du chauffeur s'éclaire lorsqu'il nous aperçoit. Il est visiblement enchanté que je lui demande de mettre en route. Soudain, au moment où il cherche à enclencher la marche arrière, le levier de vitesses lui reste entre les mains : cassé net. Plus moyen de reculer, ni d'avancer. Cette maudite guimbarde a choisi le moment et l'endroit pour nous lâcher : en pleine brousse, loin de toute piste fréquentée et à trois heures de la tombée de la nuit. Tilahoun tente de réparer. Il enlève le capuchon en caoutchouc qui enserre la tige, démonte quatre boulons mais rien n'y fait. Impossible de passer une vitesse avec un levier de cinq centimètres. La voiture étant restée au point mort, inutile de la pousser pour la faire démarrer. Le père Émile ne se démonte pas. Il reste à l'écart et attend. La meilleure solution reste un messager, jeune de préférence, qui ira en courant jusqu'à Harar prévenir la mission. Le père griffonne quelques mots sur un bout de papier, explique la destination et, plus important que tout, promet qu'au retour il y aura une forte récompense pour ce service. Le messager hoche la tête, prend le papier et disparaît à toutes jambes entre les buissons. En suivant le lit de l'oued, il lui faudra deux heures pour atteindre Harar. Ensuite, je ne sais pas. Il faut trouver un 4 x 4, une corde, un chauffeur qui veuille accepter de sortir de la ville à la nuit tombée. Père Émile semble serein. Je m'excuse de l'avoir entraîné dans ce guet-apens.

— Ce n'est rien, dit-il en sortant son mouchoir à carreaux, geste qu'il répète pour essuyer son nez qui coule sans cesse.

Avec Abou Émile, les gosses sont devenus plus calmes. Des adultes les ont rejoints. Chacun veut savoir ce qui se passe. J'espère seulement qu'il n'existe pas dans le coin un groupe d'Oromos musulmans excités.

Le soleil qui descend assombrit peu à peu la vallée. Les rochers virent au mauve et, au fond de l'oued, les arbres deviennent noirs. Accompagné de trois gaillards armés de haches et de serpes, un vieux s'approche lentement. Il porte la barbe en pointe, un chamma sur l'épaule et une peau de mouton sous le bras pour prier, où qu'il se trouve. Cet équipage ne me dit rien qui vaille. L'ancien semble respecté. Il ne faudrait pas qu'il commence à haranguer la foule contre nous. Je garde un mauvais souvenir d'une fin d'après-midi semblable dans une vallée proche de Kaboul en Afghanistan. Des moudjahidins gardaient un prisonnier, à peu près du même âge que le père Émile. Deux ou trois autres anciens sont arrivés à l'heure de la dernière prière. Ils ont baragouiné quelques mots en pachtou et, mes compagnons, calmes jusqu'ici, se sont brutalement excités. Aux cris de « Allah Akbar » ils l'ont découpé en rondelles à coups de sabre ! La victime était, je l'ai appris par la suite, un traître. Les badauds s'écartent avec déférence sur le passage du vieux.

— *Salamalekoum !*

— Je m'appelle Ahmed Hadj Oumar, décline l'ancien d'une voix chevrotante.

Il dit bonjour, c'est plutôt bon signe, pensé-je.

— *Alekoum salam*, je suis Abou Émile de la mission.

Un long silence s'installe. Les Éthiopiens écoutent et ne pipent mot.

— Vous ne me reconnaissez pas ? Je vous ai vu à la mission. Je jouais avec Amélie lorsque j'étais enfant.

— Bien sûr ! Je me souviens maintenant. Vous êtes venu me voir à propos de la fille de Monfreid.

Un large sourire éclaire la face fripée du vieil homme, découvrant par la même occasion une bouche édentée noircie par le kat. Alors que j'avais entamé un procès pour mauvaises intentions contre lui, le bougre n'est animé d'aucune hostilité.

— Papa Moun Freid, papa Moun Freid, répète-t-il en levant le bras au-dessus de sa tête pour rappeler la taille de l'écrivain.

» A MELI-A MELI, dit-il en mettant la main à hauteur de son genou.

— Il se souvient de toute la famille, de la mère de Gisèle, d'Amélie, de Daniel l'aîné, explique le père. Henry de Monfreid l'impressionne davantage. Il affirme qu'il était dur mais bon ; qu'il distribuait de l'argent au village ; qu'il avait construit une piste jusqu'à sa maison. Il demande de ses nouvelles. Je lui ai dit qu'il était mort. Son amie, c'était Amélie. Ils jouaient ensemble lorsqu'il avait cinq ou six ans.

— Que veut-il aujourd'hui ?

— Que j'écrive à nouveau à Amélie en son nom. Elle habite près de Bordeaux. Je me suis exécuté une première fois. Il lui demandait de venir le voir ; qu'il serait très honoré de la recevoir. Elle a répondu. Elle était touchée d'avoir de ses nouvelles. Elle lui a envoyé sa photographie et de l'argent.

— Mais qu'espère-t-il ?

— Récupérer auprès d'elle plus d'argent. Ce n'est pas bien méchant. Il ne pense pas à mal. Il vit dans une telle misère qu'il lui semble naturel de demander de l'aide. Il a été soldat. Il ne touche pas de retraite. Il survit, comme tous les siens.

— Indi Baba, Indi Baba, radote le vieux en parlant d'Amélie. Les Afars d'Obock l'avaient baptisée ainsi le jour de sa naissance parce que son père avait mis le cap sur Bombay en Inde, explique père Émile. Il perd un peu la tête. Je lui ai dit de revenir à la mission. Je lui écrirai une autre lettre.

— Vit-il dans les maisons blanches bâties au sommet de la colline ? demandai-je.

— Non, répond Ahmed. C'était un village de regroupement construit sous Mengistu. Depuis qu'il est parti, on est retourné chez nous. Personne ne veut habiter dans les maisons en briques. On préfère nos cases.

Les fermes d'État, sur le modèle des kolkhozes socialistes, n'étaient pas appréciées par les paysans. Le soleil a maintenant complètement disparu de l'horizon. Une douce pénombre a envahi le paysage. Ahmed a déroulé son tapis en direction de La Mecque. Les autres étalent leur chamma sur le sol. Ceux qui transportent une petite calebasse remplie d'eau s'éloignent derrière un buisson pour pratiquer leurs ablutions. Ils s'agenouillent, baisent le sol à intervalles irréguliers en un ballet silencieux, sans tenir compte de notre présence.

Les gosses tendent soudain le bras vers le haut de la colline.

— *Macchina*, disent-ils.

Ils ont entendu un bruit de moteur. Des phares balaient la campagne par à-coups. L'énorme 4 x 4 japonais nous éclaire en pleine face. Je prends tout d'abord le conducteur pour un garagiste avant de m'apercevoir qu'il s'agit de l'évêque. Il a pris des risques, sa voiture est connue de tous. Mais il n'est pas homme à se dégonfler. Le jeune messager est à ses côtés. Il n'a pas traîné et mérite une bonne récompense. L'évêque ne perd pas de temps. En un tour de main, il attache un câble entre les deux voitures, dicte quelques ordres au chauffeur et remonte dans son 4 x 4. Le père Émile s'est assis à côté de lui.

— Notre évêque est dynamique, dit-il simplement d'un ton flegmatique.

Le gros diesel tire sans peine notre Land Rover chargé de gosses accrochés aux ridelles arrière. Une fois sur la piste, le remorquage devient moins périlleux. Il fait nuit noire et les barrages militaires ont fait leur apparition. A l'entrée de la ville, des soldats, postés devant une barre posée sur deux bidons en travers de la route, contrôlent les véhicules. L'un d'eux appelle son chef vêtu d'un treillis sans distinction de grade et chaussé de baskets neuves. Il questionne l'évêque, regarde nos têtes de *farendj* et nous fait signe de passer. Nous laissons la Land Rover dans ce qui a dû être un garage. S'il n'y avait pas une pompe à essence devant, on pourrait croire que le bâtiment aux vitres brisées est à l'abandon. Tilahoun revient avec deux inconnus. Ils inspectent le moignon du levier de vitesses, discutent trois minutes entre eux.

— Demain matin, la tige sera réparée. Ils savent où trouver un poste à soudure qui fonctionne, me dit le chauffeur qui s'apprête à dormir dans la voiture. Si on la volait pendant la nuit, il serait obligé de travailler toute sa vie pour rembourser son patron.

A 8 heures, Tilahoun est devant la porte du Ras (on trouve des hôtels Ras dans toute l'Éthiopie) et Séraphin aussi. Il a passé la nuit dans un boui-boui. Je suis certain qu'il a mieux dormi que moi. Ma nuit a été courte. L'hôtel était complet en raison d'une réunion des délégués politiques de la région, venus discuter du statut particulier accordé par le gouvernement à Harar. Sourires et dollars n'y ont rien fait. Le réceptionniste est resté de marbre — plus de chambre disponible. Je n'ai eu droit qu'à une pièce en sous-sol avec un soupirail. Les toilettes dégageaient une odeur pestilentielle et l'état de la douche ne valait guère mieux. Je me suis pourtant forcé à me laver sous le filet d'eau qui coulait du pommeau. Le ciment de la cabine, imbibé d'humidité, se décollait par plaques et une colonie de cafards, gros comme des pièces de 5 francs, occupaient les lieux. J'ai refusé d'écraser les plus beaux spécimens car je sais, par expérience, que l'effet produit sous la chaussure est des plus désagréables. Outre le bruit, un craquement, puis l'impression d'appuyer sur une matière vivante, le résultat offre au regard une tache noirâtre, doublée d'un magma écœurant qui peut gigoter de longs moments si l'on ne revient pas à la charge. Je n'ai même pas essayé de me battre. J'aurais pu, en effet, tuer une à une ces blattes géantes mais je savais que le triomphe était impossible. Elles étaient des centaines à sortir par la bonde, les plinthes et les interstices des murs. Jamais je n'aurais pu en venir à bout.

J'ai préféré retarder le plus possible le moment où j'irais me coucher sur mon grabat. L'ampoule nue qui éclairait la chambre d'un jaune pisseux ne donne guère envie de venir s'y reposer. Le hall de l'hôtel était plein de délégués. Beaucoup étaient en costume-cravate ou du moins portaient une veste. Ils étaient donc tous des gens importants. Certains venaient de la capitale. Ils n'avaient pas pris le train, mais l'avion jusqu'à Diré Daoua, avant de rejoindre Harar en voiture. Impossible de s'asseoir sur les canapés et les fauteuils tendus de velours râpé ; toutes les places étaient prises. Les hommes étaient majoritaires. La plupart buvaient de la bière et tous fumaient abondamment. Quelques femmes mettaient une touche de couleur dans ce décor triste et gris. Il y avait ce que je pourrais appeler les Occidentales, portant un jean ou une jupe courte et une veste ceintrée, le visage éclairé par des lèvres passées au rouge très vif. Il y avait les Orientales, la tête recouverte d'un voile transparent retombant sur une chasuble stricte. A de rares exceptions près, toutes étaient des prostituées venues encourager les *congressmen* dans leur lourde tâche. Épuisé, je n'avais pas envie de tomber sur des bavards qui n'auraient pas manqué de me poser d'innombrables questions. J'avais demandé une bouteille d'eau gazeuse (l'eau du robinet, pour peu qu'elle daigne couler, ne me disait rien qui vaille), puis j'étais redescendu dans ma cellule et je m'allongeai tout habillé en quittant seulement mes chaussures. Les taches qui maculaient les draps, gris et déchirés, m'avaient dissuadé de me glisser dedans autrement.

A 6 heures, j'étais debout en ayant l'impression d'être couvert de puces et de morpions. Je m'étais gratté toute la nuit sans vraiment savoir si ces démangeaisons étaient dues à une paranoïa momentanée ou à une réelle attaque en règle de vilains insectes. En tout cas, je devrais attendre mon retour dans la chambre qui m'était réservée chez André Ducamp, pour me prêter à une inspection systématique de mon intimité.

Après ces péripéties nocturnes, j'embarque donc, de mauvaise humeur, dans mon carrosse en état de marche, si j'en crois la boule de soudure qui entoure le levier de vitesses. Je compte emprunter la piste du Tchertcher qui longe, presque en parallèle, à 2 000 mètres d'altitude, la ligne de chemin de fer. Avant de partir, je me sens dans l'obligation de rendre visite à l'unique Français de Harar qui n'est pas dans les ordres. Avec François, il n'y a pas de risque. Cet ancien militaire a épousé la patronne d'un bouna-biet, c'est-à-dire un bar à putes. Entre lui et la religion, le courant passe pourtant bien. François déjeune chaque dimanche avec le père Émile à la mission. Pendant des années, il a conduit la camionnette de sœur Chantal une fois par mois à Addis afin que la religieuse ramène nourriture et médicaments pour les pauvres. On dit qu'il profitait de ce voyage caritatif pour prendre deux jours de bon temps dans la capitale, à l'abri des regards de sa femme. Il fallait toutefois faire le voyage aller-retour au travers de contrées parfois hostiles. Sœur Chantal a été, malheureusement pour ses pauvres et pour François, rappelée à Addis-Abeba par son ordre. Depuis, le Français s'ennuie un peu mais garde le moral. Il a choisi d'habiter à Harar et en assume les avantages comme les inconvénients. Les distractions y sont rares. Le travail aussi. Ce qui n'est pas pour déplaire à François, retraité très tôt de la Coloniale.

Il habite une petite villa à l'entrée de la ville, ceinturée d'un haut mur de béton. Deux chiens-loups gardent la maison et sa Land Rover, bichonnée par ses soins, est garée dans sa cour. La voiture est toujours prête à démarrer, le plein fait et des jerrycans de réserve dans le coffre. François en a trop vu depuis 1974 pour ignorer qu'il vaut mieux être prudent. Il sait que Paris ne déclenchera aucune action militaire pour venir le sauver, même si la ville devenait le théâtre d'une immense boucherie. Aussi, il a tout ce qu'il faut pour se défendre. Je le soupçonne de garder cachées dans un coin une paire de kalachnikov et quelques grenades.

François a pourtant l'air d'un brave type. Il porte bien la cinquantaine et n'a pas pris un gramme depuis qu'il a quitté l'armée. Engagé dans un régiment d'infanterie de marine, il a tourné au Tchad, au Gabon, en Centrafrique avant d'échouer à Djibouti et d'être détaché à deux reprises au centre d'estivage de Harar. La planque pour un caporal-chef. Finis les gardes et le crapahutage dans le djebel. Harar, c'était le Club Méditerranée.

En 1974, la situation se dégrade, l'empire vacille puis s'écroule avec la révolution. Les Français évacuent Harar et François quitte l'armée. Il a goûté en Éthiopie une nouvelle vie et trouvé une femme amhara. Depuis vingt ans, il n'est pas retourné en France.

— Pourquoi j'y retournerais ? Je n'y ai plus d'amis ni de famille. Avec ma retraite, je ne me prive de rien. Au début, je donnais un coup de main à ma femme au bouna-biet. Une nuit, je me suis battu avec des Cubains. Ils se croyaient chez eux. Quand ils avaient bu, impossible de les tenir. Ce ne sont pas des mauviettes, ils sont bâtis comme des armoires, dit François en servant un whisky, un verre de l'amitié que je trouve bien matinal mais que je n'ose pas refuser.

» Les Cubains aimaient faire la fête. Ils ont laissé des souvenirs aux filles d'ici. Les femmes qui ont un enfant d'un soldat noir, passe encore. Mais avec les Blancs, cela pose problème. A Harar, les gens ne sont pas habitués à côtoyer des métis. Les Russes, eux, ne se mélangeaient pas. Ceux qui étaient mariés vivaient dans des bungalows, enfermés dans un camp. Ils sortaient toujours deux par deux. Ils n'avaient pas confiance. Ils étaient moins populaires que les Cubains.

François a vécu l'arrivée des Somalis pendant la guerre de l'Ogaden, la chute de Mengistu, le réveil de la rébellion oromo. Il n'est pas un héros, ni même un aventurier. C'est un brave gars, simple. Il a fait un choix et il ne le regrette pas. Il ne fera jamais fortune en Éthiopie. Il le sait, mais ce n'est pas le but qu'il recherche.

Son destin est déjà tracé et il le suivra jusqu'au bout, obstinément. Rimbaud s'était aussi entêté à vouloir rester dans ce pays. Il en est mort. On se serre la main avec un sourire crispé sur les lèvres.

⁂

Jusqu'au lac Alemaya, nous suivons la même route qu'à l'aller. Plus loin, elle se divise en deux. A droite, elle descend vers Diré Daoua. Tilahoun prend à gauche et longe des terrasses plantées de kat. Kulubi marque la fin du goudron. L'église Saint-Gabriel accueille, chaque mois de décembre, l'un des plus importants pèlerinages d'Éthiopie. Des trains spéciaux amènent à Diré Daoua des milliers de pèlerins qui montent à pied ou en autocar à l'église.

Après Kulubi, la route n'est plus qu'une piste défoncée, ravinée par les pluies et creusée de nids-de-poule, surprenants par leur profondeur. Elle serpente sur les flancs des monts Ahmar dont les sommets, à 3 000 mètres, restent dissimulés dans les nuages, les jours de mauvais temps.

Avec ses cases traditionnelles et ses maisons en pisé aux toits de tôle ondulée, Chalenko n'est qu'un village comme les autres. C'est pourtant ici que s'est joué, il y a un siècle, le sort des Gallas et de Harar. Depuis le départ des Égyptiens, l'émir de la ville sainte se croyait tout permis. Il avait reçu en grande pompe une mission anglaise, et feint d'accepter le protectorat britannique. Mais à peine la délégation avait-elle pris la route du retour qu'il fit brûler le drapeau anglais sur la grande place et envoya ses spadassins à leur poursuite. Les sujets de Sa Majesté furent massacrés pendant la nuit dans leur bivouac. Les Anglais éliminés, les Italiens tentèrent leur chance. La délégation du comte Porros fut reçue avec autant de faste que la précédente pour signer un traité d'amitié. Afin que rien n'arrive au comte et à ses hommes, l'émir proposa une escorte qui accompagna les Italiens jusqu'au désert, limite du royaume de l'émir. Après de chaleureux remerciements, la délégation poursuivit son chemin en toute tranquillité, se croyant à l'abri. Elle fut abattue par-derrière en pays somali par les hommes de l'émir qui n'avaient pas hésité à sortir de leur territoire pour perpétrer ce coup de main.

L'émir méritait une bonne leçon. Les Anglais allaient s'en charger. Ce fut Ménélik qui les prit de vitesse, ne tenant pas à voir flotter le drapeau britannique sur un territoire qu'il estimait devoir lui revenir. Il dépêcha son frère à la tête d'une armée de quinze mille hommes. L'émir n'en ayant que cinq mille, le rapport de force était suffisant pour l'emporter. C'était compter sans la ruse de l'émir. Les Italiens avaient eu la bonne idée de lui offrir pour les fêtes du ramadan des feux d'artifice et deux petits canons qui faisaient plus de bruit que de dégâts. L'émir demanda à son général turc de placer ses pièces d'artillerie autour de la cuvette de Tchalenko. A peine la troupe s'était-elle endormie que retentissaient pétards et fusées qui striaient le ciel comme des étoiles filantes. D'autres explosaient en produisant des gerbes d'étincelles. Les Abyssins, d'abord tétanisés par cette manifestation diabolique et tonitruante, prirent la fuite sans tirer un seul coup de fusil. L'émir avait encore gagné la partie. Pas pour longtemps. Ménélik en personne revint à la charge. Galvanisés par la présence de l'empereur, les soldats massacrèrent ceux de l'émir jusqu'au dernier. Arrivé dans Harar, le roi des rois chrétien monta en haut du minaret et pissa sur la grande mosquée, avant de la faire détruire. L'administration abyssine se mit en place, au point qu'aujourd'hui la ville compte autant d'Amhara que de Harari. Mais le Tchertcher, lui, est resté galla à cent pour cent.

Rimbaud emprunta ce chemin pour rejoindre Ménélik. Plus tard, Monfreid vint y chercher des peaux et du musc. Après la chute de Mengistu, les habitants de la région se sont révoltés. Ils ne veulent plus qu'on les appelle gallas mais oromos. Profitant de la fragilité du nouveau pouvoir à Addis, ils croient acquérir leur indépendance. Les collaborateurs de l'ancien régime marxiste, les étrangers, les Amharas et les soldats tigréens, sont sauvagement combattus. Dans cette confusion générale, les chiftas, les bandits, ne sont pas en reste. A Gara Muleta, cent cinquante personnes sont poussées dans un précipice. Les camions de café sont pillés. On ne compte plus les attaques du train, dont le tracé suit le pied des montagnes. Les religieux ne sont pas non plus épargnés. Pendant six mois, la poignée de capucins du pays galla est prise en otage. Impossible pour eux de sortir de la mission sans risquer de mourir.

Arrivé à Irna, j'ai du mal à trouver la mission. Devant un toucoule enfumé, un gamin plus courageux que les autres ne s'enfuit pas à mon approche. Sa mère a la chevelure enduite de beurre, sa robe aussi est graisseuse. Elle nous regarde avec des yeux ahuris. Si j'en crois les remarques d'Arthur Rimbaud et les descriptions d'Henry de Monfreid, rien n'a changé dans la région. Les charrues sont toujours tirées par des zébus et les populations demeurent aussi pauvres qu'il y a un siècle. L'enfant tend le bras en direction d'une montagne. La voiture a du mal à grimper la pente sur ce chemin plein d'ornières qui traverse des prés aussi verts que ceux du Massif central. La mission est composée d'une école et d'une chapelle entourées d'un mur de pierre. Le prêtre n'est pas là. Il habite encore plus haut, une sorte de chalet blotti au creux d'un vallon. De la fumée s'échappe de la cheminée. A 1 800 mètres d'altitude, il fait froid, même sous les Tropiques, surtout lorsque le ciel est couvert de nuages épais comme aujourd'hui. Quand il pleut, c'est-à-dire souvent, les paysans s'abritent sous leur chamma. J'ai vu des gosses transis, grelottant sous un morceau de plastique, attendre sous un arbre que le déluge cesse. L'avantage, c'est qu'ici tout pousse. Les pâturages sont gras et la terre, riche, produit des céréales, du café si le kat n'occupe pas le terrain. Mais l'on manque de semences et d'engrais pour que la production soit suffisante et puisse nourrir toutes les bouches.

Le père, surpris de ma visite, paraît de mauvaise humeur. Mince, la cinquantaine, vêtu d'un pull-over et d'un pantalon de velours, il ressemble peu à l'idée, peut-être passéiste, qu'on se fait des capucins. Au moins donne-t-il l'impression d'être dynamique.

— Je n'ai pas le temps. Je dois aller dire la messe. Revenez ce soir si vous voulez, me dit-il.

— Rouler la nuit sur cette piste n'est pas très recommandé, dis-je.

— Je suis attendu à l'église. Excusez-moi, répète-t-il, peu aimable, en ajoutant le couplet que j'ai déjà entendu maintes fois. Les journalistes ne racontent que des bêtises ! Il faut nous laisser tranquilles. La situation est assez délicate comme cela.

Ce capucin doit vraiment aimer la solitude. En fait, ma venue risque d'être mal interprétée, sinon déformée, chez les intégristes oromos qui voient d'un mauvais œil la présence d'un étranger catholique. Habiter dans une maison aussi isolée, dans une région en rébellion, exige du courage. Des villages voisins ont été anéantis, leurs habitants massacrés à coups de hache. Les femmes enceintes étaient éventrées, les autres avaient les seins coupés, les hommes, la tête tranchée ou écrasée à la massue.

Depuis, le père ne doit pas dormir en toute sérénité. Je préfère ne pas insister.

A l'entrée d'Irna, un minaret vert domine une mosquée jaune citron. Une première banderole appelle le peuple oromo à être uni. Une deuxième annonce que « la démocratie est le droit des peuples » et qu'il faut la conserver.

Asbe Teferi est le plus gros bourg avant Aouache. La piste descend ensuite pour rejoindre la gare de Mehesso, épicentre de la zone dangereuse pour le chemin de fer, que j'ai traversée il y a quelques jours. A part la mosquée et quelques bâtiments administratifs qui tombent en ruine, les maisons « en dur » sont rares. Des huttes, des cabanes en planches recouvertes de plastique et de tôle, ont poussé en plein centre de l'agglomération. Dans les rues, les ânes interdisent le passage aux camions poussifs. Asbe Teferi est la halte obligée avant de prendre la piste de Harar. Des mécanos réparent, dans leurs ateliers en plein air, les moteurs en panne. D'autres sont spécialisés dans les pneumatiques. Longtemps, le trafic a été pratiquement arrêté par les attaques de la guérilla et des bandits.

Père Raymond ne conserve pas un bon souvenir de cette période. Pendant six mois, il n'est pas sorti de la mission. Une première. Pour aller dire la messe tous les quinze jours dans la montagne, le père chevauche un mulet pendant deux heures. Pour atteindre Djafara (quatre-vingts baptisés), il lui en faut trois à l'aller, et autant pour le retour. Malheureusement, Samouna, sa mule, est morte cette année après vingt-cinq ans de bons et loyaux services.

— C'est un problème. Difficile de retrouver une bête aussi sûre et en laquelle j'aie entière confiance, dit père Raymond en cassant deux œufs dans une poêle pour fêter mon arrivée.

A la mission d'Asbe Teferi, il n'y a pas de bonne du curé. Chacun met du sien pour assurer les travaux domestiques. Autour de la table couverte d'une toile cirée il y a frère Mathieu et abba Joseph, un prêtre éthiopien aveugle qui a fêté ses 90 ans. Abba Joseph est d'une maigreur extrême. Sa soutane noire allonge sa taille déjà élevée. Il ne marche pas, il avance en faisant glisser lentement ses chaussures l'une après l'autre sur le carrelage. A son âge, il a évidemment tout connu : Ménélik, les Italiens, le négus, Mengistu et nombre de massacres qui semblent être le passe-temps favori des habitants de cette région. Aussi, la mort ne l'impressionne guère.

— Je suis prêt, dit seulement le vieillard, probablement ordonné prêtre par monseigneur Jarosseau, l'évangélisateur des Gallas.

Père Raymond est incontestablement le chef de la mission. Originaire de Loire-Atlantique, l'homme ressemble à un robuste paysan. Il porte sur sa chemise à carreaux un débardeur de laine grossièrement tricoté. Il parle d'une voix grave, avec un débit rapide, passe les plats énergiquement et mange debout. Ma visite inopinée dérange les habitudes de la communauté où l'on n'est guère habitué à recevoir. En plus des œufs, j'ai droit, en guise de dessert, à de la crème en conserve réservée au repas dominical. Père Raymond est un homme d'action. Il ne chôme jamais. Il est infirmier, professeur, assistant social. Cela dure depuis quarante et un ans, depuis ce 2 avril 1953 où il arriva en Éthiopie. Il y connut des années terribles, celles de la révolution et de la terreur, où les curés n'avaient pas la cote.

— Un jour, j'ai vu sept cadavres allongés devant chaque entrée du marché couvert. « Voilà ce qui va vous arriver si vous ne suivez pas la ligne du Parti ! » clamait un commissaire politique. Les morts étaient jetés le soir sur une décharge publique et mangés par les hyènes. C'était le temps où chacun pouvait dénoncer qui bon lui semblait. Un révolutionnaire entrait dans une classe et demandait à propos de l'instituteur : « Cet homme a-t-il critiqué la révolution ? » Les élèves répondaient oui et l'enseignant était exécuté sur-le-champ. Son corps était exposé dans la cour et les enfants le piétinaient en criant : « Qu'il aille au diable, vive la révolution ! » En 1977, les révolutionnaires ont arrêté cent vingt étudiants. Ils leur ont fait creuser une grande fosse derrière l'église. Puis un à un, ils les ont abattus d'une balle de revolver dans la nuque. Tous les matins, quand je sonne la cloche, je regarde ce champ et prie pour eux, confie le prêtre.

Si l'instauration du marxisme a entraîné son lot de victimes, sa chute en a provoqué bien d'autres. On estime à deux cent cinquante mille le nombre d'Oromos enrôlés dans l'armée qui ont combattu la guérilla érythréenne, laquelle a duré plus de vingt ans. Une fois démobilisés, les chefs oromos ont pris la tête des maquis pour l'indépendance de l'Oromia. Ils s'en sont pris d'abord aux Amharas, associés au pouvoir central et installés dans le Harargué depuis que Ménélik annexa la province à l'empire. Les extrémistes musulmans étaient les plus féroces. Leur combat avait deux objectifs : chasser les étrangers et mener la djihad contre les chrétiens.

— On entendait tirer toutes les nuits. Un jour des maquisards sont rentrés dans l'hôpital pour chercher des couvertures. Ils sont tombés sur un chauffeur érythréen malade, ils l'ont abattu devant la sœur qui s'occupait de lui. Avant de partir, ils ont crié : « Tu dois soigner nos frères et pas les autres. »

A deux heures et demie de mulet d'Assabot (une des gares où j'ai trouvé les gens si « sympathiques »), c'est dix-sept moines orthodoxes qui sont assassinés. Pour économiser les munitions, les blessés sont jetés dans un ravin, une habitude dans la région.

Sur la piste de Midagdou, le père Andebreane est tué dans sa voiture avec une demi-douzaine de catéchumènes.

Frère Mathieu, lui, est tombé sur un triste spectacle. Lorsqu'il arrive à la mission d'Argoba, il trouve l'église détruite. Il n'y a plus âme qui vive dans le village. La petite communauté catholique a disparu. Le capucin n'a pas parcouru huit kilomètres qu'il découvre un charnier au milieu des champs de sorgho. Les hommes, les femmes, les enfants ont été poignardés, égorgés, mitraillés et dépouillés. Les ossements ont été dispersés, nettoyés par les hyènes. Le sort des soldats tigréens n'est pas plus enviable. Près de Debesso, les fanatiques ont arraché les yeux d'un militaire, l'ont tué puis ont découpé ses fesses qu'ils ont mangées avec des piments. Au moins, ils ne risquaient pas d'attraper le ténia comme cela arrive souvent avec les cubes de viande crue de bœuf dont on raffole partout.

Le père Michel a eu de la chance et à la mission d'Asbe Teferi on veut croire que le Seigneur était, ce jour-là, tout près de lui. A côté de la gare de Mehesso (toujours cette même zone où la population me regardait d'un drôle d'air), des chiftas ont arrêté sa voiture pour le dévaliser. Ils étaient huit et le père n'a opposé aucune résistance. Il a même été obligé de donner ses chaussures. C'était perdre la vie ou finir pieds nus. L'abbé n'a pas hésité. Les Itous et les Gallas qui habitent le long de la ligne de chemin de fer sont des teigneux. Récemment, un chauffeur qui avait tué par mégarde un chevreau sur la piste avec sa voiture et ne s'était pas arrêté a été puni. Le propriétaire de l'animal a attendu quinze jours sur le bord de la route que le conducteur maladroit repasse en sens inverse et il l'a tué.

— Pour le moment c'est calme, dit le père François, émoustillé parce qu'il doit essayer une nouvelle mule pour remplacer la défunte Samouna.

— Ne traînez pas, il faut que vous soyez rendus à Diré Daoua avant la nuit. C'est plus prudent, ajoute-t-il.

CHAPITRE XIII

La mairie de Diré Daoua n'a pas d'horloge sur son fronton. C'est inutile. La journée est rythmée par la sirène du chemin de fer qui appelle les ouvriers au travail. A 6 h 45, elle sonne une fois. A 7 heures elle retentit à deux reprises pour prévenir les retardataires. Un code installé par les Français qui, même en pleine brousse, avaient recréé l'univers des ateliers. Les cadres se retrouvent devant le bâtiment administratif. Ils règlent les nombreux problèmes en discutant dans la rue à l'ombre des eucalyptus. L'ambiance est plutôt bon enfant. Mais la tradition du rail est respectée. Tous possèdent une culture du chemin de fer et sont fiers d'appartenir à cette grande famille. Le savoir-faire est toujours là mais les responsables du rail éthiopien ressemblent à ces marquis, nobles de cœur, qui s'entêtent à habiter leur château devenu taudis, faute de moyens pour l'entretenir. On travaille encore à Diré Daoua suivant les règles de la SNCF, en n'ayant pas de quoi réparer un matériel à bout de souffle.

Depuis des années, Ahmed Hachi fait des miracles tous les jours. Il règne sur un ancien dépôt de locomotives à vapeur transformé en atelier de réparation pour les wagons. Une plaque tournante distribue les neuf voies qui s'enfoncent dans un hangar couvert de tuiles. A l'origine, un moteur actionnait un cabestan. Le rond d'acier tournait sur lui-même sans effort grâce à un réseau de câbles. Mais le moteur et le cabestan sont rouillés depuis belle lurette et ce sont des hommes qui effectuent la manœuvre en poussant comme des forçats. Au fond de l'atelier, des panneaux verts en bois annoncent en lettres jaunes les attributions de chaque bureau : Outillages, Service appareillage mesures et contrôle, Chef wagonnage. A côté du bureau du directeur, le planning du département MR (matériel roulant) est fixé au mur à côté d'une affiche jaunie des années 50 : un homme est penché sur de la tôle, un pistolet à soudure en main, « Au coup d'arc, utilisez l'écran, protégez les yeux », lit-on dessus.

La sécurité n'est plus respectée depuis longtemps. Deux hommes relèvent un wagon à bestiaux de 1937 avec un vieux cric américain à manivelle. Il suffit qu'il ripe sous le poids pour que les ouvriers reçoivent plusieurs tonnes sur les jambes. L'atelier a reçu du « gagama », du bois de fer. Une chance, sinon les lattes pourries du plancher n'auraient pas pu être remplacées. A proximité, c'est une citerne à mélasse de 20 m^3 fabriquée en 1936 par les entreprises Nivelles qui est en réparation. Depuis quatre jours, elle est en souffrance. Manque de pièces détachées. Elle est utilisée pour transporter du mazout, mais la charge n'est pas respectée. A force de la remplir à ras bord, elle s'est affaissée. Les bricoleurs d'Ahmed ont renforcé les axes mais, avec l'usure, l'ensemble risque de casser et de provoquer un accident. Derrière, un wagon à claire-voie qui avait été réformé à la suite d'un déraillement est en réparation. Il date de 1911 ! Faute de matériel roulant, il va reprendre du service. On cannibalisera un autre wagon accidenté pour réparer celui-là.

— On y arrive, mais c'est toujours de l'à-peu-près. Il faut que l'ouvrier démonte les pièces à récupérer, découpe, reprofile et enfin remonte le tout. Cela prend un temps fou. A l'époque des Français, on réparait vingt-cinq wagons par mois. On est tombé à quatre ou cinq. Les contrebandiers cassent les embouts, arrachent les toitures. En deux mois, cent quarante-cinq wagons ont été abîmés. Les marchandises et les clandestins qui voyagent sur les toits affaissent les plafonds, aplatissent les boogies. A l'intérieur, les charges mal réparties cassent le ressorts. Faute d'armature en fer, je remplace les cadres par du bois. Dans les voitures de troisième classe, on a supprimé les fenêtres et les vitres. A Addis, pourtant, il pleut et il fait froid. Mais les passagers n'en veulent pas. Ils sont plus à l'aise pour transborder leurs ballots.

» Depuis dix-sept ans, on ne compte plus le kilométrage des wagons. On a arrêté de les inscrire sur les carnets de bord au moment de la révolution. Du temps de Mengistu, on n'entendait pas un bruit dans l'atelier. Pas un coup de marteau. Rien. On commentait les textes de Marx, Lénine et Engels. On nous assenait des choses que l'on ne voulait pas entendre. On en ingurgitait tellement que ça nous rendait malades. Je pensais qu'une fois le régime tombé il y aurait la démocratie et la paix, qu'il suffisait de se mettre au boulot. Mais non. Je me demande parfois pourquoi, avec mes camarades cheminots, on s'escrime à faire circuler ce train si on le sabote pour qu'il s'arrête. Ceux qui font ça n'ont pas la notion du service public. Ils ne se rendent pas compte que ce sont eux les premiers pénalisés. Les cheminots travaillent pour le pays, pour tous les Éthiopiens. Les voleurs exploitent la situation. Ils déchirent les sièges, enlèvent la mousse pour dissimuler du café de contrebande.

Chaque avarie coûte de l'argent à la compagnie. De l'argent qui pourrait nous servir à acheter du matériel neuf, analyse avec réalisme Ahmed Hachi devant un ouvrier qui vérifie avec un fil à plomb si le châssis de son wagon est droit.

Des slogans marxistes ornent encore les murs de l'atelier. « Travaillons et luttons », sous-entendu pour la révolution, peut-on lire sur une fresque représentant un paysan et un ouvrier côte à côte devant le drapeau éthiopien. Une cloche est bizarrement fixée au-dessus du bureau.

— Elle tintait quand le chef voulait annoncer aux travailleurs les mots d'ordre du Parti. Le chef était un commissaire politique. Si on parlait entre nous dans l'atelier, c'était à voix basse en veillant à ce que personne ne nous écoute. Que le travail soit mal fait n'avait aucune importance. L'important était que les wagons sortent. Aujourd'hui, on paye l'addition, maugréait Ahmed, amer devant tant de gâchis. Un dictionnaire Larousse est posé sur son bureau. Il lui permet d'écrire correctement ses commandes de pièces détachées.

— C'est souvent inutile. Le magasin ne possède pas de stock suffisant.

Divisé en trois bâtiments longs d'une cinquantaine de mètres chacun, le magasin général n'est pourtant pas vide. Il abrite même la plus grande quincaillerie de toute la Corne de l'Afrique. Une caverne d'Ali-Baba placée sous le contrôle de Tadesse Woldeyes qui a pour charge de distribuer les vingt-quatre mille trois cent soixante et une pièces répertoriées depuis le dernier inventaire. Ici, point d'ordinateur ni de listing informatique. On compte et on écrit tout à la main avec une belle écriture avec des pleins et des déliés. Tadesse est rentré à la compagnie comme apprenti, puis il a réussi, à Madagascar, l'examen du cours supérieur de promotion. Il a même été envoyé en France en 1973 pour suivre, au sein de la

SNCF, un stage de commandement de six mois à la Plaine Saint-Denis et à Belfort. Un bon souvenir.

Depuis trois ans, il est responsable du magasin. Un véritable casse-tête. Il ne peut donner que ce qu'il a et il n'a pas grand-chose. Il faut aussi s'y retrouver au milieu de ce qui pourrait être devenu au fil des ans un capharnaüm. Les herbes folles poussent sur les voies, les essieux réformés sont alignés par centaines à côté, des montagnes de ferraille s'entassent non loin des bâtiments qui mériteraient un bon coup de crépi, mais à l'intérieur du magasin général, l'ordre règne. On suit depuis quatre-vingts ans les mêmes méthodes de rangement que les cheminots français avaient importées au temps des locomotives à vapeur.

Les administratifs, installés sous la véranda qui jouxte le magasin numéro un, connaissent l'état du stock grâce à des milliers de fiches blanches soigneusement rangées dans vingt-six bacs. Le service de réapprovisionnement utilise, lui, des fiches rouges, pour les entrées, et bleues, pour les sorties. Il en existe aussi des jaunes, des roses, des beiges pour le contrôle, les commandes, etc. Il y a également les BPC, les bulletins de prises en charge et les fameux classeurs verts, de nomenclature générale, qui permettent de retrouver n'importe quel type de boulon, à condition qu'il soit disponible.

— C'est très facile, affirme Tadesse. Le symbole n° 176036 représente dans la colonne de désignation un axe de timonerie TG de 27 x 67 référencé OF1 80102 avec pour application des wagons-citernes Nivelles de 35 tonnes.

— Monsieur Tadesse, les pièces doivent susciter des convoitises ? N'y en a-t-il pas qui disparaissent sans que personne puisse le justifier ?

Tadesse Woldeyes sourit.

— L'envie est un des sept péchés capitaux et ici la

tentation reste forte. Les ouvriers sont mal payés et la misère est grande. Les vols existent, c'est vrai, et nous essayons de les prévenir. Le matin, je viens à 6 h 30, une demi-heure en avance, pour vérifier s'il ne se passe rien d'anormal. A midi, je ferme. S'il se présente une urgence, on vient chez moi demander les clés. Lorsque des pièces de rechange arrivent de Djibouti, je vais moi-même à la gare. Je regarde l'état du wagon. Je vérifie que le toit n'a pas été arraché, que le plombage n'a pas sauté bien qu'un convoyeur soit enfermé dedans avec un registre navette. Malgré tout, j'ai déjà constaté des vols.

Quatre mille baguettes d'électrode ont disparu l'année dernière. Trente-neuf roulements à bille pour voiture et moteur électrique manquaient également à l'appel. Dans les ateliers, les clés plates et les pieds à coulisse se volatilisent. Sinon, c'est la quincaillerie qui est touchée : des centaines de petits boulons s'évaporent régulièrement.

Omar, aujourd'hui proche de la retraite, est le Courteline des magasins généraux. Omar est l'honnêteté incarnée. Grand, sec, la tête couverte d'une petite coiffe musulmane, il connaît par cœur chaque article. Pendant l'inventaire, il ne dort pas la nuit. Il est malade à l'idée qu'il pourrait manquer un rivet ou un marteau. Ce n'est pourtant pas faute de se montrer intransigeant sur la procédure. Sans bon jaune, il est hors de question qu'il autorise la sortie d'une pièce. Omar ne transige pas avec le règlement. Qu'un commis se pointe les mains vides pour demander une scie à métaux, il ne l'obtiendra pas. Il aura beau dire : « J'apporterai le bon plus tard, le chef n'est pas là pour le signer », Omar ne dérogera pas à l'éthique et demeurera intraitable.

— Au magasin, on souffre beaucoup. Il n'y a pas de confiance, trop de mouvement, trop de travail, dit-il. A chaque inventaire, on sort chaque casier, puis on compte les pièces une à une, article par article. Il faut savoir si chaque objet doit être compté par kilo, par litre, par feuille, en mètres cubes ou en mètres carrés. Les liquides sont comptés en litres, les rondelles et les boulons par pièce et non pas au kilo.

— Vous comptez les rondelles une par une ?

— Oui. Il ne faut pas se tromper. Quand vous atteignez des chiffres de plusieurs centaines, jamais ça tombe juste. C'est un travail pénible. L'inventaire dure deux mois et vingt jours ! Pendant cette période, on n'assure la distribution qu'une heure le matin. Tout doit être compté, même les enveloppes. L'année passée, on en a trouvé mille huit cent treize à en-tête alors que, sur la fiche, il devait en rester mille neuf cent trente-cinq. Il en manquait cent vingt-deux. Par contre, il y avait treize enveloppes avion en plus ! Pour l'inventaire nous prenons des aides administratifs. Ils ont la flemme de compter jusqu'au bout. D'autres mélangent les goupilles avec les rondelles pour aller plus vite. Il y a aussi ceux qui n'ont pas de mémoire. Je suis obligé de recompter avec eux. S'il manque des choses c'est que plus personne ne respecte les chefs, maugrée Omar. Du temps de Haïlé Sélassié et des Blancs, on respectait les choses et les gens. Avec les socialistes, il y a eu beaucoup de kalam. Dans les ateliers, on leur dit « Ne stockez pas, demandez juste ce dont vous avez besoin. » Il en faut pour tout le monde. Ils n'écoutent pas. Ils ont toujours peur de manquer.

Dans le magasin, un couloir sans fin longe des centaines d'armoires contenant des milliers de casiers en bois. A l'entrée de chaque petit couloir perpendiculaire, un panneau annonce : « Défense d'entrer. »

Une ancienne balance italienne rouge servant à peser les paquets de rivets est posée sur une table. Au mur, les slogans de l'ancien régime sont toujours présents :

« Yankee, go home ». « Les ouvriers ont chassé l'impérialisme et les paysans, les propriétaires », peut-on lire dessus. Un poster de l'équipe de football d'Auxerre trône à côté. Il provient d'un magazine français qu'un conducteur a rapporté de Djibouti. Sur les casiers, les étiquettes ont été écrites en français avec une plume Sergent-Major trempée dans de l'encre de Chine. Beaucoup d'Éthiopiens ont appris notre langue en lisant ces milliers de mots correspondant, chacun, à une pièce spécifique.

TÊTE FRAISÉE DIAMÈTRE CINQ. LONGUEUR 30. SYMBOLE N° 163051.

— Il faut faire attention, il en existe deux sortes de mêmes dimensions, précise Omar.

BRIQUETTES DE FERRO-SILICIUM N° 100020.

— Elles étaient pour les machines à vapeur. Ce serait à déclasser, soupire le magasinier.

Dans une armoire, je trouve des gommes Blue Star tchécoslovaques, d'autres de marque Mallet et du correcteur Pélikan.

— Des fournitures qui datent du temps des Français, commente Omar.

Plus loin, je lis : VIS À BOIS TÊTE RONDE. 2,5 X 20 LAITON. N° 170 017.

— Il y a les fraisées et les bombées. Faut le savoir, ajoute Omar qui ne me lâche pas d'un pouce.

Les inscriptions se transforment au hasard des pas en un long poème. Tarauds, alésoir-peigne et radial gouges par bavures bouchardes, tranches queue ronde, bouterolles pour rivets, clés à fourche, cisailles à main « l'universelle », coupe-droite, mandrins, douilles de réduction, cône morse, emporte-pièce, drilles à double hélice « Roterex », marteaux rivoirs, tranches à chaud à l'œil, tamponnoirs façon Paris deviennent une langue en soi, chaleureuse, détaillée, et écrite lisiblement et sans faute d'orthographe.

L'armoire numéro six, fermée avec un cadenas, est à elle seule un texte précieux. En lisant les étiquettes, je comprends qu'un agent du chemin de fer qui ne parle pas le français est un homme perdu et sans avenir. Ici, on ne demande pas une paire de pinces. Il faut préciser de quel modèle il s'agit. L'armoire contient en effet des pinces à pied-de-biche, à arrache-clous, à voie pour scie à main, à bec droit long carré. Une lime est demi-douce bâtarde, plate pointue douce ou demi-douce, carrée, triangulaire, ronde bâtarde ou non. Quant aux brosses, il faut choisir entre un modèle à persiennes, à peindre, à badigeon, à queue de morue, à pouces ou à caractères. De quoi y perdre son latin. Omar a appris cette anthologie de la pièce détachée. Il s'est nourri de l'ouvrage bien fait et du mot juste. Au fil des ans, il est devenu un historien, un esthète, un grammairien du boulon et de la rondelle. Dans la catégorie technique, il ferait fortune à « Questions pour un champion » ou au « Jeu des mille francs ».

Au fond du magasin, je trouve des crayons spéciaux pour l'industrie de qualité « extra supérieure ». Ils sont bleus, rouges, jaunes et servaient à écrire sur les rails. Ils s'effritent lentement depuis le départ des Français. Le casier d'à côté contient des « tubes Liment pour coller les lapidaires homologués par la commission technique de la section Meuble du syndicat national des fabricants de produits abrasifs » — « Boîtes à utiliser dans les trois mois après réception », est-il écrit sur chacune d'elles. Elles datent d'octobre 1949 ! Il y a aussi une boîte jaune de super-encaustique présentée par les Ets Avond, 60 rue Étienne-Dolet, Cachan. Tél. : Alésia 36-53 ! Un enduit spécial fabriqué à Saint-Maur pour joints de moteur et carter « l'Hermétic », le seul garanti résistant aux plus hautes températures et aux pressions élevées ; des bidons d'huile sport, frappés d'un drapeau à damier fabriqués à

Noisy-le-Sec, tél : Vil. 17-22. Un casier voisin renferme un énorme poinçonneur. La base est en fonte verte et l'appareil en laiton. Une véritable œuvre d'art, réalisée par E. Ravasse et G. Klein à Paris.

— On conserve des pièces comme dans les musées, murmure Omar, gêné devant mes découvertes.

— Sur les 24 301 articles du magasin général, combien sont encore utilisables ?

— Au CDE, on ne jette rien, tout peut servir. Par la force des choses c'est devenu une tradition.

Les ateliers généraux et la fonderie en sont la preuve. Des hommes y transpirent devant des fours alimentés par du charbon de coke. Une montagne de sabots de frein de récupération obstrue quasiment la porte du hangar. Ils seront fondus pour être transformés en freins neufs.

— Le problème, c'est que le coke fait défaut, explique Lichane Ayaleou, qui commande à cent quatre-vingts ouvriers.

Dans d'autres moules, c'est de l'aluminium qui est versé pour fabriquer des poignées de porte, des carters, des couvercles et des fourrures de crapaudine. Dans l'atelier, les bielles de boogie sont chauffées au charbon, puis redressées à coup de marteau par les forgerons. Les cravates des tampons sont reprises par les mêmes hommes. Un pilon des ateliers GSP de Guillemin-Sergot-Pegard fonctionne encore pour aplatir la ferraille, mais c'est avec des muscles et de la sueur que le gros du travail est abattu. Émile Zola aurait certainement trouvé ici une source d'inspiration. Une énorme perceuse mobile, montée sur vérin, siège au milieu du hangar graisseux et noir de charbon.

— Elle nous a beaucoup servi pour réparer les ponts après la guerre de l'Ogaden. Elle a plus de quarante ans mais nous aide énormément, avoue le chef d'atelier.

La réfection d'un autorail est presque terminée. La cabine avait été détériorée par l'explosion d'une roquette. On a redressé les tôles à la plieuse et à coups de marteau. La charpente, le plancher et le pupitre ont été totalement refaits.

— C'est à la cisaille à main que travaillent les chaudronniers. On achète en ville des fers plats pour fabriquer des colliers, explique Lichane devant une enclume.

Les essieux, chauffés à blanc dans un four à gasoil, sont plongés dans l'eau pour être refroidis. Quant aux boudins usés, ils ne sont pas réformés mais « rechapés » comme des pneus de voiture. Une pratique interdite en Europe car le métal chauffé perd ses propriétés. Sur les fusées, les carcasses de coussinets en bronze sont récupérées et étamées. Tant pis pour la sécurité. Comment blâmer les responsables ? Sans matériel de récupération, ni bricolage, la survie du chemin de fer ne serait pas assurée.

— Ce train aurait dû s'arrêter depuis longtemps. Il ne répond plus à aucune norme technique et de sécurité. Il continue de rouler mais c'est un miracle, lâche tristement un ajusteur.

Un moteur diesel de vingt-quatre cylindres plutôt récent alimente en électricité les ateliers. Mais la dynamo date de 1947. Dans une annexe, un superbe compresseur hollandais fabriqué en 1988 est en panne depuis deux ans. Toujours faute de pièces, trop coûteuses lorsqu'on manque de devises.

— Il chauffait. Fallait l'arrêter toutes les deux heures, lâche le machiniste avec une moue dégoûtée.

Alors, c'est l'ancien compresseur Jeumont, vieux d'un demi-siècle, qui travaille dans un bruit de tracteur. Au fond, d'étranges panneaux de bois recouvrent des bacs remplis d'eau. Ils représentent les vestiges de la grandeur passée. Les voyageurs avaient droit dans le temps à des boissons fraîches dans le train, malgré la canicule qui règne dans le désert en direction de Djibouti. Il fallait donc fabriquer de la glace pour le confort des passagers. En douze heures, la glacière de Diré Daoua produisait chaque jour vingt-quatre pains de glace de 5 kilos.

Pour rejoindre le dépôt, il faut traverser des voies de garage, couper à travers la gare de triage au trafic inexistant et longer le cimetière du matériel roulant. Les causes de décès sont nombreuses : guerres, accidents, attentats. Depuis tant d'années que wagons et locomotives s'accumulent, des herbes ont poussé entre les pans de tôle déchiquetée. Repose ici la technologie occidentale que l'Afrique a usée. Une Littorine Fiat mise en service sous l'occupation italienne repose derrière une loco suisse Winterthur de 1950. L'autorail coupé en deux par une mine pendant la guerre de l'Ogaden est devenu un long bac à fleurs où poussent des arbustes de bonne taille. On ne compte plus les wagons écrasés, pliés, compressés par les chocs, qui achèvent de rouiller dans ce paradis de la ferraille. Armés de marteaux, de scies et de pinces, des ouvriers enjambent ces cadavres métalliques pour récupérer une fenêtre, des armatures de siège ou la tôle d'un plancher. Pour redonner la vie au rail, ils dissèquent le matériel mort.

Dans le dépôt voisin, les mécaniciens s'arrachent les cheveux. Les principes de la mécanique étant immuables, on peut difficilement outrepasser les règles fixées par le constructeur. Alors, les locomotives roulent plus d'un million de kilomètres avant d'être révisées. Faute des chevaux nécessaires pour tracter un convoi de marchandises en côte, elles patinent, le moteur chauffe et l'eau monte à 90°.

— J'ai déjà signalé dans mes rapports que cette pénurie pouvait avoir de graves conséquences pour la sécurité, souligne Ahmed Mohamed, le chef du département loco. Les contrebandiers détériorent le matériel, peste-t-il. A travers les persiennes, ils accrochent à l'aide de ficelles des petits sacs de café dans le compartiment moteur. Ils ne se rendent même pas compte qu'ils bouchent ainsi l'aération. La ventilation n'est plus assurée, les résistances rougissent et le circuit électrique prend feu ! C'est comme les rondelles du frein à vide. On n'en a jamais assez. Le contrebandier débranche le tuyau et l'enlève pour arrêter le train. Il va manger, traite ses affaires et tout le monde attend son bon vouloir. C'est lui qui décide quand le train doit repartir. La police est impuissante. Personne ne veut d'histoires.

Si Mohamed est remonté, c'est que l'électricien qui est mort il y a quelques jours sur la ligne travaillait dans son atelier. Parmi les ouvriers l'émotion est grande et Mohamed se sent coupable. Mais qui aurait pu prévoir ? Cette machine connaissait des pannes intermittentes. A l'arrêt, l'ouvrier ne pouvait rien voir. A cause des trépidations, ce n'est qu'au-delà de dix kilomètres en ligne qu'un court-circuit peut être décelé.

— Daniel était appuyé contre le tableau de bord, il lisait. Une explosion a fracassé les vitres. La roquette lui a arraché un bras et il a reçu des éclats dans le ventre. Il est mort sur le coup, raconte le conducteur qui était avec lui. Après, j'ai pas pu dormir pendant trois jours. J'ai un tympan crevé. J'estime que j'ai eu de la chance, mais elle ne va pas durer éternellement. Je vais demander ma mutation. J'ai un petit garçon de deux ans que je veux voir grandir. Depuis l'attaque, j'ai perdu l'appétit. Je n'arrête pas de maigrir. Je pense sans cesse à ce jour maudit.

La mort de Daniel Tamerat a provoqué la colère des cheminots. Ils sont venus manifester devant le bureau du gouverneur.

— C'est le chemin de fer qui a tué mon frère ! s'insurge Frezewed, secrétaire à la compagnie.

La malheureuse est habillée de noir. Pendant un an, elle portera le deuil orthodoxe.

— Le gouvernement ne fait rien. Ce chemin de fer est devenu la roulette russe. J'ai peur pour mon mari. Il est chef de division. Je ne veux plus qu'il parte inspecter la voie. S'il lui arrive quelque chose, comment ferai-je pour élever nos trois enfants ? Ce n'est pas comme chez vous. Ici, personne n'est assuré. Les agents roulants ont peur. Ils trouvent des prétextes pour ne pas partir. Il faut que les gens qui sortent en ligne reviennent sains et saufs. Le train doit cesser d'être l'otage des partis politiques et ethniques. Il est celui de tous les Éthiopiens.

Les conducteurs acquiescent. Beaucoup ont déjà été touchés dans leur propre chair. Celui-là a reçu une balle dans la cuisse et une autre dans le poumon, entre Adagalla et Lassarat, pour une sombre affaire de kat entre deux clans. Yadété, lui, détient un record. Son train a été attaqué à sept reprises !

— Si je suis encore vivant, c'est grâce à Dieu, dit-il en se signant.

La première fois, un peu avant Ourso, la cabine a été prise sous un feu nourri dans une courbe. Yadété a accéléré à fond pour sortir de ce traquenard. Mais le compresseur, criblé de balles, a provoqué l'arrêt de la machine. Yadété et son aide n'ont pas demandé leur reste. Ils ont abandonné le train de marchandises. Dans sa fuite, le conducteur avait perdu ses chaussures, mais il avait si peur qu'il continuait à courir avec l'énergie du désespoir.

— J'ai même jeté la chemise que je portais. Elle était blanche et je craignais qu'elle n'offre une trop belle cible, raconte-t-il.

Un autre jour, le conducteur est obligé de s'arrêter. La voie est obstruée par d'énormes rochers. Les assaillants ne sont pas des politiques, mais des bandits. Les sacs de doura, de sucre, de farine sont prestement déchargés des fourgons. Les deux Toyota et la Fiat arrimées sur deux wagons-plates-formes disparaissent à leur tour. Une aubaine pour les brigands : elles venaient d'être réparées après un accident ! Quelques semaines plus tard, Yadété conduit un autorail. Soudain, il voit deux hommes armés au milieu de la voie qui lui font signe de s'arrêter.

— J'ai mis vingt et un crans. Je suis devenu un TGV, dit-il en revivant la scène. En voyant que j'accélérais, les deux types se sont écartés pour viser la cabine. En tirant chacun une rafale, ils se sont tués mutuellement !

Mais l'affaire n'en reste pas là. Le clan des deux maladroits décide de venger leurs frères. Il stoppe l'autorail à son retour en brandissant, comme subterfuge, un drapeau rouge. L'un d'eux ouvre la portière et tire sur l'aide qui s'en sortira par miracle. Rendu fou par ce hold-up manqué qui l'a ridiculisé, le clan issa déclara la guerre au chemin de fer en enlevant des rails et en coupant les fils du téléphone. Il faudra l'intervention de l'armée pour que tout rentre dans l'ordre. Toutes ces aventures ne découragent pas Yadété.

— Il serait plus sage que j'arrête. Ma mère me supplie d'abandonner et mes enfants prient pour moi. Mais je ne laisserai pas tomber. Si Dieu le veut, je peux mourir cette nuit dans mon lit. Si je demande ma mutation, on dira que j'ai peur.

Avant chaque départ, Yadété dépose sur le tableau de bord un livre de prières, des images pieuses, Jésus, Marie et Joseph, et récite un *Notre Père* et un *Je vous salue Marie*. Je comprends maintenant pourquoi il n'a peur de rien ni de personne.

Dès qu'on quitte Diré Daoua règne la loi du désert,

pareille à celle qui régissait le Far West. Jusqu'à la frontière, les shérifs éthiopiens ne sont que quatre-vingt-dix. Les bandits, évidemment, sont plus nombreux et souvent mieux armés. D'où le moral plutôt bas de l'officier Guizaran Werhore, le chef du service de sécurité ferroviaire sur ce tronçon. Ses bureaux tiennent dans deux minuscules maisons accolées l'une à l'autre non loin du quai.

Ce matin, un jeune, couché sur le sol, vêtu d'un simple short, gémit devant la porte. Son visage est couvert d'hématomes et de mouches. Son bras et sa jambe gauche sont cassés.

— C'est un voleur. Il est tombé du train, me dit-on dans le commissariat.

— Il faudrait l'emmener à l'hôpital. Il souffre beaucoup, répondis-je en me mêlant de ce qui ne me regarde pas.

On m'assure qu'il va être conduit chez un médecin.

— On ne devrait pas laisser monter les clandestins sur les convois. Mais comment les faire descendre ? Ils sont trop nombreux. Les voleurs sont armés et, si nous intervenons, c'est une bataille rangée assurée. Sur les trains de marchandises, les rames sont longues. Parfois ils les coupent. Lorsqu'on s'en aperçoit, il est trop tard. Il y a trois mois, un fonctionnaire ayant surpris un brigand en train de découper le toit d'un wagon rempli de café fut abattu par le voleur. La fois suivante, dix sont découverts sur un wagon de marchandises. Guizaran assure que, pour les arrêter, un policier a tiré un coup de semonce. Devant leur refus d'obtempérer, les agents de sécurité ont ouvert le feu sur les chiftas qui se sont sauvés en sautant par terre. Celui qui était déjà à l'intérieur, entendant les détonations, s'apprêtait à fuir quand il reçut une balle perdue dans le cou.

Lorsqu'on a ouvert la porte à Daouenlé, les agents ont

sorti un cadavre. « En quelques heures, on savait sur toute la ligne qu'un Issa avait été abattu », raconte le chef.

A la halte d'Adagalla, un convoi est bloqué par une horde de Somalis armés de fusils et de grenades. En fait, ils n'en veulent pas au conducteur, mais aux policiers et plus spécialement à Naga Addis, celui qui a descendu un membre du clan. Les fonctionnaires, terrorisés, se sont barricadés de leur côté dans un wagon. Le train ne repartira pas tant que le « meurtrier » ne leur sera pas livré. Le ton monte, l'excitation grandit et les Issas parlent d'incendier le convoi et de tuer tous ceux qui se trouvent dedans. Guizaran affirme que Naga s'est livré de lui-même pour sauver ses camarades. Peut-être ces mêmes camarades l'ont-ils « incité » à sortir. Les guerriers issas l'ont cogné avec des bâtons. Ceux qui n'en avaient pas prenaient des pierres et tapaient sur le policier à terre. Puis, lorsqu'ils ont estimé que le lynchage était suffisant, ils ont achevé le moribond à coups de kalachnikov.

L'histoire pourrait s'arrêter là mais, vingt-cinq jours après, un autre voleur pris en flagrant délit est tué par un policier. Cette fois-ci, les Issas ont arrêté un autorail bourré de passagers. Ils voulaient l'incendier pour venger leur camarade. Mais le fonctionnaire incriminé n'était pas à bord. Alors, ils ont stoppé l'autorail qui venait en sens inverse. Une véritable insurrection dans toute la région. Il n'y a que l'armée, appelée en renfort, qui a réussi à calmer ce beau monde. Les Tigréens, à peine sortis du maquis, sont craints et respectés. Ils ont la réputation d'être de farouches combattants et les Issas n'aiment pas beaucoup s'y frotter.

Les Issas volent tout : le café, le ciment, les pièces détachées, se plaint le policier. L'un d'eux avait dérobé trente-deux cartons contenant des bibles de l'église évangéliste ; un autre s'était approprié cent vingt-deux caisses emplies de dix disjoncteurs chacune. Il n'y a que le train payeur qu'ils n'attaquent pas. Les sacs de doura, le savon et l'argent sont destinés aux ouvriers issas qui travaillent le long de la voie. Ils ne se volent pas entre eux.

Les Issas sont répartis entre l'Éthiopie, Djibouti et la Somalie. Ils n'ont qu'un seul chef : l'ugaas. Son jugement est sans appel. L'ugaas garde toujours son calme, n'élève jamais la voix. Pour manifester son courroux, il n'a qu'un geste à faire : dérouler le turban qu'il porte autour de la tête.

— Il y a quelques années, des Issas avaient volé du bétail à des Oromos. Des policiers avaient été dépêchés par le train pour élucider l'affaire. Mais, à Afdem, le lieutenant a été abattu d'une balle en pleine tête. Du temps d'Haïlé Sélassié, on ne bafouait pas impunément l'autorité des représentants de l'empereur. L'armée est appelée en renfort pour châtier les assassins. Le clan allait être massacré. Intervint alors l'ugaas : « Donnez-moi le coupable ! » avait-il demandé. Devant les hésitations du clan, il défit son turban. Les Issas se mettaient à genoux, levaient les bras, imploraient l'ugaas. « Non, non, malheur. C'est Dieu qui va nous punir », criaient-ils, terrorisés. Le coupable s'est dénoncé ; il a été exécuté sur-le-champ. L'ugaas avait tranché. Personne ne contestait sa décision, raconte un vieux cheminot.

L'ugaas Hassan Hirsi, dix-huitième roi des Issas, est au pouvoir depuis soixante ans. Il a été choisi de la même manière que le premier. Voici ce que raconte la légende : Pendant une année, quarante-quatre sages s'étaient rassemblés pour déterminer qui allait être le chef suprême. Ils n'avaient pas trouvé la réponse car il ne fallait privilégier aucun groupe, ni aucun clan. Une jeune fille pubère expliqua alors qu'elle avait vu un enfant sauvage qui vivait avec les antilopes dans la savane. Son père poursuivit l'enfant âgé d'une dizaine d'années avant de réussir à le capturer. Il fut présenté aux sages réunis en conclave sous un arbre. Lorsque l'enfant approcha, des nuages formèrent une auréole au-dessus de lui. Les vieux s'éparpillèrent et l'auréole resta sur l'enfant. C'était un signe du ciel ! Il avait été choisi par Dieu pour devenir le premier ugaas des Issas. On l'appela Gouled Ugaad, c'est-à-dire Gouled le sauvage.

Chaque futur ugaas est enlevé à sa tribu par des guerriers, au cours d'une rixe symbolique. Les devins, les voyants ont rêvé de lui, médité sur son cas, interrogé les astres. Ils l'ont élu pour sa piété, sa maturité, son impartialité, son fluide magnétique, ses pouvoirs surnaturels. L'enfant n'est pas roi pour autant. Il doit être initié : il boit le lait de quatre animaux différents ayant mis au monde des mâles. Il écoute les vieux sages réciter des prières. Il jure qu'il sera droit et ne décevra personne. Puis il est renvoyé dans son campement. Si une guerre éclate chez les Issas, si une épidémie ou une grande sécheresse ravage hommes et bétail, le jeune berger ne sera jamais roi, Dieu ne lui accordant aucune faveur. Dans le cas contraire, les anciens viennent le chercher au bout de douze mois. Ils lui font visiter les quatre limites du pays issa. Hassan Hirsi a bu l'eau des douze oueds qui les traversent, goûté le lait dans chaque campement rencontré. Partout, les tribus se sont cotisées pour payer le prix du sang à son clan, qui doit être dédommagé pour la perte d'un fils qui, en tant que roi, n'appartient plus à aucun groupe.

Au cours de son périple, l'élu est conduit sous un arbre centenaire, près de Dikil, à Djibouti. Il y reste sept jours à méditer et à discuter avec les sages. Le sacre a lieu dans le sanctuaire du saint Ibrahim Zeileci, patron de Zeila, en Somalie. L'enfant est rasé, puis couronné avec des feuilles de jujubier tressées afin qu'il en acquière les qualités. Le jujubier résiste à la chaleur, dispense de l'ombre lors des assemblées. On mange ses fruits, on utilise ses feuilles séchées pour les shampooings et les onctions purificatrices réservées aux défunts. L'enfant reçoit enfin le fameux turban qu'il gardera jusqu'à sa mort. Pendant la cérémonie, chaque geste est accompli par un membre d'une tribu différente. Elles sont au nombre de six divisées en douze clans.

Demander à un Issa à quelle famille il appartient nécessite du temps pour écouter la réponse. Il va dire : « je suis fils de *x* et de *y* » et remonter ainsi son arbre généalogique, qu'il connaît par cœur, sur une dizaine de générations.

L'ugaas ne participe pas à la guerre. Il garantit la paix, réconcilie les partis, tente d'empêcher les vengeances, mais ne peut pas contrer les décisions des assemblées. On l'appelle « Roble », celui qui apporte la pluie, ou « Caafi », celui qui guérit. Il jouit d'une autorité morale incontestable et ses paroles deviennent proverbes. Comme tout musulman, il prend quatre femmes, mais il doit les choisir dans des tribus précises, toujours pour respecter l'équilibre et l'unité du peuple. Elles portent le titre de « mère des Issas ». Grâce à la divination, à l'astrologie, chaque épouse est sélectionnée. Les sages l'observent pour déterminer son degré de pureté, de piété et de sens moral, avant de donner leur accord.

Le métier d'ugaas n'est cependant pas de tout repos. On lui demande des résultats, là où le commun des mortels est souvent impuissant. Grâce à son don de « faiseur de pluie », il doit pouvoir commander au ciel. Le contraire est aussi vrai. S'il n'arrête pas une pluie diluvienne interminable, il peut être destitué. Idem pour les épidémies. Il est aussi banni s'il ne fait pas cesser une guerre prolongée entre Issas. Mais ce cas de figure n'arrive que très rarement. Les Issas n'aiment pas être orphelins et s'arrangent pour estomper l'échec de leur père en affirmant que, si le malheur arrive, c'est Dieu qui l'a voulu. Avec la guerre civile entre clans somaliens, il y a longtemps qu'Hassan Hirsi aurait dû passer la main. Il a été couronné vers 1930 à l'âge de 18 ans, trois années après son rapt. De tous les ugaas, c'est lui qui a régné le plus longtemps. D'autres ont eu moins de chance. Son prédécesseur mourut dans une prison de Harar. Il demandait à ses sujets de ne pas payer l'impôt à l'empereur et de refuser de se mettre sous son autorité. Un autre ugaas, appelé Geele, fut destitué au bout de quarante jours de règne. Des pluies torrentielles s'étaient mises à tomber sans interruption, décimant les troupeaux, provoquant des épidémies chez les hommes qui se retrouvèrent couverts de vermine. Le mécontentement régnait chez les Issas. On avait couronné ce roi en pleine sécheresse et, une fois au pouvoir, il n'apportait que des malheurs. On le somma d'arrêter la pluie. Il ne put rien faire. On le surnomma l'ugaas aux poux et on le renvoya garder ses chèvres. Un autre ugaas fut destitué parce qu'il refusait de partager un butin. Ses sujets ne lui reprochaient pas d'avoir volé un troupeau de chameaux à des Afars (cela est plutôt bien vu) mais de les garder pour lui. « C'est moi qui ai trouvé les bêtes à voler, j'ai la priorité », disait le roi. On lui demandait de choisir : soit il gardait les chameaux, soit il rendait son turban. Il a préféré garder les chameaux. Ce n'est pas étonnant.

Les Issas sont volontiers cupides, menteurs, rusés et batailleurs. Ils n'aiment pas se sentir subordonnés à un quelconque pouvoir extérieur. Ce sont des nomades, des pasteurs, des guerriers toujours prêts à en découdre. Ils suivent les lois du Reer, qui s'appliquent du plus petit campement à la tribu, au clan, et régissent la vie quotidienne et les rapports sociaux strictement codifiés. Toute intervention externe est rejetée. Les Nations unies, et plus particulièrement les Américains auraient dû le savoir avant d'envoyer leurs soldats dans le bourbier somalien.

Fin 1913, l'administration coloniale de la côte française des Somalis avait voulu nommer un ugaas pour conforter sa pénétration dans l'arrière-pays. Elle corrompit plusieurs notables qui en imposèrent un, chargé de transmettre la bonne parole. En Afrique de l'Ouest, les gouverneurs s'étaient appuyés sur les chefs locaux pour étendre leur influence. La méthode avait payé. Pourquoi ne réussirait-elle pas en Somalie ? Sauf que les coutumes issas n'y sont jamais transgressées. L'ugaas, par exemple, est choisi à l'unanimité et, sur son nom, un consensus général doit être dégagé. « L'ugaas des Français » était aussi surnommé : « l'ugaas qui règne sur les rails de chemin de fer ». Ce fantoche fut rejeté par tous. Il n'avait aucune autorité et mourut dans la honte en 1942. A Djibouti, les autorités françaises n'eurent pas d'autre choix que de reconnaître l'ugaas actuel. En voulant imposer un modèle, l'administration onusienne a échoué en Somalie comme la France en son temps.

Les méthodes marxistes ont eu davantage de succès. A l'époque de Mengistu, l'ugaas avait intérêt à filer droit s'il ne voulait pas se retrouver dans un cachot. Il était chargé de transmettre les principes révolutionnaires à la minorité issa. Il s'en acquitta plutôt mal que bien mais sa compromission affaiblit son autorité.

Le roi de tous les Issas n'arrive pas toujours à régler les différends au sein de son propre peuple. Les rivalités, les alliances, la loi, véritable labyrinthe juridique et coutumier, mettent en péril son autorité naturelle. Comment le représentant de l'ONU peut-il s'y retrouver en Somalie alors que le souverain, lui-même, est parfois mis en échec ?

— Ce ne sont pas l'armée et le gouvernement qui vont régler les problèmes de sécurité sur la ligne de chemin de fer mais les habitants de la région. C'est pour cela qu'il faut que la compagnie embauche des Issas et non des Amharas, ou des Oromos, qui ne parlent pas notre langue. C'est ce que faisaient les Français. Il faut continuer. Pas plus tard qu'hier, une délégation de sages est partie sur la ligne. Des miliciens issas sont allés « nettoyer » la zone où le train est attaqué, dit Adem, jeune membre du comité exécutif du Front de libération issa et gurgura, devant le portail en fer de la maison de l'ugaas à Diré Daoua.

Il tient à la main une liste de noms qu'il brandit sous mon nez : ce sont les Amharas que la compagnie vient d'engager.

— J'ai averti le directeur qu'ils ne pourraient pas travailler. Le directeur est arrogant. Il faut le remplacer par un Somali. Tout comme la police du chemin de fer, composée d'Amharas. Pourquoi n'y avait-il pas de problèmes avant sur la ligne ? Parce que les nomades travaillaient comme coolies et les chefs locaux affectionnaient le train. Il était à eux. Les Français étaient intelligents. Ils avaient compris.

Le jeune politicien pousse le portail. Vêtu d'un pagne gris, un vieillard est assis sous une véranda, la tête serrée dans un turban. Trois hommes l'entourent. Adem me fait signe de patienter. Soutenu par son entourage, l'ugaas marche avec peine jusqu'à la maison.

— L'ugaas est fatigué. Il a déjà subi plusieurs opérations, souffle Adem.

Il faut attendre qu'il s'installe avant que je sois autorisé à pénétrer dans la grande villa. Le patriarche occupe un canapé dans un salon meublé de nombreuses chaises et de tables basses. C'est ici qu'il reçoit les plaignants et écoute les sages. L'homme est agité d'un léger tremblement. Ses yeux vitreux semblent regarder dans le vide. Il égrène les boules d'un chapelet. Adem répète plusieurs fois mes questions. L'ugaas souffre de surdité et, avant chaque réponse, il s'écoule un certain temps. Je remarque que les réponses courtes de l'ugaas deviennent bizarrement très longues après la traduction d'Adem qui en prend à son aise avec la pensée du chef.

— Le problème des clandestins et des voleurs qui pillent le train, nous le réglerons à notre manière, dit le roi des Issas.

En 1961, un agent français avait été tué. L'ugaas a réuni le conseil et le chef du clan auquel appartenait l'assassin.

— Il a été exécuté, insiste le jeune homme, afin que je comprenne bien que, sans les Issas, point de salut pour le chemin de fer. Les Français tenaient compte des réalités politiques. On a toujours travaillé main dans la main, ajoute-t-il. Ce n'est pas la peine de jeter l'argent par les fenêtres pour rénover la ligne. Sans nous, rien ne se fera. Je me souviens du temps où le chemin de fer était entretenu, les Français remplaçaient chaque pièce défectueuse par une neuve.

— Et la contrebande ? demandé-je.

— Elle continuera. Elle a toujours existé, tranche l'ugaas, pris subitement d'une énergie nouvelle.

Je prends congé. Le vieil homme ne me semble pas en état de soutenir une discussion plus longue. Il sait que les devins connaissent déjà, pour l'avoir rêvé, le moment de sa mort. Il ne les a pas questionnés, c'est inutile. Il n'aurait pas obtenu de réponse. Ceux qui savent gardent le secret. Mais les sages cherchent déjà le petit berger qui sera son successeur. Le jour de sa mort, des messagers iront annoncer la nouvelle dans les plus petits campements perdus au milieu du désert. Il ne sera pas inhumé dans une tombe couverte d'un rocher. On élèvera un marabout, un dôme blanchi à la chaux, sur sa dernière demeure. Elle deviendra un lieu de pèlerinage, vénéré par des fidèles, qui auront choisi de vivre sur place pour perpétuer sa mémoire. Pendant trois mois, le peuple issa observera le deuil. Aucun mariage ni aucune fête ne sera autorisé. Puis un autre ugaas sera désigné. Avec Hassan Hirsi, ce sera un pan entier de l'histoire du chemin de fer qui disparaîtra.

⁂

Il reste heureusement les archives. Elles sont rangées dans d'épaisses chemises poussiéreuses qui occupent un bâtiment administratif de Diré Daoua. Il suffit d'ouvrir de grands registres pour découvrir le sommaire et la légende, écrits sur des feuilles blanches à carreaux, de la vie du chemin de fer djibouto-éthiopien depuis sa création. Grâce aux numéros placés devant chaque thème (voie, matériel roulant, accident...), Jesus Aylé retrouve les dossiers correspondants sur des étagères pleines à craquer.

Un fascicule jauni, imprimé à Paris en 1909, détaille les statuts de la compagnie, société anonyme au capital de trois millions. Un avenant au contrat du 30 juillet 1908 a été imprimé le 7 yekatit (15 février), au nom du « Lion vainqueur de la tribu de Juda Ménélik II, par la grâce de Dieu, roi des rois d'Éthiopie ». Un autre de 1915 est signé, côté français, des mains de Gaston Doumergue, ministre des Colonies, Aristide Briand, président du Conseil et ministre des Affaires étrangères. On y apprend dans l'article 2 : « Pour protéger les Européens, agents de la compagnie, il devra être affecté spécialement pour la protection des gares et des équipes de la voie 229 askaris (soldats). » Preuve que déjà le train était l'objet de convoitises.

L'annexe 1 à l'avenant du 19 février 1934 détaille les

tarifs généraux des marchandises : les chevreaux et les agneaux sont taxés 0,00666 franc-or par tête et par kilomètre tandis que les veaux, les ânes et les porcs payent 0,0533 franc. Les autruches et les zèbres coûtent plus cher à transporter, respectivement 0,166 et 0,40 franc-or. Les armes à feu et les douilles vides, expédiées au minimum par 1 000 kilos, sont taxées 0,466 franc-or. Le sel brut en sacs, le café décortiqué, les peaux dites de boucherie, celles piclées ou mi-tannées, les peaux sèches de chèvres, de gazelles, de dik-diks, de moutons, ont chacune un tarif. Tout comme l'encens, la naphtaline ou l'alcool rectifié.

En lisant le dossier accidents, je me rends compte que les ennuis du chemin de fer ne datent pas d'aujourd'hui. Dans ce rapport, Ibrahim Abdoullari, le chef de la trente-troisième section, raconte l'accident survenu le 10 mai 1969 entre Arba et Aouache.

« Alors qu'Abdi Ibrahim matricule 43 061 rejoignait son poste de travail, trois Danakil armés tirèrent trois coups de feu. Abdi Ibrahim reçut une balle dans la poitrine et une au pied gauche. Il fut tué sur le coup. »

« Il est indispensable que la sécurité et l'ordre soient rétablis par les autorités gouvernementales afin que nos agents puissent assurer leur travail », écrit le chef d'arrondissement Yves Lebègue. La discipline n'était pas un vain mot à l'époque où la compagnie était encore franco-éthiopienne. Il était demandé de la rigueur et du sang-froid aux expatriés répartis sur la ligne.

Le 13 novembre 1958, M. Vienot, chef du district autonome d'Afdem, est avisé qu'un agent employé au chantier de réparation du pont du km 121 vient d'arriver. Guebre Mariam a été blessé au cours d'une attaque par des inconnus et tout le personnel s'est enfui. Dans son rapport, il déclare : « Cinq hommes de la tribu des Aouïs sont venus en fin d'après-midi au chantier et ont tenté de pénétrer dans la baraque. Les ayant empêchés, ils n'ont pas insisté. Mais ils sont revenus en force à la tombée de la nuit. Ils étaient une trentaine d'hommes fortement armés de lances et de poignards : l'un d'eux m'a frappé avec violence au visage, mais j'ai réussi à m'enfuir avec tous nos camarades. »

L'affaire est grave. Le pont repose sur une pile en bois durant les travaux et le passage des trains s'effectue au pas, sous la surveillance des cheminots. A la suite des déclarations de l'agent éthiopien, M. Vienot déclenche l'alerte générale. Les trains sont arrêtés car la sécurité n'est plus assurée sur l'ouvrage provisoire. Les chiftas sont capables d'avoir saboté le pont pour dévaliser les voyageurs. Le gouverneur général de la province de Harar est prévenu. Un autorail de secours est mis en route à 23 h 43. A bord, prennent place M. Deflandre et M. Bucquet, respectivement ingénieur de la voie et contrôleur du trafic, un capitaine de la police et vingt hommes en armes. A 2 h 25 du matin, l'autorail arrive sur le lieu de l'attaque. Les policiers sautent des voitures, prêts à faire le coup de feu en cas d'embuscade. Il ne se passe rien. Les agents éthiopiens dorment du sommeil du juste. Ils sont surpris par un tel déploiement de forces.

« Les déclarations de Guebre Mariam à Vienot étaient pour le moins exagérées, sinon mensongères, écrit le chef de la division dans un autre rapport. L'incident se résume à une rixe entre un membre de la tribu locale et Guebre Mariam pour une affaire de femme, semble-t-il. Une certaine crainte lors de cette rixe aurait fait s'éloigner le personnel du chantier, d'autres membres de la tribu étant aux abords du pont, dans la brousse, mais à aucun moment la garde du pont n'a été relâchée par les agents qui en avaient la charge... »

On s'aperçoit qu'à l'époque on ne plaisantait pas avec le règlement.

« Guebre Mariam a été mis à la disposition de la police. Il sera licencié pour avoir fait de fausses déclarations au chef de district et avoir de la sorte provoqué une alerte ayant perturbé le service du chemin de fer ! écrit le chef de division avant d'ajouter : Il est probable que tous les dérangements d'autorités du gouvernement et d'agents supérieurs de la compagnie auraient été évités si M. Vienot était entré en contact avec le chef de la police locale comme il lui était prescrit par les instructions en vigueur. »

Celui-ci était en effet au courant de l'incident bénin mais Vienot a cédé à la panique. Peut-être vivait-il son premier séjour en Éthiopie et n'était-il pas habitué aux mœurs locales !

A la fin du rapport, les perturbations dans la circulation provoquées par l'inconscience de M. Vienot sont sèchement mentionnées :

« Train 321 — retard 4 h 44. »

« Train 314 — retard 2 h 27. »

« Mise en marche d'un autorail spécial. »

Dans la marge, la direction d'exploitation de Djibouti a noté au stylo-plume : « Cela justifie des observations sévères à M. Vienot pour ne pas s'être conformé aux instructions et avoir manqué d'initiative. »

Je doute qu'après cette affaire le malchanceux Vienot ait obtenu de l'avancement.

Le dossier accidents mentionne des drames qui restent actuels. Le 6 août 1957, une navette ouvrière découvre vers 6 h 05 le cadavre « d'un Somali âgé recroquevillé entre les rails et dont la tête inclinée vers la file de droite (sens Djibouti-Chébélé) était particulièrement écrasée ». Après enquête, les autorités d'Ali Sabieh trouvent des cheveux collés sous le locotracteur qui avait emprunté la voie dans la nuit précédente. Le conducteur est interrogé puis mis hors de cause. Il n'a rien vu ni entendu.

Au paragraphe responsabilité, l'inspecteur principal du trafic conclut à l'imprudence de la victime :

« Nous n'avons pu connaître son identité, mais, d'après les renseignements recueillis, il s'agirait d'un vieillard, qui venait fréquemment se promener en gare-ville ; il était peu alerte et ses facultés visuelles et auditives étaient certainement très diminuées.

» La position du cadavre semble indiquer que la victime dormait la tête appuyée contre le rail et que l'éclairage du locotracteur, relativement peu puissant, ne permit pas au conducteur de l'apercevoir dans cette position... »

Le 13 juin 1968, le train 213 déraille à 12 h 25 à Aïcha : une pierre a été posée sur l'aiguillage. « Cet acte de sabotage a été commis par des Bédouins des alentours. Ces actes se répètent fréquemment », écrit le chef de district. Le 10 mai 1969, Abdi Ibrahim, un ouvrier de la voie, est abattu entre Arba et Aouache par des membres de la tribu voisine.

En ouvrant une autre chemise, je tombe sur une lettre manuscrite datée du 30 avril 1937 de M. Sevastianis, chef de section, adressée à M. Besnault, chef du service voie et bâtiments, à propos du forage d'un puits à Adagalla. A l'époque, les troupes italiennes contrôlent le pays et les Français exploitent le chemin de fer. Dans le désert, la rareté de l'eau oblige les cheminots à creuser de nouveaux puits pour alimenter les locomotives à vapeur. Cette fois-ci, il faut abattre un arbre avant de commencer les travaux de terrassement, dirigés par un géologue qui répertorie, au cours de la même mission, les roches, les argiles et les calcaires. Rien d'exceptionnel si ce n'est que le secteur est commandé par le capitaine Folgi, un officier du *duce*.

— Ici, c'est l'Italie qui commande. Il est interdit de couper un arbre ou d'arracher une seule feuille sans mon autorisation, intime-t-il aux Français.

Les comptes rendus d'inspection sont sans appel. Au cours de tournées régulières, rien n'échappe aux cadres de la compagnie qui notent toutes les anomalies constatées sur leur trajet et pendant la visite aux hommes et aux bâtiments. Ils débarquent sans avertir, afin de juger « en neutre », comme l'écrit, le 11 juin 1962, le pharmacien-chef Bois.

« A Assabot, les huit équipes interrogées (environ cent hommes) sont unanimes pour se plaindre de l'infirmier Bichao : "Il est méchant, reçoit mal les malades, refuse de donner du repos, de faire des piqûres, conteste l'identité de certaines épouses et possède deux chiens dans l'enceinte de l'infirmerie qui empêchent l'accès aux malades." » Dans ses conclusions personnelles, le pharmacien-chef annonce :

« Je connais depuis cinq ans Bichao. Bien qu'étant un bon infirmier, il possède un caractère coléreux et difficile. Depuis près de trois ans qu'il est à l'Aouache, il se considère comme son propre maître. Il serait bon de reprendre l'ancienne formule qui consistait à changer, tous les six mois, les infirmiers de poste.

» Pour sa défense je tiens à préciser que Bichao travaille dans un milieu 80 % musulman, ce qui rend les rapports délicats. »

Rien n'est laissé au hasard par les administratifs. La compagnie pourvoit mais contrôle tout dans des rapports qui s'accumulent dans la plus pure tradition administrative française. La compagnie assure le bien-être de ses agents en veillant à ne pas être dispendieuse :

« Suite à ma demande du 18 mai 1958 et suivant votre accord, j'ai revu la question de la transformation des housses en abdoudgédid en draps pour lit à une place, en serviettes et taies d'oreiller », écrit le sous-inspecteur au directeur de l'exploitation de Djibouti. Il poursuit :

« Mme Riccardo peut nous faire ce travail aux prix suivants : 0,50 dollar éthiopien pour un drap ; 0,25 dollar éthiopien pour une serviette ou taie.

» D'après Mme Stepangich ces prix ne sont pas excessifs, compte tenu du travail à effectuer (démontage des housses, allongement et élargissement de la pièce de toile pour obtenir un drap du format réglementaire).

» Les 28 housses réformées fourniront de 15 à 16 draps de 3e classe et un certain nombre de serviettes et taies d'oreiller suivant les tombées de tissu. »

L'état des matelas, des oreillers et des traversins est sévèrement contrôlé. Mais, selon une note de service du 29 novembre 1949, les réfections doivent avoir lieu :

« • Une fois par séjour en Afrique, en principe à l'occasion du retour du congé d'Europe de l'agent.

• Pour les agents auxiliaires : tous les trois ans. »

Le mobilier n'échappe pas à la vigilance administrative. Lors d'une commission d'expertise en date du 30 juillet 1958, les meubles qui restent en bon état ou qui sont récupérables sont marqués à la peinture blanche. « Les meubles à réparer ont été identifiés à la peinture rouge. Quant à ceux qu'il a fallu réformer, ils seront triés en trois lots : meubles HS à démolir et à verser au bois d'allumage ; meubles HS récupérables en partie pour réparations de meubles semblables, pour les chaises en particulier ; meubles réformés destinés à la vente. »

L'administration éthiopienne n'est pas en reste. Le 25 heuder 1950 (4 décembre 1957), le chef des biens de sa majesté l'Impératrice à Harar écrit à l'« honoré » Bureau de l'administration du CFE à Diré Daoua parce que ses services ont retrouvé, dans un dossier, la présence d'un coffre-fort et de deux armoires métalliques, dans un immeuble loué à la compagnie, appartenant à la couronne. Le chef des biens impériaux demande, par conséquent, la restitution de ces objets.

L'administration du chemin de fer décompte en 1963

les pulvérisateurs à main pour insecticide distribués sur la ligne :

« Il nous est demandé un réapprovisionnement de 12 pulvérisateurs à main pour insecticide par le magasin de Diré Daoua, écrit le chef d'arrondissement de Djibouti. Mais nous attirons votre attention sur la consommation anormale de ces petits appareils qui devraient, à notre avis, être remplacés moins fréquemment si l'on apportait tout le soin désirable à leur utilisation. »

Pour être bien notés, les agents ont intérêt à ne pas craindre les moustiques et à supporter les cafards. La consommation de sérum antivenimeux est également minutieusement surveillée par le chef de service Voie et bâtiments :

« Lors du départ en congé de M. Lemoine, le 22.7.57, vingt-quatre ampoules et deux seringues hypodermiques furent déposées au buffet d'Afdem. Auparavant, six ampoules avaient été utilisées (quatre pour la famille Lemoine piquée par des scorpions et deux pour le pompier Ahmed Addi piqué par un serpent à la station de pompage). A son retour, en décembre 1957, M. Lemoine ne retrouva plus que douze ampoules. Les autres furent prélevées par l'infirmier. Vous avez demandé, à l'époque, à notre chef de district d'enquêter, afin de savoir si ces ampoules avaient été utilisées au Magalla. Une sanction fut infligée, à l'époque, à l'infirmier responsable. »

— On ne plaisantait pas à l'époque avec le règlement, dit Jesus Aylé, le vieil archiviste. Les trains partaient et arrivaient à l'heure.

CHAPITRE XIV

Malgré ses 75 ans, Mohamed Abdi n'est pas près de prendre sa retraite. Il ne risque pas non plus d'être licencié comme les deux cents chats de British Rail, la compagnie ferroviaire en passe d'être privatisée. Quel parallèle, me direz-vous, existe-t-il entre le vieil Éthiopien et les félins anglais ? L'homme et les chats sont préposés, à leur manière, à l'entretien des voies. Pour un coût de 900 francs dans le budget des dépôts de British Rail, un chat est pris en charge. Son travail : tuer les souris, les rats et les animaux nuisibles qui détériorent les bâtiments et creusent des galeries dans le ballast. Leurs exploits sont connus dans les 2 400 gares du réseau britannique. A la station de Wimbledon Park, les cheminots fleurissent la tombe de Tom, un fin chasseur qui s'est éteint à l'âge de 23 ans. Lorsque Tiddles, un énorme matou de 7 kilos, est mort en 1981, les journaux lui ont consacré une nécrologie.

Dommage que la presse soit inexistante à Diré Daoua, sinon Mohamed Abdi mériterait d'être honoré le jour de sa mort. Mohamed est chasseur de termites au chemin de fer djibouto-éthiopien. Depuis des années, il mène une véritable guerre contre ces insectes sans emporter la victoire finale. Comment le pourrait-il ? Il est seul face à une armée innombrable qui attaque partout à la fois sur un champ de bataille de plusieurs dizaines de kilomètres de long. Les termites représentent une vraie calamité. Ils grignotent lentement les charpentes des gares, des entrepôts, des bureaux qui sont déjà en piteux état. Ils élèvent sur le ballast des monticules aussi hauts qu'une locomotive, creusent des galeries nombreuses et interminables qui provoquent des déraillements. Lorsque le danger est vraiment trop grand, on appelle à la rescousse Mohamed Abdi.

Démolir une termitière est inutile si la reine n'est pas trouvée. Une termitière, c'est comme un iceberg. La partie visible est moins importante que la masse souterraine. Tapie dans une galerie, la reine continuera à diriger ses ouvrières même si les superstructures ont été abattues. Trois mois après, une nouvelle termitière sera à nouveau formée. Mohamed Abdi surveille les premiers coups de pioche d'un œil attentif. « Tape au nord de la termitière, là où c'est humide », dit-il à son aide. Pendant que l'homme continue de piocher, le vieux examine une motte trouée de milliers d'orifices. Il recueille dans sa main noueuse plusieurs insectes. Les femelles se différencient des mâles par leur gros abdomen. Mohamed est le seul à distinguer les ouvrières, qui travaillent et apportent la nourriture, des soldats à la tête rosée, chargés de la défense de la reine. Mohamed ressemble à un clochard. Habillé de haillons, la tête coiffée d'un bonnet, portant bouc et moustache blanchis par les ans, il s'appuie sur une bêche-fourche. Ses connaissances sur les termites sont immenses. Les cheminots de la section voie et bâtiments le regardent travailler avec respect. La termitière est appuyée contre un mur de la maison qui abrite leurs bureaux. Déjà noir d'humidité, il ne va pas tarder à s'écrouler.

— Je suis né à Asbe Teferi. Après la guerre contre les Italiens, je suis venu à Diré Daoua. C'est là que deux Arabes, Abdi et Ali, m'ont appris où trouver la reine, raconte le vieux en crachant des chiques de tabac par terre. Ils m'avaient pris comme aide. Avec eux, j'ai vu comment ils discernaient la bonne galerie qui mène à la reine. Elle ressemble à un gros ver qui a le dos strié. Elle ne se tient jamais sur la périphérie de la termitière mais au milieu et en profondeur. Parfois, il faut creuser un grand trou pour la trouver. Elle est protégée dessus et dessous par des soldats. Elle reste immobile car elle est trop grosse pour emprunter le boyau utilisé par ses sujets. Dans le désert, les termites passent sous la voie pour chercher l'humidité, attaquant les arbres mais jamais le pin ou le sapin. Si on travaille au bulldozer, la reine fuit par une galerie creusée à sa dimension qui peut s'enfoncer à deux ou trois mètres de profondeur. C'est encore plus difficile ensuite de la localiser, explique Mohamed.

Pour le moment, il n'est pas encore sûr que la reine soit là. Il a repéré une autre termitière plus haute à une centaine de mètres du bâtiment. Il pense qu'elle peut y résider et dépêcher ses ouvrières jusqu'ici. Une fois le chantier commencé, il doit absolument la trouver. Mohamed Abdi est, dans son genre, un chasseur de primes. S'il ne ramène pas le corps de la bête recherchée, il n'est pas payé.

Son employeur principal, c'est Joseph Petros, le directeur de la section Voie et bâtiments, l'homme qui connaît chaque mètre de ligne sur le bout des doigts. Je décide de l'accompagner dans sa tournée d'inspection, qui doit le mener jusqu'à la frontière.

Hier, Séraphin m'a quitté pour retourner à Addis. Tant que mon train n'avait pas démarré, il hésitait à partir. J'ai dû presque me fâcher pour qu'il rentre chez lui. Sa fille était malade. J'ai promis de passer le voir quand je reviendrai en Éthiopie. Je l'ai remercié et dédommagé pour toute l'aide qu'il m'a apportée. Pour continuer mon périple, je suis arrivé sur le quai à 5 heures du matin et à 10 heures, j'y suis encore. La semaine passée, la ligne vers Djibouti a été interrompue pendant trois jours, le temps de réparer un pont emporté par la crue d'un oued. Cette fois-ci, l'arrêt du trafic est provoqué par un déraillement. On m'avait assuré que des wagons de marchandises seraient remis sur les rails dans la nuit. Restait la motrice. La grue mobile n'était pas assez forte pour la relever. A l'aube, j'ai vu deux chars d'assaut T 54 partir sur les wagons-plates-formes du train de secours. Grâce à la puissance de leurs moteurs et à leurs chenilles, ils allaient servir de tracteurs en redressant, avec des câbles, la locomotive sur la voie ! Un exercice périlleux mais l'équipe de secours a-t-elle le choix ? Dans ce cas-là, les cheminots calent des bois, actionnent des crics, élèvent des remblais de terre au péril de leur vie en se glissant sous la machine.

A 11 heures, Joseph m'apprenait que le départ était reporté au lendemain.

Il est 5 heures et nous revoilà sur le quai. La rame est alignée devant mais il manque la locomotive. Les passagers ne sont pas encore tous installés. Les policiers filtrent à coups de chicotte la foule qui cherche à s'engouffrer dans la gare. Les porteurs, courbés sous leur ballot, bousculent les femmes en criant. Chacun porte des paquets, des sacs, des filets gonflés de marchandises. A partir de Diré Daoua, les trains regorgent de contrebandiers ambulants. Hailou Tagagnie cède au découragement. Pourtant, il est inspecteur des douanes depuis vingt ans. Mon train, qui devait partir à 5 h 30 étant retardé une nouvelle fois (il est 7 heures), j'ai largement le temps d'accompagner Hailou jusqu'à la douane. Les fonctionnaires ont déjà commencé leur travail sur les saisies de la veille.

Au milieu des balluchons ouverts, ils séparent les rouleaux de tissu, les slips, les chemises, les chaussures des postes radio, des magnétophones, des couteaux à cran d'arrêt, des boîtes de conserve et des bouteilles de shampooing à l'huile de noix de coco. Autour, les contrebandiers regardent, les yeux pleins d'envie, les produits qu'ils se sont fait confisquer. La négociation ne commence qu'ensuite. Mais je ne serai pas là pour y assister. L'intérieur du dépôt est une véritable caverne d'Ali Baba, gorgée de « richesses » provenant du monde entier. Sur des étagères, des paquets de peignes de Bombay, de chewing-gum du Pakistan, de lames de rasoir de Shanghai, d'élastiques de Thaïlande, de savon de Turquie, de parapluies, de services à thé, de boîtes de maquillage chinoises sont entamés à côté de centaines de cartouches de cigarettes anglaises, de pulvérisateurs et de recharges pour briquet à gaz hollandais, de dizaines de chaussures de sport made in Taiwan. Plus loin, il faut enjamber des sacs entiers remplis de tongs, de tapis en plastique, de foulards de Corée, de draps de Karachi, de savon de Marseille, d'ananas en boîte de Malaisie, de lait en poudre de Hollande et de packs de bière qui contiennent, en fait, du vinaigre, un condiment apparemment rare en Éthiopie pour en importer clandestinement une telle quantité. Des boîtes de médicaments Mandrax sont mélangées à des kilos de boîtes d'allumettes du Pakistan, un pays qui semble inonder de ses produits les rives de la mer Rouge. Des Bibles et des Corans sont empilés à côté de plusieurs ventilateurs, de sacs de cardamome et d'un gros photocopieur japonais transporté, me précise le douanier, à dos de chameau ! Reste à mentionner des centaines de porte-monnaie en plastique, et des dizaines de cerfs-volants frappés de l'image de Batman pour que l'inventaire soit à peu près complet.

— On saisit une infime partie de la contrebande qui vient de Djibouti. Il n'y a plus d'ordre. Tout le monde commande, se plaint Hailou, qui semble regretter le régime à la dure de Mengistu.

Ce pactole ne doit pas être perdu pour tout le monde.

— On ne touche à rien. Tout appartient au gouvernement, me jure Hailou, la main sur le cœur.

Être douanier à Diré Daoua n'est pas un mauvais métier — j'en suis persuadé —, voir le sourire en coin de Joseph. Joseph est un chic type, intelligent, fin, cultivé et plein d'humour. Il a gardé un sens critique peu commun. Il se démène toute la journée pour résoudre des difficultés incessantes qui se présentent sur la voie. Il n'est pas dupe. Il sait qu'il n'est que le chef d'une grande entreprise de bricolage.

Joseph est né à Aden d'un père orphelin somali, éduqué par les Anglais, et d'une mère oromo catholique, originaire de Diré Daoua où la famille est venue s'installer. Son père travaillait dans une banque. Joseph a grandi dans un milieu chrétien et a été baptisé. Il est connu dans tout l'Ogaden. On le traite de gal, de blanc, ou plutôt d'infidèle, mais les Issas le considèrent comme un des leurs. Joseph sourit de ces clivages ethniques et religieux.

— Les Issas se disent protecteurs du CDE mais c'est eux qui le pillent le plus, dit-il. Ils ne veulent pas travailler sur la voie avec le salaire qu'on leur donne. Ils estiment qu'ils ne gagnent pas assez. Mais pour fabriquer des poignards avec des éclisses, ils sont les premiers.

Joseph est entré à la compagnie du temps des Français.

— A fonction égale, on gagnait pareil qu'eux et on avait droit à la même prime pour porter la cravate et avoir ses chaussures cirées. Pour rentrer en gare pile à l'heure, les trains ralentissaient parce qu'ils étaient en avance. Une fois la locomotive au dépôt, le conducteur n'avait pas intérêt à laisser une seule feuille de kat sur le sol de la cabine.

» Puis vinrent le marxisme et la dégradation du chemin de fer. Les équipes de nuit étaient inexistantes et le Parti nous demandait toujours plus d'hommes et de matériel pour se livrer, en fait, à la contrebande. Les militants nous bousillaient les locos. Ils nous les rendaient en retard avec le réservoir vide. Les tournées d'inspection étaient supprimées. Les rails et le ballast n'étaient plus entretenus. Tout le monde avait peur. Un coolie se permettait d'insulter un policier. Celui-ci n'avait rien à dire car il suffisait d'une plainte, d'une dénonciation, pour aller en prison.

» En 1974, le Derg (le Parti unique) a imposé des réunions de formation au socialisme. C'étaient les ouvriers, les prolétaires, comme ils disaient, qui étaient aux commandes de la compagnie. Ils étaient chargés de maintenir la ferveur révolutionnaire. Parmi eux, il n'y avait que des fainéants. Il y a eu ensuite la terreur rouge pour réprimer les “anarchistes” du Parti révolutionnaire éthiopien qui critiquaient le régime. La majorité a fui. C'était pour la plupart des cadres et des intellectuels, qui avaient échappé à la prison ou à l'exécution. Le Parti a embauché de nouveaux agents sans formation. Un chef d'équipe devait avant tout être un bon révolutionnaire. La compétence n'était pas importante. Les responsables étaient des illettrés. Un cadre étant un bourgeois, donc un contre-révolutionnaire, je m'habillais d'un vieux pantalon et d'une chemise élimée pour ne pas prêter le flanc à la critique. Si un de mes agents, gardien de la révolution, me donnait un ordre, j'étais obligé de le respecter.

» Il ne fallait plus importer quoi que ce soit de l'étranger. Les pièces qui venaient de l'extérieur étaient des produits impérialistes. Dans les réunions, les vieux cheminots, près de la retraite, ne comprenaient pas.

» “Pourquoi critiques-tu les Français ? Ils vous ont donné le train”, rétorquaient-ils, au commissaire politique. Et quand celui-ci commençait à nous dire que l’homme descend du singe et que Dieu n’a rien à voir là-dedans, les chrétiens et les musulmans foutaient le camp ! Maintenant, je blague mais, à l’époque, j’allais aux réunions comme tous mes amis, la tête baissée et en silence. Un mot mal placé et vous étiez pris. A la radio, on annonçait le nombre de contre-révolutionnaires abattus à Addis. Diré Daoua devait faire mieux.

» A la fin 1987, on nous a forcés à adhérer au Parti. Ils avaient besoin de gens éduqués. J’ai eu la carte rouge, mais je n’ai payé qu’une seule fois ma cotisation. On résiste comme on peut. La majorité des francophones ne voulait pas de bourses. Pourtant, on nous en donnait à la pelle ! Mais c’était pour l’URSS, la Bulgarie ou la Tchécoslovaquie. Celles pour la France étaient rares. J’en ai obtenu une car la situation du chemin de fer était si catastrophique qu’il fallait bien prévoir d’acheter un minimum de matériel à la SNCF.

— Comment s’est déroulé votre séjour ? Je suppose que vous avez dû prendre un grand bol d’air frais après ce matraquage révolutionnaire ?

— Oui, mais le chef de service où j’étais en stage militait à la CGT. On s’engueulait tout le temps. J’ai été obligé de l’amener à la bibliothèque lire des ouvrages sur la terreur rouge de Staline. Je me suis marré en écoutant les cocos français parler de la lutte, de leur stage en RDA et en URSS. Je trouvais que leur grève était ridicule. On me prenait parfois pour un Arabe. Quand j’allais visiter un chantier avec des chefs ou des personnalités, les ouvriers maghrébins me regardaient d’un sale œil. Parfois, j’allais boire le thé avec eux. Les Algériens essayaient de me convaincre que l’Afrique avait été décolonisée grâce à leur guerre d’indépendance.

Je leur répondais : « Ne me dites pas ça, espèces de cons ! Je suis éthiopien et on n'a jamais été colonisés. »

— Pourquoi n'êtes-vous pas resté en France ?

— Je n'y ai pas pensé. C'était d'autant plus facile pour moi que trois de mes sœurs habitent chez vous. J'ai vu comment elles vivent. Elles regardent tous les soirs la télévision. On ne se dit pas bonjour, bonsoir, entre voisins. On court toute la journée ! J'étais admiratif du respect des gens pour le travail mais j'ai préféré repartir. Ici, il y a la famille, les amis, une entraide.

— Quand le régime marxiste s'est effondré, comment ça s'est passé au sein du chemin de fer ?

— Il n'y a pas eu de vengeances ni de règlements de comptes. Il y a des types que je croise tous les matins à qui je ne dis pas bonjour. Dans mon département, j'en ai un qui était président du comité populaire de la compagnie. Il avait le droit d'entrer partout. C'était le type qu'il fallait saluer avec les deux mains en courbant l'échine. Il est descendu de son piédestal. C'est sa punition.

Il est 9 h 30. L'autorail a fini par arriver avec près de quatre heures de retard. Avec Joseph, je n'ai pas vu le temps passer. Nous sommes assis devant le « buffet », une cabane construite sur le quai qui sert du café et des omelettes. Les voitures sont bondées. Des femmes piaillent à travers les fenêtres ouvertes après leurs porteurs. « Vite, vite, encore un paquet ! Dépêche-toi », crient les contrebandiers. « Tu me dois de l'argent », répondent les porteurs.

Des billets froissés changent de main dans la précipitation. On n'a pas le temps de compter. Ce n'est pas grave. Dans deux jours, trois maximum, les marchands seront de retour et les coolies attendront de pied ferme ceux qui étaient partis sans payer leur salaire de misère.

La sirène de l'autorail mugit plusieurs fois. La rame

s'ébranle en gémissant. Nous partons pour traverser l'un des déserts les plus chauds de la planète. Des chars et des canons antiaériens soviétiques sont alignés à côté d'une voie de garage. Depuis la chute de l'ancien régime, la quincaillerie militaire de Mengistu est rassemblée dans des dépôts. Je doute que le nouveau régime s'en sépare, même si cette vente pouvait rapporter des dollars. Les anciens guérilleros qui sont au pouvoir ont trop manqué d'armes pour se défaire de leurs nouveaux jouets. Nous franchissons la route qui mène à l'aéroport et laissons de côté l'arc de triomphe en béton peint d'un slogan : « Ce pays est oromo ». Depuis des mois, le débat n'est pas tranché. Diré Daoua est-elle une ville oromo ou issa ? Les discussions se terminent épisodiquement à coups de kalachnikov et le gouvernement n'a pas encore choisi. Quoi qu'il fasse, il fera des mécontents. Quelle ethnie amenait paître ses moutons au bord de l'oued avant la construction du chemin de fer ? Toute la question est là. En son nom, beaucoup sont morts et mourront encore. A la sortie de la ville, une nuée de gosses, chargés de kat, courent après le train. Ils sautent sur les marchepieds ou s'accrochent aux tampons. Ils jettent les bottes aux trafiquants et sautent à terre entre deux poteaux télégraphiques.

Soudain, le train s'arrête. A l'arrière, un boyau de frein a été débranché. Un flic remonte la rame en éructant. Ce cirque dure dix minutes, plus qu'il n'en faut pour que des complices aient le temps de passer aux contrebandiers les derniers ballots qui auraient pu être confisqués en gare par les douaniers.

Nous repartons. La voie longe des champs de cactus. Leur chair violette a un goût amer contrairement à ceux qui poussent près de Harar, plus gros et, paraît-il, comestibles. Dans la cabine, le Téloc indique 50 km/h. La rame roule d'un bord à l'autre et pilonne furieusement sur les joints qui séparent chaque rail de 15 kilos. Après trois quarts de siècle de bons et loyaux services, ils ont perdu leurs propriétés. Par manque d'élasticité, ils se tordent et se brisent sous le poids des wagons. Ils enregistrent depuis des années des amplitudes de température de cinquante degrés (il fait 15° la nuit et 65° le jour) et souffrent sous le poids de wagons trop lourds.

Nous nous engageons sur un pont rouillé édifié en 1904. Rien de très réjouissant quand je constate la hauteur qui nous sépare du fond de l'oued asséché. Commence ensuite une courbe de 500 mètres et au bout, une pente impressionnante. Nous allons descendre de 175 mètres en 13 kilomètres.

— Une dénivellation inimaginable en Europe. On trouve une déclivité pareille à Chamonix, dit Joseph. A l'époque des locos à vapeur, on en couplait deux pour monter la pente. Aujourd'hui, on coupe en deux les trains de marchandises et la machine effectue la navette pour amener le convoi jusqu'à Diré Daoua. On a déjà connu ici des dérives graves. Aujourd'hui le conducteur a vérifié le frein sur chaque wagon avant de partir.

La gare de Chénélé ressemble à un terrain vague occupé par un ferrailleur. Des citernes éventrées chevauchent des wagons à bestiaux disloqués. Le toit d'autres voitures est aplati sur les planchers et des morceaux de tôle et de bois jonchent le sol. Elles appartiennent toutes à des trains fous qui sont venus dérailler ici après une course de 10 kilomètres. Je ne sais pas combien de victimes ont péri dans ces accidents, mais à voir les dégâts, elles doivent se compter par dizaines.

Le conducteur ralentit mais ne s'arrête pas. Sur le quai, les passagers lèvent les bras et, à voir leur bouche grande ouverte, je suppose, malgré le bruit qui m'empêche d'entendre, qu'ils nous injurient copieusement.

— On ne les prend pas. Ils sont trop nombreux et trop chargés. De toute manière, ils ne payent pas ! maugrée le conducteur.

Nous suivons un terrain plat couvert d'un sable granitique marron clair planté d'acacias clairsemés. L'altitude frise les 900 mètres mais la chaleur est étouffante. Une piste pleine d'ornières longe la voie et parfois la traverse. Elle est empruntée par les camions des contrebandiers qui n'hésitent pas à rouler sur le ballast pour aller plus vite, quitte à défoncer un peu plus la voie. Le conducteur actionne soudain le frein d'urgence. Affolés par le bruit, deux dromadaires traversent devant nous.

— Les chameaux sont très dangereux. Ils cassent le pare-brise, passent dessous la machine et détruisent la tuyauterie. Leurs os, plus solides que ceux des vaches, provoquent des déraillements, commente le conducteur en remettant les gaz.

Plus loin, une simple courbe provoque un crissement insupportable. Ce sont les boudins des roues, trop usés, qui touchent le champignon des rails. Dans ces cas-là, la locomotive lâche de l'huile mais le système ne marche plus. Il n'y a donc qu'à attendre que la ligne redevienne droite pour que le bruit cesse. J'apprends également que la machine est équipée d'un autre procédé ingénieux. Après la pluie, les rails sont parfois converts de larves, d'œufs et d'excréments de sauterelles. La couche d'insectes est si épaisse que, pour peu qu'une légère côte se présente, les roues patinent dessus et entraînent le recul de la rame. La motrice répand alors du sable sur les rails au fur et à mesure qu'elle avance. Là aussi, le système ne fonctionne pas.

— Il est électrique et provoque des courts-circuits. Vaut mieux ne pas s'en servir, dit le conducteur.

— Dans ces cas-là, que faites-vous ? Vous attendez que les sauterelles s'envolent avec les premiers rayons du soleil ?

— Inch Allah ! On essaie de passer.

Nous pénétrons justement dans une zone qui a été arrosée par un orage il y a peu de temps. Le conducteur ralentit alors que je ne vois aucun obstacle à l'horizon.

— La pluie a provoqué des remontées de terre sur les joints. Ça peut dérailler, explique calmement Joseph.

Piloter le train d'Éthiopie n'est vraiment pas simple. On ne roule pas sur des rails mais sur une piste défoncée pleine de pièges. On se croirait sur le Paris-Dakar tant il faut prêter attention à la nature du terrain. Des arbres et des marécages s'étendent maintenant au pied d'un cirque montagneux. Un aiguillage marque une voie de garage qui s'arrête au milieu de nulle part. L'endroit paraît frais et ombragé mais il ne faut pas s'y fier. La cuvette d'El Bath est une zone infestée de moustiques qui hantent des eaux stagnantes.

— On y avait commencé l'exploitation d'une carrière. On a dû abandonner après que plusieurs ouvriers sont morts du paludisme, dit Joseph. On manque pourtant de ballast. Le peu qui reste n'est plus perméable. La terre et l'huile empêchent l'eau de s'écouler. Depuis la révolution, il n'y a plus de désherbant sous prétexte qu'il ne fallait pas utiliser de produits impérialistes.

Au bout d'une longue ligne droite, apparaît une maison construite au milieu d'un plateau désertique. Des femmes issas, couvertes d'un voile jaune, noir et violet, montent dans les voitures. Derrière la « gare », des taches d'un vert tendre forment des ronds et des ovales.

— Cette année, il a beaucoup plu et l'herbe a poussé. Avec l'herbe, il y a le lait, donc elles auront des enfants. Beaucoup de nouveau-nés souffriront de la tuberculose à cause du lait non bouilli qui reste le meilleur conducteur du bacille de Koch, explique Joseph avec de l'amertume dans la voix. Les nomades ne veulent pas être vaccinés et bouillir le lait est une honte. Pour eux, le lait, c'est le sang. Quand ils parlent du paradis, ils décrivent des rivières de lait et de miel.

A côté de la « gare », une ligne de cailloux représente une mosquée. Les caravanes ou de simples bergers s'y arrêtent pour prier. Il n'y a pas de toit mais, pour un nomade, le ciel, le soleil, la lune ou les étoiles valent tous les minarets. Quelques kilomètres plus loin, nous croisons des ânes gris qui marchent en colonne. Les Issas ont appris à connaître leur résistance en apportant le sel sur les hauts plateaux. Depuis, ils n'hésitent pas à les amener dans le désert. Le conducteur accélère. Pendant 17 kilomètres, nous allons rouler sur des rails de 36 kilos, le dernier « cri » en Éthiopie. On ne cogne plus le ballast sur chaque joint et la motrice a arrêté de tanguer comme une coquille de noix ballottée par les flots. L'oued Medji est heureusement à sec. Sinon, il aurait été dangereux de traverser sur le pont de 12 mètres qui est devenu, au fil des ans, trop petit. A chaque crue, le torrent qui descend des montagnes du Harar a creusé les berges, agrandissant le lit de plusieurs mètres. Les remous ont creusé des trous, de véritables mares. Les Issas y amènent boire leurs bêtes. L'eau y est douce et non pas salée comme ces plaques humides alimentées par des sources souterraines. A côté de l'oued, les vaches sont grasses et les hommes semblent heureux dans leur fouta, un pagne à carreaux qui s'arrête au-dessus des genoux pour ne pas gêner leur marche. Harraouah a certainement été le théâtre d'une bataille importante.

Plusieurs carcasses de chars noircies par les flammes sont restées sur place depuis la guerre de l'Ogaden. Avant d'arriver en gare, nous franchissons un grand pont qui repose sur sept travées de 20 mètres. Il a été bâti par les Français au temps de Ménélik et tient encore le coup. La gare n'a pas la dimension de l'ouvrage d'art. Elle est toute simple et ne comprend pas de quai comme toutes les haltes de brousse. Quelques cases l'entourent et une mosquée neuve la domine. Elle a été financée par Myriam, une commerçante issa « très connue » qui a acheté ainsi le droit d'aller au paradis en rendant gloire à Dieu.

Les hommes portent le poignard glissé dans le pagne et le chef de gare est habillé comme eux. Les femmes sont grandes, affichent des belles jambes et des ports de princesse. Leur voile en mousseline rouge ou rose attaché dans leurs cheveux frémit sous la brise. L'une d'elles, habillée en bleu azur, me dévisage avec un regard noir et un tantinet méprisant. Elle porte autour de ses poignets des gros bracelets d'ambre jaune. Une autre a peint son visage au henné pour protéger sa peau des rayons du soleil. Par coquetterie, elle a ceint ses chevilles de bracelets en pierres taillées. Elles ne vendent pas mais proposent avec fierté du lait aux voyageurs. Les huttes derrière la gare en pisé sont bâties en branchages. Quelques minuscules parcelles de doura et de maïs sont cultivées autour. A coup sûr, elles appartiennent à un Issa qui a épousé une femme oromo. C'est elle qui a montré à son Bédouin de mari comment retourner la terre et planter le grain. Car lui, berger et fils de berger, ne savait pas. Les crues de l'oued n'arrangent pas le chemin de fer mais profitent à la poignée d'habitants d'Harraouah. Le lit s'agrandissait si vite qu'il a fallu, il y a dix ans, bâtir trois travées supplémentaires. Suivant la position des nuages, les vieux savent à l'avance quand l'oued va couler. Ils préviennent du danger pour que hommes et bêtes se réfugient sur les rives. Les anciens estiment le temps qui va s'écouler entre la pluie qui tombe sur le plateau de Djidiga et l'énorme vague qui dévale la pente pendant des dizaines de kilomètres en emportant tout sur son passage. Quand on entend le bruit du raz de marée, il est trop tard pour fuir. On ne compte plus les bergers et les troupeaux qui se sont fait emporter par le mur liquide. Arbres, troncs, broussailles, animaux morts suivent le courant, défoncent les ponts, arrachent le ballast, tordent même les rails que l'on retrouve parfois plusieurs kilomètres plus loin. Joseph en sait quelque chose. C'est lui qui est chargé ensuite de réparer ce que la nature a détruit.

Après le pont, le chauffeur roule au pas pendant un bon moment. Les rails sont en zigzag et les traverses tordues placent la voie à des niveaux différents. Le mois dernier, deux wagons de queue d'un train de marchandises ont déraillé. Le conducteur ne s'en est aperçu qu'au bout de dix kilomètres, le temps que les roues arrachent les traverses.

Les touffes de salicornes qui passent entre les plaques de sel rappellent les enganes de Camargue. Le terrain plat se perd dans des mirages de chaleur. On ne sait plus à l'horizon si c'est de l'eau qui couvre la terre ou le bleu du ciel qui l'effleure. On discerne toutefois les montagnes de la frontière somalienne où serpente la piste qu'empruntait Rimbaud au siècle dernier. Elle est défoncée aujourd'hui par les camions du Haut Comité aux réfugiés qui ont alimenté pendant des années les populations décimées par la guerre et la sécheresse.

Harraouanek n'est pas une halte, mais un campement d'ouvriers établi sous le seul arbre qui existe à des kilomètres à la ronde.

— Là où le Issa passe, l'herbe ne repousse pas, plaisante Joseph.

Faute de pâturages, les bergers coupent les branches des acacias pour nourrir, en saison sèche, leurs chèvres. Kasahoun, le conducteur, et Abdo, son aide, ne se parlent pas. Ils sont abrutis par la chaleur et le kat qu'ils consomment depuis notre départ. En treize ans, le premier a eu de la chance. Il n'a connu qu'un seul déraillement. Un éboulement avait projeté des pierres sur la voie. La locomotive a quitté le ballast pour plonger dans un ravin. Les wagons ont suivi. Kasahoun a cru qu'il y restait. Sa peur, c'était d'être brûlé par l'acide des batteries qui s'étaient fracassées dans le choc. Les clandestins sont venus l'aider à sortir par la fenêtre de sa BB qui était couchée sur le côté.

Même s'il est plus jeune, Abdo est un vétéran en matière de catastrophes.

— J'ai pas de pot, dit-il avec fatalisme. A Afdem, un rail a cassé net et nous sommes partis dans le décor. A Debre Zeit, on a tamponné un poids lourd si fort que le pupitre a reculé jusqu'à la paroi. Vingt centimètres de plus et on était écrasés. Cette fois-là, j'ai eu très peur.

Nous rentrons dans la halte de Mello, un point sur la carte. Il n'y a rien autour. Le chef de halte, vêtu d'un pagne et chaussé de sandales en caoutchouc, semble seul. A moins que sa famille soit restée à l'ombre de la cabane en torchis qui sert de gare. Fait rare, personne ne descend ni ne monte. C'est dire si l'endroit est perdu. Nous repartons sans regret pour un voyage sur des montagnes russes. Pendant 125 kilomètres, nous allons rouler sur des rails de 20 kilos, les plus fins et les plus anciens de tout le réseau. Ils ont été posés au début du siècle à la création du chemin de fer. A 25 à l'heure, nous touchons régulièrement le ballast en rebondissant d'une manière inquiétante. Au bout d'une quinzaine de kilomètres de ce manège, le train s'arrête tout à coup. Dans la cabine, on est tous étonnés. Je vois que je ne suis pas le seul à me pencher à la fenêtre. A droite comme à gauche de la voie, il n'y a rien, mis à part des cailloux. Quel est le contrebandier assez fou pour décharger de la marchandise ici ?

A l'arrière, c'est le silence dans les voitures bondées. Personne ne crie. Tout le monde s'interroge. Qui a débranché le frein à vide pour arrêter le train en plein désert ?

Un homme apparaît alors sur le marchepied d'une voiture, en descend lentement et, d'un pas régulier, s'enfonce vers l'inconnu sans se retourner. Il est grand, mince, vêtu d'un pagne, tient un balluchon sur l'épaule avec une main et un long bâton dans l'autre. Il n'a pas d'eau avec lui et avance droit dans une direction perpendiculaire à la voie. Un désespéré qui voudrait se suicider ne ferait pas mieux. Où va-t-il ? Personne n'en sait rien. L'inconnu est un nomade qui va marcher probablement un ou deux jours pour rejoindre son campement. Il a arrêté le train en face de l'endroit qu'il doit atteindre. A quoi s'est-il repéré en plein jour ? Mystère. Il n'a pas besoin de carte ni de boussole pour traverser le désert. Le conducteur le regarde un long moment avant de démarrer.

Je reste à la fenêtre jusqu'à ce que l'homme ne soit plus qu'un point minuscule à l'horizon. Des contrebandiers regardent aussi. Le culot de ce type les étonne.

J'apprends que c'est sur ce long tronçon que les bandits attaquent les trains de marchandises. Les rames de voyageurs ne sont pas épargnées. Les passagers, hormis les Issas, sont dévalisés et les bottes de kat méthodiquement ramassées. Que « broutent » les Issas du désert est un phénomène récent. Depuis qu'ils y ont goûté, ils ne peuvent plus s'en passer. Ont-ils besoin d'un paradis artificiel pour supporter leur solitude ? S'ils deviennent accros au kat, ils risquent d'abandonner leur vie de nomade pour aller gonfler le sous-prolétariat des villes.

Une demi-heure plus tard, une grande mare bordée d'arbustes brille au soleil. Une fois de plus, le désert est trompeur. L'eau existe mais elle est salée. Les arbustes, eux, sont étouffés par d'autres, souples et de couleur vert tendre qui poussent, selon Joseph, au bord de la mer. Portées par le vent, les graines viennent se greffer depuis quelques années sur les arbres à brosses à dents.

L'adaï est un bien précieux pour les Issas. Sur le toit des voitures, des enfants emmènent jusqu'à Djibouti des fagots longs de deux mètres de ce bois précieux qui sera ensuite découpé en bâtonnets de trente centimètres. La quasi-totalité des populations de la Corne de l'Afrique n'utilisent pas de brosse à dents, trop onéreuse, mais un bâton d'adaï. Un dentifrice, le sarakam, est même fabriqué à base de rameaux de *Salvadora persica*, l'arbre à moutarde qui dégage, comme son nom l'indique, une odeur moutardée et cressonnée. Avant l'apparition de l'islam, les Égyptiens et les Babyloniens, les Grecs et les Romains utilisaient des bâtonnets frotte-dents. En mâchant la structure spongieuse de la tige, on obtient une brosse à poils longs et solides. Elle arrache les gencives si l'on n'y prend pas garde mais décape efficacement les dents « qui se voient ».

L'écorce de l'adaï contient de la chloride qui élimine le tartre, de la silice au pouvoir abrasif, des résines susceptibles de former un film protecteur de l'émail, des composés sulfurés synonymes d'antibiotiques, de la vitamine C, des tanins, du sel et j'en passe. Ce buisson anodin renferme la technique et les qualités que la brosse à dents et le dentifrice industriels n'ont pas réunies.

Nous suivons maintenant des plaques de sel alignées en parallèle le long de la voie défectueuse. Nous dépassons d'autres mares stagnantes qui dégagent une odeur de pourri. Les suivantes ne sont guère mieux. Elles ont la même couleur rouille que le liquide qui sort des robinets après une coupure d'eau. Un Bédouin se lave pourtant habillé avec ce condensé ferrugineux.

— Un Issa qui se lave, c'est la preuve qu'il a couché

avec sa femme ! lance, mi-sérieux mi-ironique, le conducteur. Ferrugineuse ou pas, les hommes du désert boivent le précieux liquide en même temps que les chameaux et les ânes. Plus loin, ils sont plusieurs à remplir avec ce don d'Allah, leurs outres noires en peau de chèvre. Si ces récipients sont hermétiques, c'est que la peau de l'animal est soigneusement dépecée et roulée jusqu'au bout des pattes comme un pull-over retourné à l'envers. Des herbes aromatisées sont glissées ensuite dans l'outre. Elle laisse cependant, pour l'étranger habitué à l'eau minérale, un arrière-goût de viande forte. Les femmes utilisent également des calebasses en guise de récipient. Ces courges en forme de bouilloire sont imperméabilisées par les émanations d'une herbe qui, brûlée à l'intérieur, dépose une pellicule de goudron.

Un panneau marque un ralentissement obligatoire. Vitesse autorisée : 15 kilomètres à l'heure. La voie est si mauvaise que la motrice donne l'impression qu'elle va verser à tout moment d'un côté ou de l'autre. Les traverses reposent carrément sur la terre. Grâce aux traces des chenilles, on voit qu'un bulldozer a travaillé sur 500 mètres de ballast. Des ornières et des monticules de sable escortent la voie qui a été posée au milieu d'un véritable chantier. Le mois dernier, un train a déraillé à cet endroit. Le matériel a été remis sur les rails en suivant la procédure habituelle, celle qu'utilisaient les Romains pour construire leurs cirques ou les Égyptiens pour élever les pyramides. Les cheminots éthiopiens hissent avec des câbles les wagons jusqu'aux rails en les faisant glisser sur des remblais de terre. Avant d'atteindre Daleimalé, nous croisons un camion Waz russe, intact et à l'arrêt, au milieu de nulle part.

— Il a été volé à Diré Daoua quand l'armée de Mengistu s'est débandée. Les Issas l'ont abandonné quand il est tombé en panne d'essence, explique Joseph.

Le désert a pris une teinte jaunâtre. Il est parsemé d'oléagineux qui ont la propriété de chasser les moustiques en brûlant. La locomotive frôle une énorme termitière qui ressemble à une grosse brioche au lait coiffée d'un chapeau. Elle est suivie de nombreuses autres, disséminées sur des kilomètres comme des bottes de foin dans un champ. Mohamed Abdi, le chasseur de termites, a ici du travail pour plusieurs vies. Les Français ont bâti la gare de Daleimalé en pierre volcanique. Le bâtiment carré n'a pas bougé, mais il est toujours seul au milieu d'une étendue infinie. Pour lutter contre la désertification, Mengistu mobilisait régulièrement les masses pour planter des arbres dans des endroits impossibles. Ce fut le cas ici. Mais il ne reste plus rien. Les Issas préfèrent voir les arbres mourir plutôt que leurs chèvres. Ils sont une dizaine d'ouvriers, torse nu, à regarder le train avec un sourire béat. Tous les dix jours, un convoi les ravitaille en eau et en doura. Faute de matériel, ils restent désœuvrés. Parfois, leur caporal les amène grattouiller quelques cailloux sur la voie. Mais la chaleur les ramène bien vite rejoindre leur famille dans leurs huttes en branchages. Avant la guerre de l'Ogaden, ils habitaient une maison en brique rouge et en pierre de taille. Mais la maison n'est plus qu'une ruine après que la troupe l'a squattée pendant des années. Joseph parle quelques minutes avec eux. Rencontrer le grand chef doit, je suppose, remonter leur moral. Ils se plaignent du retard pris par le train ravitailleur. La citerne souterraine est presque vide et ils vont manquer d'eau. Joseph promet de faire accélérer les choses dès son retour à Diré Daoua. Nous démarrons sans même que le conducteur actionne la sirène. Personne n'est descendu. Les ouvriers nous regardent partir. L'un d'eux esquisse un mouvement de la main. Les autres gardent les bras ballants. Ils ont le regard vide devant notre tas de ferraille qui reste le seul moyen pour rejoindre la civilisation.

A Adagalla, le train est attendu. Un village de toucoules est bâti autour de la gare et d'une mosquée. Trois voies bordent le quai en terre battue. L'une d'elles est une zone de dérive pour train en perdition. Elle bute sur un remblai couvert par les débris d'un wagon-plateforme qui est venu terminer sa course en plein désert. Les voitures sont assaillies par des femmes qui vendent des beignets graisseux de lentilles et des galettes de doura. D'autres offrent de l'eau et des savates en caoutchouc. Mais la spécialité d'Adagalla, c'est la viande. Les hommes remontent la rame en brandissant des pièces sanguinolentes de chèvre, de cabri ou de mouton. A travers les fenêtres, coincées par des morceaux de carton, les passagers choisissent leur morceau. Ils discutent ferme les prix même si, en brousse, les « produits » sont moins chers qu'en ville. Tous les gigots et autres intestins ne seront pas vendus. Sans réfrigérateur, comment les bouchers pourront-ils les conserver ? Mystère. A moins que pour lutter contre la chaleur torride, ils festoient ce soir en mangeant les restes. Adagalla est une drôle de gare. On sent que l'étranger n'y est pas le bienvenu. Dans ce coin de la planète oublié de Dieu, les *farendj* sont rares. Plusieurs jeunes Issas m'entourent avec un air goguenard et méprisant. Ils sont vêtus de blanc et portent sur la tête un collier de perles en guise de couronne. Certains affichent même des boules nacrées autour du cou. Tous portent des djambias, des poignards glissés bien en évidence dans la ceinture. Leurs yeux sont rouges sous l'effet conjugué du kat et de l'alcool. Ils apostrophent Joseph à mon sujet. Le cheminot répond en somali sans se démonter.

— Les Bédouins connaissent deux règles : voler et ne pas être volés. Leur vie consiste à préserver leurs troupeaux et à en capturer d'autres. Ceux-là sont des voyous de Djibouti. Ils méprisent les lois des nomades. Ils sont contre les anciens, me souffle Joseph.

Au coup de klaxon, nous repartons sans attendre. A l'arrière, les retardataires courent derrière la dernière voiture avec de la tripe dans les mains. Des vautours s'acharnent sur une carcasse à la sortie de la ville. Lourds bombardiers noirs, ils décollent à notre approche en déployant une envergure qui dépasse le mètre. Joseph regarde la voie avec inquiétude. Les rails sont déboulonnés, fissurés et sont près de se briser net comme du cristal. Soudain, le conducteur arrête le convoi en plein milieu d'un plateau volcanique. Pour une fois que c'est lui qui est à l'origine de la manœuvre et non pas les contrebandiers, je me demande quelle est la raison de cette halte impromptue. A Diré Daoua, un électricien a embarqué avec nous dans la cabine. Un malheureux sédentaire qui se trouve quelquefois obligé d'accompagner les roulants, comme Daniel, son collègue, abattu après Aouache. Cette fois-ci, sa mission est de réparer les fils de téléphone coupés ou volés. Après Adagalla, ils traînent par terre parce que ces braves vautours ont attendu dessus l'agonie du veau qu'ils dégustent non loin de là. Leur poids et leur nombre ont eu raison de leur perchoir métallique.

Le spécialiste descend de la cabine, court (je me demande pourquoi, vu le retard que nous avons déjà) décrocher une échelle de la paroi d'un wagon et vient la planter au pied du poteau sans fil. La réparation ne devrait pas être bien longue puisque les isolants, en porcelaine, sont intacts et non pas cassés par les jeunes bergers qui, pour tromper leur ennui, les prennent pour cible. Lorsque les dégradations se reproduisent trop souvent, l'abane, le médiateur issa nommé par la compagnie, intervient. Son travail est de signaler et, surtout, de démêler les conflits entre le chemin de fer et les populations locales. Il est à la fois le représentant du rail et des bandits, de petite et grande envergure, qui s'attaquent au bien commun. Avec les jeunes, davantage politisés que les anciens, son travail devient de plus en plus difficile. L'électricien ne se pose pas tant de questions. Vu du train, le spectacle est unique en son genre. Imaginez un type juché au sommet d'une échelle avec comme toile de fond un panorama digne de la meilleure séquence du film *Lawrence d'Arabie*. Une paire de voyageurs, moins fainéants que les autres, sont venus lui donner un coup de main pour relever les fils de cuivre. Les autres regardent, en mastiquant leur kat de l'intérieur des wagons. Les basaltes noirs occupent maintenant les collines désertiques inondées de chaleur. La température est si forte que je ne transpire pas. La sudation s'évapore immédiatement dans ce four naturel.

Après une longue ligne droite, la voie suit une courbe qui grimpe à flanc de montagne pour nous amener au col du Harr, percé d'un tunnel, à 882 mètres d'altitude.

Le plateau minéral qui commence n'est que désolation. Pas la moindre touffe d'herbe ne pousse entre ces pierres de basalte grises et noires. Au milieu de ce décor lunaire, les Français avaient construit une maison de style marseillais couverte de tuiles rouges et agrémentée d'une véranda. Même les ouvriers, pourtant habitués à vivre à la dure, ne restent plus là.

Pour tenter d'obtenir un peu de courant d'air, le conducteur laisse sa porte ouverte. Rien n'y fait. On reste tétanisés par la température qui avoisine les 60° . Je me laisse bercer, les yeux mi-clos, par le roulis et le bruit de la machine. Il manque des traverses sur la voie. Elles sont plantées sur les hauteurs depuis des années. Les militaires les avaient réquisitionnées pour protéger leur poste de garde. Ils ne sont pas les seuls. Les Issas s'en servent aussi. Dans les gares, ils construisent leur abri avec des traverses.

Au milieu d'une ligne droite interminable, nous dépassons un berger, torse nu, qui pousse un troupeau de chèvres faméliques. Où va-t-il ? Peut-être à Lassarat, la halte la plus proche de la frontière somalienne. Vingt kilomètres nous séparent seulement du pays voisin. Dans cette région, les Issas n'en tiennent pas compte. Les clans comptent des membres dans les deux pays. Une baraque est pompeusement baptisée Mafago Hôtel. C'est certainement l'établissement le moins confortable et le plus isolé de la planète. Un unijambiste vient saluer Joseph. Il a aussi un bras en compote et des cicatrices sur le visage. A croire qu'il est passé sous un train — c'est ce qui lui est effectivement arrivé. Mohamed Ousman est tombé du toit d'une voiture quand il avait dix ans. Ils sont des centaines comme lui à être exploités par les trafiquants comme convoyeurs de marchandises. Ils vont jusqu'à Addis, habillés de quatre pantalons, dix chemises et deux vestes pour tromper les douaniers. Si leur ballot est saisi, les vêtements qu'ils portent sur eux sont au moins sauvés. Mohamed est venu acheter son kat avec l'argent de je ne sais quel petit trafic. Il broute chaque après-midi pour oublier. Oublier ce train qui l'a mutilé mais sans lequel il ne pourrait survivre.

Si la beauté sauvage du désert n'existait pas, je pourrais dire que nous traversons une région monotone et sans grand intérêt. Les rochers noirs semés sur le sable épais et granuleux dégagent cependant une telle force qu'on ne peut y rester insensible.

A peine sommes-nous arrivés à Aïcha, le quai s'anime d'une fébrilité différente des autres gares. Et pour cause, la rame va être fouillée par les douaniers avant d'atteindre la frontière. Aïcha est une ville martyre. Depuis 1964, les nomades y viennent la journée mais n'y restent pas la nuit. Ils préfèrent installer leur campement à l'extérieur. La platitude du désert empêche toute attaque surprise. Depuis trente ans, une malédiction pèse sur Aïcha, depuis que le train payeur a été attaqué par les Issas. Ils prirent non seulement la caisse mais tuèrent le chef d'arrondissement d'Aouache à Daouenlé, plusieurs Éthiopiens et une religieuse française. Attaquer le train, c'était s'en prendre à l'Éthiopie. Assassiner des étrangers, c'était faire perdre la face au roi des rois, protecteur de tous et maître du royaume. En représailles, l'ugaas et les notables furent jetés en prison et les Issas d'Aïcha égorgés à coups de baïonnette. Pour faire comprendre qu'on ne défiait pas impunément l'autorité de l'empereur, le négus ordonna l'intervention de l'aviation. Des chasseurs F5 mitraillèrent les troupeaux et détruisirent à la roquette les frêles campements. Pour un Bédouin, un troupeau vaut la vie d'un homme. Le message était reçu. A Aïcha, on n'attaquerait plus jamais le train mais, depuis, la ville est morte. Quelques filles amharas traînent sur le quai mais le cœur n'y est pas.

— En pays issa, une amhara ne peut vendre que de l'alcool, et faire la pute, me souffle l'aide-conducteur.

Les douaniers montent dans les wagons. Les femmes hararis les attendent de pied ferme. Elles, d'habitude si frêles, ont doublé de volume. Des kilos de haricots, de petits pois ceinturent leur taille. Elles sont assises sur des paniers d'oranges, de laitues et de tomates. Deux fois par semaine, un train de marchandises chargé de légumes arrive de Djibouti. Sans eux, la petite République désertique est privée de salade, de mangues et d'ananas et même de viande. A Aïcha, les douaniers ne sont guère intéressés par les légumes et les fruits.

C'est l'or vert, le kat du Harar, qu'ils cherchent frénétiquement. Ils inspectent les bouches d'aération, montent sur les toits, tapent sur la tôle. Sous leurs jupons, les matrones dissimulent des dizaines de bottes. Il y en a autant dans les sièges éventrés, dans le faux plafond, partout où c'est possible. Le prix de la vente à Djibouti rembourse largement le voyage et laisse de substantiels bénéfices.

Il serait inconvenant de suivre les douaniers dans leur travail. La fouille est délicate et les arrangements restent nombreux. Les cris que j'entends à travers les fenêtres ne sont, en fait, que des palabres interminables pour déterminer le pourcentage de kat qui revient aux agents des douanes qui attendent chaque jour le train comme le Messie. Ils n'ont qu'une hâte, que le convoi démarre pour brouter tranquillement.

Sur le quai, deux femmes se tirent les cheveux en hurlant. De vraies tigresses. L'une a déchiré la robe de son adversaire qui n'a cure d'avoir les seins à l'air. En quelques secondes, l'altercation est devenue un combat à mort. Celle qui est à moitié nue a mordu l'autre à l'oreille. Du sang coule abondamment dans son cou. Elle s'en fiche. Elle ne ressent pas la douleur. Avec une pierre, elle essaie de fracasser le crâne de son adversaire qui se démène comme un diable pour se dégager. Si elle frappe, c'est sûr, elle va la tuer. Quatre policiers interviennent juste à temps. Une pluie de coups de bâton s'abat sur les échines féminines. Il faut que les policiers les ceinturent pour les séparer. Elles se battaient probablement à la suite d'un différend sur du kat.

A l'époque des Français, le kat saisi était arrosé d'essence et brûlé. Aujourd'hui, ce serait un vrai sacrilège. Subitement, l'effervescence, les cris s'arrêtent. Les transactions sont terminées. Le quai se vide. Chacun gagne sa maison pour brouter car il n'y a que ça qui compte. Nous, on attend le Hassan Djog sous un soleil de plomb. Il arrive de Djibouti et le croisement est prévu à Aïcha. Personne n'a su me dire depuis quand ce train porte ce nom. Il y avait, paraît-il, un conducteur qui s'appelait Hassan. Il était gentil et pas très à cheval sur le règlement. Ce qui n'était pas pour déplaire aux passagers. Il suffisait qu'on lui crie « Hassan ! djog ! » (attends-moi) pour qu'il retarde le convoi. Son train n'arrivait jamais à l'heure mais sa popularité était grande sur la ligne. Hassan a disparu mais le nom est resté.

— Jamais vous n'avez vu un train pareil dans votre vie. Il vaut le coup d'œil, me dit Joseph en riant.

Les minutes s'écoulent lentement et en silence. Tous les passagers broutent copieusement à l'ombre des voitures. Seul le bruit des mouches perturbe la quiétude de ce début d'après-midi. Ces insectes, gras et tenaces, m'obligent à exécuter vainement des mouvements de bras désordonnés afin d'essayer de les chasser.

— Il arrive, dit Joseph, en tendant son bras.

En fixant les collines, j'aperçois un point noir qui avance lentement. Quinze minutes après, le train entame la dernière ligne droite. Train est un bien grand mot. Il y a devant bien sûr une vieille BB qui doit accuser trois millions de kilomètres. Les deux conducteurs ne sont pas seuls, puisque, au-dessus de leur tête, c'est-à-dire sur le toit, une grappe humaine vociférante rentre en gare en agitant les bras. Derrière, le wagon-choc à ridelles en bois est rempli de monde. Suivent cinq autres wagons transformés en voitures voyageurs et un wagon-fourgon où se tient le chef de train. Les hommes sont torse nu. Des voiles roses, bleus, mauves flottent aux fenêtres pour dispenser un peu d'ombre.

Le Hassan Djog connaît des règles bien établies. D'un voyage sur l'autre, les mêmes places sont réservées par les mêmes femmes. Elles laissent des petits rubans de tissu sur leur siège en bois. Même les WC constituent une place et sont occupés par leur propriétaire. Malheur à celui qui prendrait le siège d'une contrebandière en titre. Les ballots sont marqués par un triangle, un carré, un rond afin que chacune reconnaisse les siens et que les porteurs s'y retrouvent. Tel triangle correspond à Madame Fatima, neuvième rangée côté droit. Certaines de ces matrones oromos, somalies ou hararis pratiquent ce commerce depuis vingt-cinq ans. Elles emmènent le kat et les légumes à l'aller, et des cartons d'huile, du savon, des pâtes, du riz et du tissu au retour. Les objets fragiles sont calés en haut et elles s'assoient sur le reste. Elles ne sont pas les seules à se livrer au trafic. Tous les passagers transportent quelque chose.

En rentrant en gare, le Hassan Djog est en fête. Les passagers crient, dansent, rient, chantent sur le toit des wagons.

— Ils sont partis très tôt ce matin de Djibouti avant que le kat n'arrive. Ils sont excités parce qu'ils vont en acheter dans le nôtre, explique Joseph.

La gare d'Aïcha, qui était retombée dans la torpeur, s'anime à nouveau. A 200 mètres, les passagers du Hassan Djog interpellent les voyageurs de « notre » train pour demander du kat. Le conducteur actionne la sirène et avance lentement de quelques mètres. Il n'ira pas plus loin. Les allumés du Hassan Djog ont débranché le frein à vide afin que leur rame stoppe sur l'aiguillage qui commande l'accès à la voie unique. En nous empêchant de passer, le signal est donné. Ils sautent tous à terre et piquent un sprint jusqu'à nous. Les derniers n'auront pas de kat et ils n'arriveront à Diré Daoua que demain matin, si tout va bien. Devant les voitures, la lutte est serrée. Les prix montent, on discute ferme mais pas trop longtemps. Tous savent qu'ils ne pourront pas arrêter les deux trains pendant des heures. A travers les fenêtres, les bottes changent de main, les billets aussi. Nouvelle course jusqu'au Hassan Djog qui démarre enfin pour venir s'arrêter à notre hauteur. A bord, c'est l'hystérie. Ils brandissent les brins en levant les bras, comme des matadors victorieux, les oreilles du taureau qu'ils ont tué.

Kasahoun lève les épaules en signe d'impuissance puis accélère. Un cheminot a mis l'aiguillage dans le bon sens. Un dernier salut de la main et nous quittons Aïcha. La motrice grimpe péniblement la côte d'Adélé et son décor de western. La voie longe à flanc de montagne l'oued Rab qui agrandit à chaque crue son lit et grignote le soubassement. A tel point que le ballast est tombé dans le vide à plusieurs endroits.

A la sortie d'une gorge, une grosse tache d'huile macule la voie. C'est la trace d'un précédent déraillement. Le conducteur n'avait pas vu les éboulis qui obstruaient le passage. Adélé est une station de pompage qui alimentait les machines à vapeur. On tirait l'eau de ce forage plutôt que celle, salée, de Djibouti. Il n'est pas prévu d'arrêt mais le conducteur coupe les gaz. Trois Issas, plantés au milieu de la voie, font signe de la main. Ils montent dans une voiture comme si de rien n'était.

— Ce n'est pas un train, c'est un taxi, maugrée l'aide.

Quelques kilomètres après, nous dépassons un panneau marqué d'un S. Kasahoun s'exécute, il donne du sifflet. Je demande pourquoi car je ne vois pas âme qui vive à l'horizon.

— On doit prévenir car on va traverser un passage à niveau sans barrière, répond le conducteur.

— Où est-il ? Je ne le vois pas.

— Il est derrière nous.

— Mais où est la route ?

— Elle n'est pas encore construite mais elle est prévue à cet endroit !

Vient un plateau couvert d'une herbe jaune et rase brûlée par le soleil. Je suis à moitié groggy par la chaleur du moteur et la température ambiante, mais je me sens bien. Je comprends que les nomades qui vivent ici se considèrent libres et rejettent les hommes et les règlements qui tentent de les domestiquer.

Un château d'eau puis des bâtiments se profilent à l'horizon. Nous entrons à Daouenlé, la gare frontière avec Djibouti.

Le voyage avec Kasahoun et Abdo, son aide, s'arrête là. Les conducteurs éthiopiens ne passent pas la frontière. La relève est assurée par un équipage djiboutien. Avant que le train ne reparte, il y en a pour une bonne heure. Daouenlé attendait également le kat. La rame est assaillie par les accros qui désespéraient de voir leur drogue arriver.

Joseph confie mon passeport au chef de gare qui se charge d'y faire apposer un tampon de sortie. Un « bar » offre, à côté, des boissons fraîches, prémices de la civilisation occidentale qui commence après les collines. Jamais Coca-Cola ne m'avait paru aussi délicieux.

Mon chemin va continuer sans Joseph et j'en suis triste. Joseph est un honnête homme, sensible et tolérant.

— Sous le négus, on se bousculait pour aller à Djibouti. Le birr valait trois fois plus cher que le franc local, raconte Joseph. Aujourd'hui, c'est une punition. Notre monnaie est si faible qu'on ne peut rien acheter. Quand je m'y rends en mission, je fais comme les contrebandiers. J'achète deux ou trois kilos de kat que je revends de l'autre côté de la frontière. En contrepartie, j'achète des pâtes, du riz, du concentré de tomate que je ramène à ma famille. Avec des birrs, je ne peux même pas m'offrir un taxi. Heureusement qu'à Djibouti ils sont fous de kat. Il y a quelques mois, je suis allé trouver un chauffeur devant la gare. « Je n'ai pas d'argent mais, si tu veux, je te paie avec du kat », lui ai-je dit. Le type est devenu dingue. « Du kat frais du Harar ? Je t'emmène où tu veux, à l'autre bout de la ville, si tu le désires », m'a-t-il répondu. Je n'en demandais pas tant.

Deux filles, jeunes et souriantes, sont assises sur un parapet. Depuis un mois, elles cherchent le moyen de passer la frontière clandestinement. Leur but : rejoindre Djibouti et les bars à soldats où elles vont obtenir, en une nuit, ce qu'elles gagnaient en Éthiopie en un mois.

Devant la gare, une balance, fabriquée à Lyon par les établissements Falcot Frères, achève de rouiller. Elle servait dans le temps à peser les bagages supplémentaires des passagers, qui payaient une taxe pour leur transport dans un fourgon spécial. Mon passeport est en règle. Le flou administratif, qui laissait entendre à Addis que ce poste-frontière était fermé aux étrangers, n'est pas complètement élucidé, mais j'ai un tampon de sortie éthiopien sur mon document de voyage.

Trois hommes à la mine renfrognée nous interpellent au moment où je m'apprête à monter dans la cabine. Ils sont vêtus d'une parka militaire et montrent l'air méchant et suspicieux de flics imbus de leur autorité.

— Ils demandent votre passeport, me dit Joseph.

Je le leur tends mais, comme je le pressentais, cela ne leur suffit pas.

— Ils veulent savoir si vous avez des dollars.

Prévoyant, j'ai caché mon pécule au fond d'une des poches revolver de mon pantalon.

— Non, réponds-je avec aplomb.

Non pas que je considère être au-dessus de la loi, mais je sais qu'en affirmant le contraire, non seulement je ne vais plus revoir mes dollars, mais je vais me retrouver empêtré dans un magma policier et administratif qui risque de m'amener d'abord en prison et ensuite à Addis-Abeba. La rame est remplie de contrebandiers, mais c'est à moi qu'on cherche des poux dans la tête. Mes trois cerbères restent cependant méfiants. Ils hésitent à aller trop loin mais ne lâchent pas prise. Joseph a beau leur expliquer que j'ai la permission de la direction de passer la frontière, ils ne veulent rien entendre.

N'y tenant plus, le plus grand retire brusquement mon

carnet de notes de la poche de ma chemise. La bosse sous le tissu avait attiré ce fin limier. Manque de chance pour lui, il tombe sur des gribouillis et non pas sur des billets verts à l'effigie de Benjamin Franklin.

Ce geste provoque la stupeur des gens qui assistent à la scène. Les policiers-soldats sont tigréens. Aux « marches de l'empire », ils sont vus en occupants plutôt qu'en libérateurs. Pour montrer aux passagers qu'ils sont désormais les maîtres du pays, ils pratiquent un zèle qui n'arrange personne. Ni les fonctionnaires ni les contrebandiers. Voilà que maintenant, ils s'en prennent à un Français. Joseph est choqué que le flic ait osé porter la main sur moi.

— Sortez votre laissez-passer, me demande-t-il.

Une nouvelle fois, ma feuille de papier pelure fait des miracles. Celui qui a l'air d'être le chef la lit, la rend à Joseph, et tourne les talons, suivi de ses deux compères. Mohamed, le conducteur djiboutien, actionne le klaxon de la motrice, je remercie encore une fois Joseph et nous quittons la dernière halte éthiopienne.

— Ces Tigréens sont des sauvages. Ils terrorisent tout le monde, maugrée Mohamed. Le mois dernier, ils ont tiré sur un pauvre type qui s'enfuyait. Le malheureux était blessé. Je leur ai dit : « Je l'emmène à l'hôpital d'Ali Sabieh. Ici, vous n'avez rien pour le soigner. » Ils ont refusé. « On a ce qu'il faut en Éthiopie », disaient-ils. J'ai insisté : « Le temps qu'il arrive à Diré Daoua, il sera mort. » Ils ont fini par céder en disant : « Qu'il aille au diable ! » Tout ça pour deux bottes de kat !

CHAPITRE XV

Le sergent-chef Daoud est un petit gros coiffé d'un calot. Il commande le poste-frontière djiboutien de Guelilé. Pour arriver jusqu'à lui, le train traverse un no man's land de 7 kilomètres qui sépare l'immense Éthiopie de la minuscule République de Djibouti. La voie serpente au fond d'une vallée avant d'atteindre deux hangars surplombés par un fortin.

Le chef Daoud règne sur ce coin de terre aride. Aujourd'hui, ses adjoints sont particulièrement énervés. Ils se rongeaient les sangs à attendre le kat. A Guelilé, les passagers sont poussés vers les bâtiments en parpaings. Certains tentent d'échapper au contrôle en s'éloignant du ballast. D'autres se cachent derrière les voitures. Mais les caporaux djiboutiens connaissent la combine. Ils ramènent les récalcitrants à la chicotte et à coups de pied au derrière. Les femmes ont beau piailler, implorer la clémence des gendarmes, elles sont tirées par leur voile jusqu'au hangar. Elles sont parquées d'un côté et les hommes de l'autre. Une fois dedans, les portes grillagées sont fermées à clé.

Ceux qui ne sont pas en règle se lamentent en s'accrochant au grillage, d'autres interpellent les caporaux pour leur proposer un marché. Ils se font en général rabrouer, surtout si Hussein est dans les parages. Vêtu d'un survêtement, ce colosse à la coupe militaire tape avec son bâton sur le grillage pour faire taire son monde. Hussein a une tête de brute. Ma présence ne l'enchante guère, mais, comme le chef Daoud m'a proposé de boire un Fanta dans son bureau, il est obligé de me supporter.

— On patrouille toutes les nuits, mais ils réussissent à franchir la frontière. Ils se pointent également avec de faux papiers, dit-il, en sortant de son tiroir des dizaines de passeports et de titres de voyage. Depuis que le pouvoir est vacant à Mogadiscio, jamais je n'ai vu autant de passeports falsifiés. Les réserves du ministère de l'Intérieur ont dû être pillées. Ces documents sont vrais, mais ils changent la photo ou inventent un tampon officiel. Les Somaliens transitent par l'Éthiopie puis prennent le train jusqu'ici. On est un tout petit pays, qui accueille déjà beaucoup de réfugiés. Si, en plus, les clandestins se mettent de la partie... En ville, ils causent des troubles, volent, trafiquent. Il faut rester vigilant.

Le chef Daoud serait presque convaincant. Sauf que la rame est occupée en majorité par des contrebandiers connus de ces hommes. La plupart n'ont certes pas de papiers. Alors, un petit jeu subtil s'est instauré au fil des ans entre les gendarmes et les trafiquants. Les premiers fouillent d'abord les voitures sans que les passagers soient présent.

— On recherche des armes, coupe le chef Daoud.

En fait, les pandores djiboutiens saisissent le kat qu'ils trouvent. Ils en consomment beaucoup et en vendent pas mal pour arrondir leurs fins de mois. Ensuite, le décor est planté pour le contrôle d'identité. Une vraie pièce de théâtre rejouée mille fois.

Un caporal apporte une table de bois devant les portes

grillagées. Les voyageurs, selon un scénario bien établi, se mettent en rang. Puis, ils défilent un à un. Les gendarmes trouvent toujours une bonne raison pour refouler un Éthiopien qui garde trois ou quatre bottes de kat coincées sous son bras. Si le voyageur est inconnu sur la ligne, cela se voit, et s'entend. Il revient à la charge, proteste de sa bonne foi, argue que ses papiers sont en règle et reçoit un coup de bâton derrière les oreilles.

Le chef Daoud, lui, est préposé à la lecture des documents de voyage. Son plus jeune caporal garde le tampon d'entrée de la République. Un geste de Daoud et le passeport reçoit le cachet salvateur. Sinon, l'homme est refoulé au fond du hangar, un coup de trique en prime. Un cadeau, une botte de kat, par exemple, et tout s'arrange.

Papiers ou pas, aucun passager ne reste en fin de compte dans les hangars. Les femmes, elles, usent de leurs charmes. Des matrones jettent des regards équivoques. D'autres ont pleuré des larmes de crocodile, mais personne n'est dupe. Nous repartons. Un contrebandier s'échappe des mains d'Hussein. Il lui court après. Trop tard ! Le trafiquant a sauté dans un wagon. Hussein arrête sa course. Il a tout son temps. Il aura le « mauvais payeur » à son retour.

Depuis la frontière, le conducteur et son aide broutent sans cesse. Ils mastiquent des boules de kat grosses comme des noix. Nous entrons dans Ali Sabieh, une ancienne garnison de la Légion, repliée aujourd'hui dans la capitale. Le même scénario se reproduit. Les voitures sont prises d'assaut, toujours pour le kat. Je comprends pourquoi je trouvais la taille d'une jeune femme anormalement épaisse par rapport au reste de son corps. Assaillie par les « clients », elle sort, comme par magie, des bottes de kat de dessous ses voiles. Elles sont attachées par des rubans de raphia. Je parie qu'elle en dissimule d'autres sous sa jupe. En arrivant à Djibouti, elle aura perdu la moitié de son poids.

A partir d'Ali Sabieh, le train est surveillé par des policiers. Mais au moment où Mohamed accélère, l'un d'eux monte sur le marchepied et crie par la fenêtre :

— Attends, j'ai oublié mon arme !

Il n'est pas le seul à avoir forcé sur le kat. Tous les passagers, en cette fin d'après-midi, sont dans le même état. Les conducteurs ne sont pas épargnés. A Djibouti, la voie est meilleure et mieux entretenue. Heureusement, car en 100 kilomètres nous allons descendre de 850 mètres d'altitude au niveau de la mer Rouge. Un véritable toboggan avec des courbes serrées, des ponts, des ravins. Le tracé est sinueux, mais nous roulons à 60 à l'heure. Dans plusieurs virages, la rame penche dangereusement. J'ai du mal à me tenir sur mon siège tellement je suis ballotté d'un côté et de l'autre. Mohamed est pressé d'arriver. En attendant, il entame sa deuxième botte de kat frais et boit de l'eau. L'aide n'est pas en reste. Il est le plus organisé. Son kat est protégé par une serviette humide et dans son Thermos, il a du thé chaud et sucré. Ce n'est pas une cabine de locomotive, mais un salon. Il ne manque plus que les coussins pour s'allonger à la romaine. Sous l'emprise du kat, les langues se délient et les esprits philosophent. Nous sommes en période électorale. Les Djiboutiens doivent choisir entre plusieurs candidats.

— Plus le tiers-monde devient souverain, et plus c'est le royaume des salopards, lance le conducteur, occupé à choisir un brin d'herbe tendre au lieu de regarder la voie.

L'aide se lance, quant à lui, dans une autocritique.

— Nous sommes minés par le kat. Le phénomène est devenu trop important. Le pays ne produit rien. Les gens passent leur temps à brouter, dit-il avec peine, tant il a la bouche pleine.

Nous perdons toujours de l'altitude à vive allure. Il fait

chaud, mais l'air est plus humide, plus lourd. Les roches basaltiques dessinent dans les collines de véritables sculptures noires ou grises. Mohamed laisse aller son train. Il ne dépasse pas la vitesse indiquée mais ne descend jamais au-dessous du maximum. En sortant d'une longue courbe, la rame est secouée plus que d'habitude. Probablement un mauvais alignement des rails. Le train s'arrête brutalement. Quelqu'un a tiré le frein d'urgence à l'arrière. J'entends des gens crier. Des dizaines de passagers sautent des voitures et courent sur le ballast.

Quelqu'un est tombé du toit dans la dernière secousse. Ils reviennent en portant un enfant. Il transportait de l'adeï, du bois à frotter les dents depuis Diré Daoua. Il doit avoir une dizaine d'années. Son petit corps est tordu. Ses jambes et ses bras sont disloqués. Sa tête a pivoté à 90° et du sang coule de ses oreilles. J'ai un hoquet de dégoût en regardant ses yeux vitreux et immobiles. Je ne suis pas le seul mais, chez le conducteur, il se traduit par une colère inattendue, comme s'il se sentait responsable de cet accident. Il saisit des pierres et les jette sur les clandestins encore sur le toit.

— Descendez, salopards, descendez de là !

— Ils sont fous. Il y a des morts tous les jours et ils montent encore sur les voitures, que puis-je y faire ? dit-il en s'adressant à moi.

Les passagers ouvrent la portière de la cabine. Ils veulent mettre l'enfant dedans. Ses vêtements sont maculés de sang. J'ai l'impression qu'il est encore conscient. Ce n'est qu'une illusion. Il est déjà dans le coma.

— Non, pas ici ! Mettez-le dans une voiture, dit Mohamed.

Les passagers repartent à l'arrière en soutenant le petit corps déjà sans vie.

A cause du kat, ils sont tous dans les vapes. Ce kat qui vient de tuer un gamin de dix ans. Si on avait roulé plus doucement, serait-il tombé du toit ?

Une demi-heure après, nous arrivons en vue de Holl-Holl. Pour y accéder, il faut traverser une immense gorge sur un viaduc. Mohamed ralentit et roule au pas. Des projecteurs, des casemates et des rouleaux de fil de fer barbelé protègent l'ouvrage d'art.

Si le conducteur reste prudent, c'est que Holl-Holl lui rappelle de mauvais souvenirs.

— Le 8 août 1991 à 17 h 30, j'approchais de Holl-Holl en pilotant un train de marchandises rempli de sucre et de mélasse. Deux machines étaient couplées pour tirer le convoi, mais il n'y avait pas de chauffeur dans la première. Le train s'est mis tout à coup en dérive. Je n'ai rien pu faire pour l'arrêter. Les wagons étaient trop chargés et les freins pas assez puissants. J'ai essayé de freiner avec la deuxième machine. Rien. Elle n'avait pas de compresseur ! A 60 à l'heure, j'ai envoyé l'aide tirer le frein d'alarme. En vain. Nous allions de plus en plus vite. On ne pouvait plus sauter ! On a passé le viaduc à 80 à l'heure en fermant les yeux. Puis on s'est mis en boule en priant Dieu de nous épargner. En rentrant dans Holl-Holl, les wagons ont déraillé, enfonçant des maisons qui étaient près de la voie. Notre locomotive s'est couchée sur le côté en démolissant un vieux bâtiment. J'en suis sorti indemne. Un miracle. Seule la première locomotive, celle qui n'avait pas de chauffeur, a continué seule ! Je suis monté dans une ambulance qui emmenait une femme enceinte à l'hôpital. On a rattrapé la loco quelques kilomètres plus loin. Découplée, elle n'était plus en traction mais dévalait la pente en roue libre. J'ai mis des cailloux sur la voie dans un plat. Cela a suffi pour l'arrêter. Quand je suis retourné à Holl-Holl, j'ai cru que la gare avait subi un bombardement. Onze clandestins sont morts dans la catastrophe. Moi, j'ai purgé trois mois de prison préventive. Jusqu'à ce que je sois innocenté par la commission d'enquête. La faute revenait au matériel défectueux.

Tous les wagons accidentés n'ont pas été enlevés. Des tas de ferrailles déchiquetées témoignent de la violence du choc. La rame est prise une nouvelle fois d'assaut par les brouteurs de kat. A peine remarquent-ils le corps disloqué de l'enfant que de bonnes âmes descendent du train. Une voiture l'emporte à l'hôpital d'Ali Sabieh. Je pense à sa mère. Elle n'apprendra pas la nouvelle avant plusieurs jours. Ce seront des gamins, des petits vendeurs de bois d'adaï, qui viendront lui annoncer que son fils est mort. Le corps ne sera jamais rapatrié en Éthiopie. Trop compliqué, trop cher. Et, dans la religion musulmane, on enterre les défunts immédiatement. Ici, personne ne se souviendra de lui. Il n'est qu'un inconnu, une victime du train parmi d'autres. A bord, l'incident est déjà oublié. Les passagers sont fatigués. La chaleur, la soif, le kat les ont transformés en zombies. Dans la cabine, les conducteurs gardent le silence en fumant cigarette sur cigarette.

Nous perdons toujours de l'altitude. Avec la tombée du jour, la température est moins élevée mais l'humidité grandit au fur et à mesure que nous approchons de la côte. La voie serpente entre des collines pierreuses couvertes de buissons. Le tracé longe des ravins, passe entre deux murs de roche dynamitée par les ingénieurs lors de la construction du chemin de fer. Une odeur pestilentielle rentre soudain dans la cabine. Le cadavre décapité d'un dromadaire gonflé comme une baudruche gît sur le bas-côté. Il n'a plus de pattes et des milliers de mouches s'envolent à notre passage.

— Devant la machine, les chameaux n'arrivent pas à s'écarter du ballast. Ils voient les rails comme deux murs et galopent jusqu'à épuisement dans un couloir imaginaire, explique Mohamed, en entamant une autre botte de kat.

Après Goudetto, la nuit est tombée. L'aide démonte le panneau de bakélite qui protège l'arrière du phare supérieur. Nous bénéficions ainsi d'un peu de lumière dans la cabine. L'ampoule du plafonnier est grillée. Celles qui éclairent les instruments aussi. On devine à peine l'aiguille blanche du Téloc, le compteur de vitesse. Le train roule dans l'obscurité avec l'éclairage d'une 2 CV. En bas, les lumières de Djibouti apparaissent à travers le pare-brise. Elles s'étalent en longueur, le long du rivage. La halte de Chébélé est complètement plongée dans le noir. Personne ne monte ni ne descend. Seules, des silhouettes s'agitent contre la rame, toujours pour le kat. Nous longeons maintenant le périmètre de l'aéroport. Au-dessus des arbustes, je distingue nettement, dans la lumière des puissants projecteurs de l'aérogare, l'empennage bleu-blanc-rouge d'un avion d'Air France.

Après les dépôts Shell et Mobil, Mohamed klaxonne sans cesse. Malgré le raffut de la motrice, les voitures ne s'arrêtent pas au passage à niveau.

— Ils sont fous, lâche simplement Mohamed, en bougeant la tête.

Nous traversons maintenant Ambouli, réputée pour ses jardins. L'antenne des Telecom est éclairée par de puissants projecteurs. La crainte du sabotage inquiète toujours la petite République en proie à une guerre civile entre Afars et Issas. Mohamed actionne le klaxon deux, trois, quatre fois à l'approche du nouveau passage à niveau qui précède la cité Laïre. Dans les phares, je distingue une dizaine de chameaux qui traversent la voie. Mohamed klaxonne encore, actionne le frein, mais la distance est trop courte. Trois animaux s'échappent de justesse. Le quatrième est frappé de plein fouet par le chasse-pierres. Le choc l'envoie valser à plusieurs mètres dans une position ridicule. Je doute que la malheureuse bête se relève. Les voitures ont beau klaxonner, rien n'y fait. La machine cogne à nouveau. Deux fois. La collision est si violente que le premier chameau rebondit sur la ferraille comme une balle de tennis, et va s'encastrer dans un bruit de tôle froissée contre une automobile à l'arrêt. Le deuxième n'a guère plus de chance. Il est projeté encore plus loin dans le carrefour. Il heurte de plein fouet une camionnette qui tente de l'éviter. Un véritable carnage. Par réflexe, j'ai mis mes bras autour de ma tête. C'est inutile. Le pare-brise n'a pas éclaté. Dans la cabine, à peine a-t-on ressenti trois bruits sourds. Le conducteur ne s'arrête pas. A quoi bon ? La faute incombe au chamelier. A lui de ne pas être surpris par le train. Mohamed poursuit sa route. A la hauteur des quartiers populaires 6 et 7, le convoi stoppe. A l'arrière, les clandestins ont débranché le frein à vide. La routine ! En s'arrêtant ici, les passagers n'auront pas à payer un taxi à la gare pour retrouver leur famille. La moitié des voyageurs débarquent sur la route. Ils se dispersent avec un ballot, une valise, des sacs pleins à craquer. Mohamed attend, les yeux rougis par le kat et la fatigue, en fumant une cigarette. La pression d'air remonte. Le boyau a été rebranché. Le moteur gronde à nouveau, une dernière fois. Le boulevard du Col, la caserne des pompiers, le camp de l'infanterie de marine. Je n'arrive pas à y croire. Je regarde les voitures qui roulent le long d'une avenue bordée de jeunes palmiers. Il y a même des feux rouges ! Nous sommes dans une vraie ville. Mohamed ralentit. Deux grilles laissent à peine le passage à la voie. Nous entrons dans l'enceinte de la gare. Au fond, le quai est éclairé par des néons. Mohamed coupe le moteur.

Demain, j'apprendrai que là-haut, sur les plateaux d'Éthiopie, le train qui nous suivait a été attaqué après Aouache. Deux voyageurs ont été tués et onze autres blessés, dont le conducteur.

Épilogue

Au moment où je termine ce récit, j'apprends que le directeur général a été limogé et que le père Émile est mort sans être certain d'avoir trouvé la vraie maison de Rimbaud. Le saint homme est enterré à Harar, à côté des lépreux. Ce sont les habitants qui l'ont voulu ainsi.

Séraphin, lui, reste un champion de pétanque et, à l'Alliance française de Diré Daoua, les petites filles éthiopiennes chantent toujours *Sur le pont d'Avignon.*

Cet ouvrage a été réalisé par la
SOCIÉTÉ NOUVELLE FIRMIN-DIDOT
Mesnil-sur-l'Estrée
pour le compte des Éditions Grasset
en septembre 1994

Imprimé en France
Dépôt légal : septembre 1994
N° d'édition : 9521 - N° d'impression : 27655
ISBN : 2-246-48021-3